普通高等教育土建类系列教材

土木工程施工

第 2 版

主 编 尹立新 闫 晶
参 编 李 云 温惠清 李国文

机械工业出版社

本书是高校与企业、行业合作，按照现行的国家相关规范和标准进行编写的，编入了 BIM 与绿色施工的相关内容，突出了教材的实践性、实用性、适用性与新颖性。

全书共 17 章，内容包括绪论、土方工程、地基处理与桩基础工程、钢筋工程、模板工程、混凝土工程、预应力工程、钢结构制作与安装、结构安装工程、砌体与脚手架工程、防水与保温工程、装饰工程、施工组织、网络计划技术、施工组织设计、施工 BIM 应用、绿色施工。

本书从编排结构上侧重学生能力的培养，每章设计了问题引入、应用训练，目的在于增加学生的工程兴趣，提高学生的工程应用能力。本书主要用于地方应用型本科高校、高职高专院校土木工程专业、工程管理专业及相关专业的教学，也可作为相关岗位培训和土木施工技术人员的参考书。

本书配套有授课课件、教案、视频、习题参考答案、试卷等资源，免费提供给选用本书的授课教师，需要者请登录机械工业出版社教育服务网（www.cmpedu.com）注册后下载。

图书在版编目（CIP）数据

土木工程施工/尹立新，闫晶主编. —2 版. —北京：机械工业出版社，2023.12（2025.1 重印）
普通高等教育土建类系列教材
ISBN 978-7-111-74923-3

Ⅰ.①土⋯ Ⅱ.①尹⋯ ②闫⋯ Ⅲ.①土木工程-工程施工-高等学校-教材 Ⅳ.①TU7

中国国家版本馆 CIP 数据核字（2024）第 015251 号

机械工业出版社（北京市百万庄大街 22 号　邮政编码 100037）
策划编辑：李　帅　　责任编辑：李　帅　刘春晖
责任校对：张　征　　封面设计：张　静
责任印制：张　博
北京建宏印刷有限公司印刷
2025 年 1 月第 2 版第 2 次印刷
184mm×260mm・17.25 印张・423 千字
标准书号：ISBN 978-7-111-74923-3
定价：53.80 元

电话服务　　　　　　　　　网络服务
客服电话：010-88361066　　机　工　官　网：www.cmpbook.com
　　　　　010-88379833　　机　工　官　博：weibo.com/cmp1952
　　　　　010-68326294　　金　书　网：www.golden-book.com
封底无防伪标均为盗版　　　机工教育服务网：www.cmpedu.com

前　言

　　工业时代教育强调人的基本知识储备、基本技能的重要性，信息化时代的人才培养理念发生了根本改变，强调知识、能力、素质并重。为实现面向未来智能时代的人才培养目标，亟待建立以学生为中心的德智体美劳人才培养体系，培养学生的批判性思考能力、"人技"互动能力、创新能力、解决复杂工程问题能力、协作沟通能力。教材的建设需要紧跟信息技术的快速发展步伐。

　　经验表明，在工程实践中学到的知识可成为工程师终身难忘的工程经历。CDIO 理论对土木工程施工是理想的教育教学模式，实现这种模式需要两个前提：一是具有接近真实环境的现场教学条件，二是具有丰富工程经历和教学理论的双师型教师，这也是我国一些应用型院校建设所努力改革的方向。"尝试（Try）-学习（Study）-指导（Instruct）-实践（Practice）"的教学理念体现以学生为主体，在"做"中学，本书在编排上设计了问题引入、应用训练，充分体现了 CDIO 工程教育的思想。

　　教育工作者的职责是教书育人，培养学生吃苦耐劳、勇于创新、终身学习的工程精神。这种工程精神对土木工程从业者尤为重要，也体现了陆游所说的"功夫在诗外"。土木工程施工需要在教学环节注重培养学生的工程思维能力，并采用现场教学或教学录像的方式增加感性认识。

　　近年来，土木工程施工朝向"绿色化、智慧化、工业化"发展，相关国家规范更新较快，内容变化很大。同时，信息时代多元、开放、灵活的数字教育资源更方便有效应用，教材内容、教学方式均会受到较大的冲击。这就对教材提出了更高的要求：不仅要体现知识点，还要侧重能力、德育的培养，高等教育对思政教育和新形态教材的建设提出了更高的要求。本书由常熟理工学院尹立新、常熟理工学院闫晶主编，常熟理工学院李云、江苏金土木建设集团有限公司温惠清、常熟理工学院李国文参与编写，在第 1 版的基础上，对个别错误进行了更正，修订的主要内容包括以下几个方面：一是增加了课程思政的内容；二是根据最新的规范对部分内容进行了更新；三是在内容和形式上体现了数字时代的开放、共享、个性化的教育。

　　本书的编排思路体现了近年进行教学改革的研究成果，在内容上也有所创新。欢迎读者对书中不足之处提出宝贵意见并批评指正（邮箱：yinlixin735@163.com），在此表示衷心的感谢。在编写本书过程中，编者参考了有关文献和资料，在此对文献、资料的作者及出版社致以深深的谢意！

编　者

2023 年 11 月

目 录

前言

第1章 绪论 … 1

1.1 土木工程施工发展概况 … 1
1.2 土木工程施工依据的标准及规范 … 2
1.3 本门课程的主要内容 … 3
1.4 学好本门课程的建议 … 3
复习思考题 … 4
应用训练 … 4

第2章 土方工程 … 5

2.1 土方工程概述 … 5
  2.1.1 土方工程施工流程 … 5
  2.1.2 土方工程施工特点 … 5
  2.1.3 土方工程施工准备 … 6
  2.1.4 土的工程分类 … 6
  2.1.5 土的工程性质 … 7
2.2 场地平整 … 9
  2.2.1 场地平整的要求 … 9
  2.2.2 场地平整土方工程量计算 … 9
  2.2.3 场地平整土方调配 … 16
2.3 排水与降水 … 16
  2.3.1 排水与降水概述 … 16
  2.3.2 集水坑降水法 … 16
  2.3.3 井点降水法 … 18
  2.3.4 轻型井点降水的设计与施工 … 19
  2.3.5 降水对周边环境的影响和防治措施 … 28
2.4 土方开挖及回填 … 29

2.4.1　土方开挖 ………………………………………………………………………… 29
　　2.4.2　土方回填 ………………………………………………………………………… 35
　2.5　基坑支护 ……………………………………………………………………………… 38
　　2.5.1　基坑支护施工方案要求 …………………………………………………………… 38
　　2.5.2　基坑支护结构类型 ………………………………………………………………… 39
　　2.5.3　基坑支护结构的综合应用 ………………………………………………………… 46
　复习思考题 …………………………………………………………………………………… 46
　应用训练 ……………………………………………………………………………………… 46

第3章　地基处理与桩基础工程 ……………………………………………… 48

　3.1　地基处理工程 ………………………………………………………………………… 48
　3.2　桩基础工程 …………………………………………………………………………… 51
　　3.2.1　桩基础概述 ………………………………………………………………………… 51
　　3.2.2　预制桩施工 ………………………………………………………………………… 52
　　3.2.3　混凝土灌注桩施工 ………………………………………………………………… 58
　3.3　桩基的检测与验收 …………………………………………………………………… 66
　复习思考题 …………………………………………………………………………………… 67
　应用训练 ……………………………………………………………………………………… 67

第4章　钢筋工程 ………………………………………………………………… 68

　4.1　钢筋工程概述 ………………………………………………………………………… 68
　4.2　钢筋的验收和存放 …………………………………………………………………… 69
　4.3　钢筋翻样与配料 ……………………………………………………………………… 70
　　4.3.1　钢筋翻样与配料的含义 …………………………………………………………… 70
　　4.3.2　钢筋配料单的编制 ………………………………………………………………… 71
　4.4　钢筋代换 ……………………………………………………………………………… 76
　4.5　钢筋加工 ……………………………………………………………………………… 77
　4.6　钢筋连接 ……………………………………………………………………………… 78
　　4.6.1　钢筋绑扎连接 ……………………………………………………………………… 78
　　4.6.2　钢筋焊接连接 ……………………………………………………………………… 78
　　4.6.3　钢筋机械连接 ……………………………………………………………………… 80
　　4.6.4　钢筋接头质量检验 ………………………………………………………………… 81
　4.7　钢筋安装与验收 ……………………………………………………………………… 83
　复习思考题 …………………………………………………………………………………… 84
　应用训练 ……………………………………………………………………………………… 84

第5章　模板工程 ………………………………………………………………… 85

　5.1　模板工程概述 ………………………………………………………………………… 85

	5.1.1 模板工程的基本要求	85
	5.1.2 模板的分类	85
5.2	模板工程设计	90
	5.2.1 模板工程施工准备	90
	5.2.2 模板工程设计依据	90
	5.2.3 模板荷载	91
	5.2.4 模板工程计算	94
5.3	模板工程安装与拆除	99
	5.3.1 模板工程安装	99
	5.3.2 模板拆除	100
复习思考题		102
应用训练		102

第 6 章　混凝土工程　103

- 6.1 混凝土工程概述　103
- 6.2 混凝土制备　103
  - 6.2.1 混凝土配制　103
  - 6.2.2 混凝土的搅拌　106
  - 6.2.3 预拌混凝土　107
- 6.3 混凝土运输　108
  - 6.3.1 混凝土运输的要求　108
  - 6.3.2 混凝土运输工具　108
  - 6.3.3 泵送混凝土　109
- 6.4 混凝土浇筑与振捣　110
  - 6.4.1 混凝土的浇筑　110
  - 6.4.2 后浇带的施工　112
  - 6.4.3 大体积混凝土施工　112
  - 6.4.4 混凝土振捣　113
- 6.5 混凝土养护　114
- 6.6 混凝土质量检查与验收　115
  - 6.6.1 混凝土强度评定　115
  - 6.6.2 现浇混凝土结构质量检查与验收　118
- 6.7 混凝土工程冬期施工　119
- 复习思考题　120
- 应用训练　121

第 7 章　预应力工程　122

- 7.1 预应力工程概述　122

7.2 预应力钢材、用具及张拉设备 …… 123
7.3 预应力混凝土施工 …… 124
　　7.3.1 后张法施工 …… 124
　　7.3.2 先张法施工 …… 127
复习思考题 …… 128
应用训练 …… 128

第8章　钢结构制作与安装 …… 129

8.1 概述 …… 129
8.2 钢材的特性 …… 129
8.3 钢构件的制作与加工 …… 131
8.4 钢结构防腐防火 …… 132
8.5 钢结构的连接 …… 133
　　8.5.1 钢结构焊接 …… 133
　　8.5.2 高强度螺栓连接 …… 134
8.6 钢结构的安装 …… 135
复习思考题 …… 137
应用训练 …… 137

第9章　结构安装工程 …… 138

9.1 预制构件工厂化生产加工 …… 138
9.2 单层工业厂房结构安装工程 …… 139
　　9.2.1 起重机的选择 …… 139
　　9.2.2 结构安装方法 …… 139
　　9.2.3 起重机的开行路线 …… 143
　　9.2.4 构件的平面布置 …… 143
9.3 多层及高层结构安装工程 …… 144
9.4 装配式混凝土结构节点连接 …… 145
复习思考题 …… 146
应用训练 …… 147

第10章　砌体与脚手架工程 …… 148

10.1 砌体工程 …… 148
　　10.1.1 施工准备 …… 148
　　10.1.2 砖砌体施工 …… 150
　　10.1.3 小型砌块施工 …… 153
10.2 脚手架工程 …… 154
　　10.2.1 脚手架工程概述 …… 154

10.2.2　外脚手架 ··· 155
10.2.3　里脚手架 ··· 158
10.3　脚手架的设计与计算 ·· 159
复习思考题 ·· 160
应用训练 ··· 160

第 11 章　防水与保温工程 ·· 162

11.1　防水工程 ·· 162
　11.1.1　防水材料 ··· 162
　11.1.2　屋面防水施工 ··· 164
　11.1.3　地下防水工程 ··· 167
11.2　保温工程 ·· 171
　11.2.1　屋面保温工程 ··· 171
　11.2.2　外墙保温工程 ··· 171
11.3　质量及安全控制 ··· 173
复习思考题 ·· 173
应用训练 ··· 174

第 12 章　装饰工程 ·· 175

12.1　抹灰工程 ·· 175
12.2　楼地面工程 ··· 177
12.3　涂料工程 ·· 178
12.4　门窗工程 ·· 179
12.5　室内环境污染的控制 ·· 181
复习思考题 ·· 181
应用训练 ··· 181

第 13 章　施工组织 ·· 182

13.1　施工组织概论 ·· 182
13.2　施工准备工作 ·· 182
　13.2.1　技术准备 ··· 182
　13.2.2　施工现场准备 ··· 183
　13.2.3　资源及条件 ·· 183
　13.2.4　施工组织的基本原则 ··· 184
13.3　流水施工 ·· 185
　13.3.1　流水施工的组织 ·· 185
　13.3.2　流水施工的参数 ·· 186
　13.3.3　流水作业的基本方式 ··· 187

13.3.4　流水施工原理的应用 …………………………………………………………… 188
复习思考题 …………………………………………………………………………………… 193
应用训练 ……………………………………………………………………………………… 193

第14章　网络计划技术 …………………………………………………………………… 194

14.1　网络计划概述 ………………………………………………………………………… 194
14.2　双代号网络计划 ……………………………………………………………………… 195
　　14.2.1　双代号网络计划的组成 ………………………………………………………… 195
　　14.2.2　双代号网络计划的绘制 ………………………………………………………… 197
　　14.2.3　网络计划时间参数的计算 ……………………………………………………… 201
14.3　双代号时标网络计划 ………………………………………………………………… 204
　　14.3.1　一般规定 ………………………………………………………………………… 204
　　14.3.2　时标网络计划中时间参数确定 ………………………………………………… 205
14.4　单代号网络计划 ……………………………………………………………………… 206
14.5　网络计划的优化与控制 ……………………………………………………………… 209
　　14.5.1　网络计划的优化 ………………………………………………………………… 209
　　14.5.2　网络计划的控制 ………………………………………………………………… 211
复习思考题 …………………………………………………………………………………… 212
应用训练 ……………………………………………………………………………………… 213

第15章　施工组织设计 …………………………………………………………………… 215

15.1　施工组织设计概述 …………………………………………………………………… 215
15.2　单位工程施工组织设计编制 ………………………………………………………… 215
15.3　单位工程施工组织设计实例评析 …………………………………………………… 219
　　15.3.1　某工程投标施工组织设计案例 ………………………………………………… 219
　　15.3.2　施工组织设计评析 ……………………………………………………………… 235
15.4　危大工程专项施工方案编制 ………………………………………………………… 237
复习思考题 …………………………………………………………………………………… 238
应用训练 ……………………………………………………………………………………… 238

第16章　施工BIM应用 …………………………………………………………………… 239

16.1　建筑信息模型（BIM）概述 ………………………………………………………… 239
16.2　施工BIM应用策划 …………………………………………………………………… 242
16.3　施工模型创建 ………………………………………………………………………… 243
16.4　深化设计 ……………………………………………………………………………… 244
16.5　施工模拟 ……………………………………………………………………………… 246
16.6　进度管理 ……………………………………………………………………………… 249
16.7　质量、安全管理及竣工验收 ………………………………………………………… 251

复习思考题 ……………………………………………………………………………… 252
应用训练 ………………………………………………………………………………… 252

第17章　绿色施工 ……………………………………………………………… 253

17.1　绿色施工基本规定 ……………………………………………………………… 253
17.2　主要绿色施工技术 ……………………………………………………………… 253
复习思考题 ……………………………………………………………………………… 259
应用训练 ………………………………………………………………………………… 259

附录　建筑业10项新技术清单（2017版） ………………………………… 260

参考文献 ……………………………………………………………………………… 262

第1章 绪　论

问题引入：分析学好土木工程施工对我们生活有哪些影响？

1.1　土木工程施工发展概况

土木工程施工也称为营造、营建。

我国有悠久的历史和灿烂的文化，也有辉煌的营造历史。良渚古城的重现，印证了中国5000年前的高度文明，良渚古城外围水利工程是中国最早的水利工程、世界最早的水坝系统。战国、秦时期，我国的砌筑技术已有很大发展，能用特制的楔形砖和企口砖砌筑拱券和穹隆。秦以后，宫殿和陵墓的建筑已具相当规模，木塔的建造更显示了木构架施工技术已相当成熟。至唐代大规模城市的建造，表明我国当时的房屋建造技术也达到了比较高的水平。如公元523年后建于河南登封市的嵩岳寺塔，高41m，10层，砖砌筒体结构；建于公元652年的大雁塔为现存最早、规模最大的唐代四方楼阁式砖塔，塔身7层，通高64.5m；苏州云岩寺塔（959—961年）又称为虎丘斜塔，是中国现存最古老的砖塔之一，比意大利著名的比萨斜塔早建200多年，为仿楼阁式砖木结构，7层，高47m；公元1055年建于河北定县的眺望塔，11层，高82m，砖砌双层筒体结构；公元1056年建造的山西应县木塔，9层，高67m，是中国现存最高最古的一座木结构塔式建筑，与意大利比萨斜塔、巴黎埃菲尔铁塔并称"世界三大奇塔"。至元、明、清，已能夯土加竹筋建造三、四层楼房，砖券结构得到普及，木构架的整体性得到加强。我国现存的一些古代建筑，历经了几百年乃至上千年的地震、火灾的考验，保存完好，充分显示了我国劳动人民的智慧和才能。在这些建筑中，一种神奇的建筑技术功不可没，这就是木结构连接所采用的榫卯结构：在两个木构件上所采用的一种凹凸结合的连接方式。不用钉子的构件连接方式，使得中国传统的木结构成了超越当代建筑排架、框架或者刚架的特殊柔性结构体，不但可以承受较大的荷载，而且允许产生一定的变形，在地震荷载下通过变形吸收一定的地震能量，减小结构的地震响应。这种技术已在日本可以做到机械化量产。在营造理论研究上也颇有成果：《考工记》记载了先秦时期的营造法则。北宋李诫编纂的《营造法式》，对砖、石、木作和装修、彩画的施工法则与工料估算方法均有较详细的规定。清代的《工部工程做法则例》统一了建筑构件的模数和工料标准，制定了绘样和估算的准则。现存的北京故宫等建筑表明，当时我国的建造技术已达到很高的水平。

19世纪中叶水泥的出现，产生了钢筋混凝土，使土木工程施工有了质的飞跃。我国自鸦片战争以后，在沿海城市出现了一些用钢筋混凝土建造的多层房屋和高层大楼，但多数由

实证中华五千年文明的申遗文本

外国建筑公司承建。此时，我国由私人创办的营造厂虽然也承建了一些工程，但规模小，技术装备较差，施工技术相对落后。

新中国成立后，为适应国民经济恢复时期建设的需要，扩大了建筑业建设队伍的规模，引入了苏联建筑技术，在短短几年内，就完成了鞍山钢铁公司、长春汽车厂等1000多个规模宏大的工程建设项目。1958—1959年在北京建设了人民大会堂、北京火车站、中国历史博物馆等结构复杂、规模巨大、功能要求严格、装饰标准高的十大建筑，更标志着我国的建筑施工开始进入了一个新的发展时期。

我国建筑业的大发展的第二个阶段是在改革开放以后，在20世纪80年代，以南京金陵饭店、广州白天鹅宾馆和花园酒店、上海新锦江宾馆和希尔顿宾馆、北京的国际饭店和昆仑饭店等一批高度超过100m的高层建筑施工为龙头，带动了我国建筑施工，特别是现浇混凝土施工技术的迅速发展。20世纪90年代，随着房地产的发展和城市化进程的加快，出现了一批标志性的高层及超高层建筑，使我国建筑施工技术达到了很高的水平。高层钢结构建筑开始大量兴建，超高层钢骨钢筋混凝土结构工程也如雨后春笋，北、上、广、深出现了一批典型地标性建筑，如金茂大厦（88层，420.5m）、上海环球金融中心（101层，492m）、上海中心大厦（118层，为632m）；深圳信兴广场（又称为地王大厦，69层，高324.8m）、赛格广场（72层，高292m，钢管混凝土结构）、深圳平安国际金融中心（118层，660m）；广州塔（600m）、中国尊（528m）、苏州国际金融中心（450m）等工程将成为当地的新地标。

在桥梁建设上，我国已成为造桥强国。如苏通大桥（斜拉桥主孔跨度1.088km）、杭州湾跨海大桥（36km）、港珠澳大桥（49.968km）；随着我国盾构机械的发展，在过江隧道建设上，我国也进入世界大国之列。总之，国家经济的发展，综合国力的增强，进一步促进了施工技术的进步和施工组织管理水平的提高。

中国创造：大跨径拱桥技术

在施工技术方面，深基坑及基础工程施工中推广应用了大直径钻孔灌注桩、地下连续墙、大体积混凝土等新技术；主体结构施工中应用了大模板、智能升降平台等新型模板体系，粗钢筋焊接与机械连接技术、高强高性能混凝土、预应力技术、钢结构无损检测技术、新型工程机械等多项新的施工技术；在施工测量上采用激光对中等测量技术等；在技术管理及质量控制中，网络计划技术、BIM的应用使我国的施工技术水平有了较大的提升。

目前我国处于高质量发展的关键时期。党的二十大报告中指出："推动绿色发展，促进人与自然和谐共生"。未来的土木工程施工必然向智能、高效、环境友好型发展，表现在建筑工业化、绿色施工、建筑信息模型（Building Information Modeling，BIM）技术、智能建造技术、数字技术的应用等。尤为引人注目的是，3D打印技术的出现可能给传统施工技术带来革命性的突破。

见证江河安澜的经纬仪

1.2　土木工程施工依据的标准及规范

土木工程施工依据的标准及规范主要有施工及质量验收规范、规程和工法等。

规范为国家标准，是施工验收的主要依据，通常是强制性标准。施工中常用的现行规范及标准主要有（但不限于）：《混凝土结构工程施工规范》（GB 50666—2011）、《钢结构工程施工规范》（GB 50755—2012）、《屋面工程技术规范》（GB 50345—2012）、《地下工程防水技术规范》（GB 50108—2008）、《钢结构焊接规范》（GB 50661—2011）、《建筑工程施工质量验收统一标准》（GB 50300—2013）、《建筑地基基础工程施工质量验收规范》（GB 50202—2018）、《砌体结构工程施工质量验收规范》（GB 50203—2011）、《混凝土结构工程施工质量验收规范》（GB 50204—2015）、《屋面工程技术规范》（GB 50345—2012）、《建筑地面工程施工质量验收规范》（GB 50209—2010）、《屋面工程质量验收规范》（GB 50207—2012）、《绿色建筑评价标准》（GB/T 50378—2019）、《建筑与市政工程防水通用规范》（GB 55030—2022）等。其中 GB 代表国标，国家会不断地对规范进行修订，在使用过程中应及时更新，注意新版规范开始实施的日期。

规程一般由行业主管部门发布，为行业标准。现行施工中常用的规程主要有（但不限于）：《建筑基坑支护技术规程》（JGJ 120—2012）、《建筑桩基技术规范》（JGJ 94—2008）、《建筑基桩检测技术规范》（JGJ 106—2014）、《钢筋焊接及验收规程》（JGJ 18—2012）、《钢筋机械连接技术规程》（JGJ 107—2016）、《建筑施工扣件式钢管脚手架安全技术规范》（JGJ 130—2011）、《建筑施工碗扣式钢管脚手架安全技术规范》（JGJ 166—2016）、《普通混凝土配合比设计规程》（JGJ 55—2011）等。规程也有推荐性的，不是强制执行的，其标识为 JGJ/T，例如《外墙内保温工程技术规程》（JGJ/T 261—2011）、《预拌砂浆应用技术规程》（JGJ/T 223—2010）、《混凝土泵送施工技术规程》（JGJ/T 10—2011）等。

工法是以工程为对象，工艺为核心，把先进技术与科学管理结合起来经过工程实践形成的综合配套技术的应用方法。工法是由企业编制的，是指导企业施工与管理的一种规范性文件，是企业技术水平和施工能力的重要标志，也是企业自主知识产权的标志。工法又可分为国家级、省级和企业级三个等级。

在施工工艺及标准上，应首先依据的是本单位的工法，然后是地方标准及规程，最后是国家规范。显然工法的先进性及实施标准应不低于地方规程，地方规程中的要求不应低于国家规范。

1.3 本门课程的主要内容

本课程主要介绍土方工程、地基处理与桩基础工程、钢筋工程、模板工程、混凝土工程、预应力工程、钢结构制作与安装、结构安装工程、砌体与脚手架工程、防水与保温工程、装饰工程、施工组织、网络计划技术、施工组织设计、施工 BIM 应用、绿色施工等内容。通过学习本门课程，使学生掌握土木工程施工的常规技术及原理，并关注本领域的新技术、新材料和发展动态，培养学生逐步形成一种系统的工程思维模式，具备独立分析和解决土木工程施工、管理问题的初步能力。

1.4 学好本门课程的建议

学好本门课程需注意以下四个方面：
1）按照本书设计思路主动学习，主动思考。
2）关注工程案例，从工程建设、工程安全事故案例中可间接获取工程经验，阅读相关资料，了解行业的最新发展动态。

3）尽可能地参与工程实践活动，增加工程的感性认识，勤于思考和实践。

4）熟悉房屋建筑学、建筑材料、建筑力学、工程结构、工程经济等课程，综合运用相关知识解决土木工程施工问题。

此外，学习者需要具备成为一名合格的工程师的必备条件，即培养踏实、认真、负责、吃苦耐劳的工程精神，是将来从事工程施工的必要条件。传承"红旗渠精神"，弘扬"青藏铁路精神"。广泛涉猎人文在内的各方面知识，提高自学能力，培养成终身学习的习惯。在土木工程施工中，把工程安全放在首位，通过技术方案来预防安全事故的发生，是工程管理的重中之重，在学习中培养这种安全意识。力争通过本门课程的学习，从学生过渡到"工程人"——具有工程意识、工程思维、工程精神的未来工程建设者。

红旗渠精神

青藏铁路精神

复习思考题

1. 简述我国古代建筑的主要成就。
2. 简要说明我国土木工程施工中的新技术应用情况。
3. 土木工程施工依据的标准主要有哪些？说明它们之间的关系。
4. 本课程的主要内容有哪些？

应用训练

每个人的兴趣和特长都不尽相同，分析未来从事土木工程施工需要具有哪些优良品质？

第 2 章 土方工程

问题引入：土方开挖前应做哪些准备工作？

2.1 土方工程概述

2.1.1 土方工程施工流程

土方工程是土木工程的重要组成部分。土木工程施工是从基础施工开始的，基础施工通常是从土方或基础工程开始的。

土方工程施工应考虑建筑工程的性质、地质条件、周边环境、基础形式的不同，采取有针对性的施工技术措施。

对于没有桩基础及不需要做支护的基坑工程，土方工程施工流程比较简单，主要包括：场地平整→排（降）水→土方开挖→基础工程施工→土方回填。

对于基坑较深或有桩基的建筑工程，土方工程施工流程会受基坑支护、桩基础及地下室等工程施工制约，施工周期较长，施工流程一般为：场地平整→基坑支护或桩基础施工→排水及降水→土方开挖→基础或地下室工程施工（含防水等）→土方回填。

2.1.2 土方工程施工特点

土方工程施工比较复杂，受到多种因素影响，其施工特点表现为以下四个方面：

1）施工条件复杂。土方工程施工一般为露天作业，土方开挖及回填受气候影响较大。施工时要考虑对周边建筑物、道路管网的影响。另外要考虑工程地质及水文地质情况、当地气象条件，在施工过程中可能遇见事先未预料到的情况，需要及时调整施工方法及措施。

2）施工工期长。不论简单的工程还是复杂的工程，土方开挖及回填之间均需跨越基础工程施工阶段，因此土方工程施工总工期比较长，尤其是有多层地下室的工程，从土方开挖到土方回填可能需要几个月甚至半年以上的时间。

3）工程量较大。目前，大多数建筑工程充分利用地下空间，地下室的面积及层数越来越多，因此土方工程量随之增大，土方量少则几千立方，多则几万立方。

4）受非技术条件影响较大。大量的土方运输受运输通道的限制，同时城市管理、建设及特殊时期的环境保护要求均会影响土方的开挖及运输。

2.1.3　土方工程施工准备

土方工程施工前应详细阅读地质勘察报告，必要时还需要对地下可能有的重要管线、地下障碍物进行详细的现场勘察、测量，做好各项准备工作，主要工作内容如下：

1）现场勘察。勘察现场，查阅地质资料，在城区施工要查阅工程档案，详细了解拟开挖区域周边建筑物、地下管线分布情况，切不可贸然开挖土方。

2）场地清理及平整。拆除施工区域的地上、地下障碍物，迁移树木、电线杆等；不能拆除的要做好防护工作；在现场铺设临时道路，为机械设备进场、土方运输等施工作业创造条件。涉及电力、绿化等需迁移的要会同建设单位报批后才可施工。

3）做好地面排水工作。根据场地情况及施工期间雨水量大小，在地面设置排水沟等排水设施，便于场地内积水及时排走，减小对施工的影响。

4）编制土方工程施工方案。根据工程规模、基础类型、周边环境等编制土方工程施工方案，用于指导土方工程施工。

方案主要内容包括基坑支护、施工降水、施工段划分、施工方法、质量控制措施、安全生产文明施工措施、施工进度计划安排、各种资源计划等。

2.1.4　土的工程分类

土方工程施工难易程度及施工方法的选择除了考虑周边环境的要求，主要与土的成分、性质等关系密切。根据土的成分、性质等可以将土分成不同类型。

根据土的颗粒级配或塑性指数可以将土分为碎石土、砂土、粉土、黏性土和填土等，这是岩土工程学常采用的分类方式。

粒径大于2mm的颗粒质量超过总质量的50%的土为碎石土，根据颗粒形状及级配可进一步分为漂石、块石、卵石、碎石、圆砾和角砾。粒径大于2mm的颗粒质量不超过总质量的50%，粒径大于0.075mm的颗粒质量超过总质量的50%的土为砂土，根据颗粒级配可进一步分为砾砂、粗砂、中砂、细砂、粉砂。粒径大于0.075mm的颗粒质量不超过总质量的50%且塑性指数（塑性指数指流限含水率与塑限含水率间的差值，一般用I_P表示）等于或小于10的土为粉土，塑性指数大于10的土为黏性土。其中塑性指数大于10，且小于或等于17的土为粉质黏土，塑性指数大于17的土为黏土。

填土根据其物质组成和堆填方式可分为素填土、杂填土、冲填土和压实填土四类。素填土是由砂土、粉土或黏性土等一种或几种土质组成的，其中不含杂质或杂质很少的填土。杂填土是包含建筑垃圾、工业废料或生活垃圾等杂物的填土。冲填土是由水力冲填泥砂形成的填土。压实填土是经过分层压实（或夯实）的填土。

根据土的开挖难易程度（便于野外鉴别），《房屋建筑与装饰工程工程量计算规范》（GB 50854—2013）将土分为四类土[○]，此种分类是工程造价计算的依据，见表2-1。

○　土的其他工程分类方法参见殷宗泽《土工原理》，中国水利水电出版社，2007。

表 2-1　土的分类

土的分类	名　称	开挖方法
一、二类土	粉土、砂土（粉砂、细砂、中砂、粗砂、砾砂）、粉质黏土、软土（淤泥质土、泥炭、泥炭质土）、软塑红黏土、冲填土	用锹，少许用镐、条锄开挖。机械能全部直接铲挖满载者
三类土	黏土、碎石土、（圆砾、角砾）混合土、可塑红黏土、硬塑红黏土、强盐渍土、素填土、压实填土	主要用镐、条锄，少许用锹开挖。机械需部分刨松方能铲挖满载者或可直接铲挖但不能满载者
四类土	碎石土（卵石、碎石、漂石、块石）、坚硬红黏土、超盐渍土、杂填土	全部用镐、条锄挖掘，少许用撬棍挖掘。机械需普遍刨松方能铲挖满载者

2.1.5　土的工程性质

土的工程性质影响土方工程施工方案的制订，以及解决地基处理等工程问题。与土方工程施工有关的几个基本物理量介绍如下：

1. 含水率

土的含水率是指土中水的质量与固体颗粒质量之比，以百分率表示，可按下式计算

$$\omega = \frac{m_1 - m_2}{m_2} \times 100\% = \frac{m_w}{m_s} \times 100\% \tag{2-1}$$

式中　m_1——含水状态时土的质量（kg）；

　　　m_2——烘干后土的质量（kg）；

　　　m_w——土中水的质量（kg）；

　　　m_s——土中固体颗粒的质量（kg）。

土的含水率随季节、气候条件和地下水的影响而变化，对土方开挖、基坑降水、边坡稳定及土方回填质量都会产生较大影响。

2. 土的密度

土在天然状态下单位体积的质量称为土的天然密度；单位体积中土的固体颗粒的质量称为土的干密度，可分别按下式计算

$$\rho = \frac{m}{V} \tag{2-2}$$

$$\rho_d = \frac{m_s}{V} \tag{2-3}$$

式中　m——土在天然状态时的质量（kg）；

　　　V——土在天然状态时的体积（m³）。

3. 土的可松性

天然状态下的土经过开挖或扰动后，其体积因松散而增加，虽经回填压实但仍然不能完全恢复到原来的体积，土的这种性质称为土的可松性。

土的可松性用可松性系数表示，分为最初可松性系数（K_s，表示开挖扰动后的）和最终可松性系数（K'_s，表示开挖扰动后再次压实），可分别按下式计算

$$K_s = \frac{V_2}{V_1} \tag{2-4}$$

$$K'_s = \frac{V_3}{V_1} \tag{2-5}$$

式中 V_1——土在天然状态下的体积（m³）；

V_2——土经开挖后的松散体积（m³）；

V_3——土经回填压实后的体积（m³）。

由于土方工程量通常是按天然状态下的体积来计算的，而可松性系数的存在导致开挖后外运土方的体积比天然体积增大，从而影响土方开挖及运输机械数量的配备，以及场地平整、土方调配和土方回填工程量的计算。

土的可松性系数往往根据土的类型、构成等因素而有所差异，在确定可松性系数时应根据工程所在地的地质勘察资料及经验数据合理确定。土的可松性系数可参见表2-2确定。

表2-2 土的可松性系数

土的类别	K_s	K'_s
一类土	1.08~1.17	1.01~1.03
二类土	1.14~1.28	1.02~1.05
三类土	1.24~1.30	1.04~1.07
四类土	1.26~1.37	1.06~1.09

4. 土的渗透性

土的渗透性是指水流通过土中孔隙的难易程度，可用渗透系数表示。

渗透系数是指水在单位时间内穿透土层的能力，用 K 表示，单位为 m/d 或 cm/s。

当基坑开挖至地下水位以下时，地下水会不断渗流入基坑。地下水在渗流过程中受到土颗粒的阻力，其大小与土的渗透性及渗流路径的长短有关。通过一维渗流试验可知，单位时间内流过土样的水量 Q 与水头差 ΔH 成正比，并与土样的横截面面积 A 成正比，而与渗流路径长度 L 成反比，此为著名的达西定律，见式（2-6）。

$$Q = K\frac{\Delta H}{L}A = VA = KIA \tag{2-6}$$

式中 Q——单位时间内流过土样的水量（m³/d 或 cm³/s）；

K——土的渗透系数（m/d 或 cm/s）；

ΔH——水头差（m 或 cm）；

A——土样的横截面面积（m²）；

L——水的渗流路径长度（m 或 cm）；

I——水力梯度（单位长度渗流路径所消耗的水头差）；

V——渗流速度（单位时间内流过单位横截面面积的水量，$V=KI$）（m/d 或 cm/s）。

从式（2-6）可看出，土的渗透系数 K 就是水力梯度 I 等于 1 时的渗流速度。土的渗透系数对于土方工程施工过程中的降水、排水影响很大，降水、排水方案必须根据工程土的渗透系数合理确定。土的渗透系数与土的颗粒级配、密实程度等有关，一般由现场试验确定，也可以根据工程所在地各类土的渗透系数经验值确定，但误差较大。

常见土的渗透系数见表2-3。

表2-3 常见土的渗透系数

土壤种类	$K/(m \cdot d^{-1})$	土壤种类	$K/(m \cdot d^{-1})$
亚黏土、黏土	<0.1	含黏土的中砂及纯细砂	20~25
亚黏土	0.1~0.5	含黏土的细砂及纯中砂	35~50
含亚黏土的粉砂	0.5~1.0	纯细砂	50~75
纯粉砂	1.5~5.0	粗砂夹砾石	50~100
含黏土的细砂	10~15	砾石	100~200

2.2 场地平整

2.2.1 场地平整的要求

土木工程施工前应完成"三通一平"（水通、电通、路通，场地平整）的基本条件或"七通一平"（另加通信、燃气、网络、热力）的条件。

场地平整是通过人工或机械挖填平整将施工范围内的自然地面改造成施工或设计所需要的平面，以利现场平面布置和文明施工。场地平整的一般要求包括以下三个方面：

1）场地平整应做好地面排水。场地平整的表面坡度应符合设计要求，如设计无要求时，一般应向排水沟方向做成不小于0.2%的坡度。场地平整应考虑最大雨水量期间，整个施工区域的排水，将办公区、生活区布置在较高点。

2）平整后的场地表面平整度应符合施工要求。平整后的场地应满足重型施工机械如静压桩机的运输、行走要求，必要时铺设临时道路。

3）场地平整要注意对测量控制点的保护。平面控制桩和水准控制点应采取可靠措施加以保护，定期复测和检查。

2.2.2 场地平整土方工程量计算

1. 场地平整高度的计算

场地平整高度是进行场地平整和土方工程量计算的依据，也是总体规划和竖向设计的依据。合理地确定场地设计标高，对减少土方工程量和加速工程进度均具有重要的意义。当场地平整高度为H_0时，挖、填土方工程量基本平衡，可将土方移挖作填；当场地平整高度为H_1时，填方大大超过挖方，则需要从场外取土回填；当场地平整高度为H_2时，挖方大大超过填方，则需要向场外弃土。因此在确定场地平整高度时，应结合现场的具体条件进行比较，选择最优方案。

一般场地平整高度（设计标高）的选择原则是：在符合生产工艺和运输条件下，尽量利用地形，减少挖方数量；挖方与填方量应尽可能达到互相平衡，以降低土方运输费用（见图2-1）；同时应考虑雨季洪水的影响等。

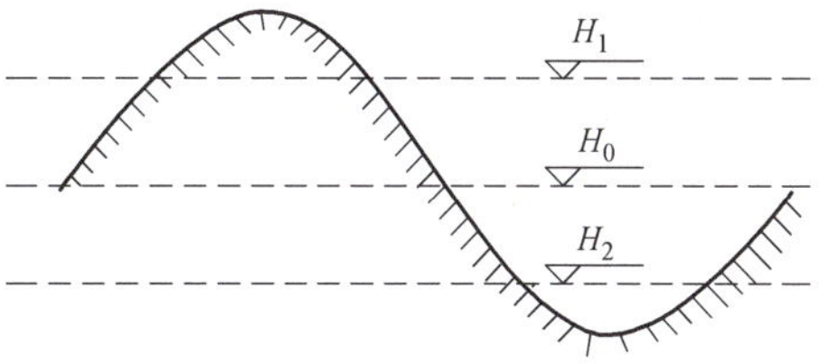

图2-1 场地平整高度比较

场地平整高度的计算分两个步骤:第一步计算场地设计标高初步值;第二步根据影响因素调整场地设计标高。

(1) 计算场地设计标高初步值　场地设计标高计算一般采用方格网法。首先将地形图划分成边长 10~40m 的方格网,然后确定每个方格网的各角点标高。方格各角点标高一般可根据地形图上相邻两等高线的标高用插值法求得。若无地形图,可在方格网各角点打设木桩,然后用水准仪测出其标高。在施工场地方格网划分好后用白石灰撒上白线做出标记,示意图如图 2-2 所示。

场地设计标高确定的基本原则是场地平整时挖方量和填方量保持平衡,故根据场地各角点的绝对高程确定的场地土方量平整前与平整后保持不变,在计算每个方格网的平均高程时,方格网中存在一些角点仅为一个方格所使用,如图 2-2 中的 1、5、25、21 点。也存在一些角点同时为 2 个或 4 个方格所使用的情况,如图 2-2 中的 2、3、4 等点同时为 2 个方格所使用,7、8、9 等点同时为 4 个方格所使用。当存在不规则形状时也有某些角点为 3 个方格所使用的情况。场地平均标高可按下式计算

$$H_0 = \frac{\sum H_1 + 2\sum H_2 + 3\sum H_3 + 4\sum H_4}{4N} \quad (2-7)$$

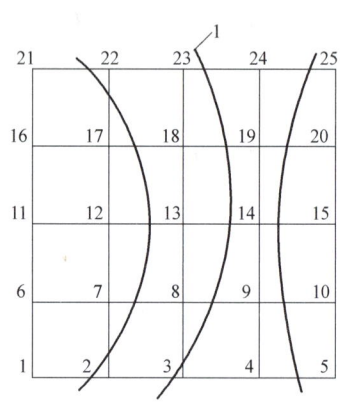

图 2-2　场地方格网划分示意图(1—等高线)

式中　N——方格网个数;

　　　H_1——仅为 1 个方格所有的角点标高(m);

　　　H_2——为 2 个方格共有的角点标高(m);

　　　H_3——为 3 个方格共有的角点标高(m);

　　　H_4——为 4 个方格共有的角点标高(m)。

如果方格网内高程变化不大时,也可以在方格网内随机取一点代表本方格网的标高,计算 N 个方格网的平均值即可,使计算简化。

(2) 根据影响因素调整场地设计标高　大型土方工程施工过程中,由于存在土的可松性及场地排水需要,所以需对上式计算的理论数值进行调整。一般土木工程施工项目可不做可松性调整。

1) 考虑土的可松性影响。理论计算是依据土方挖填平衡来计算场地设计标高的,但由于土的可松性使挖出的土方在回填时会有剩余,而剩余的土通常也会全部回填在场地内,导致场地设计标高有所提高,如图 2-3 所示。

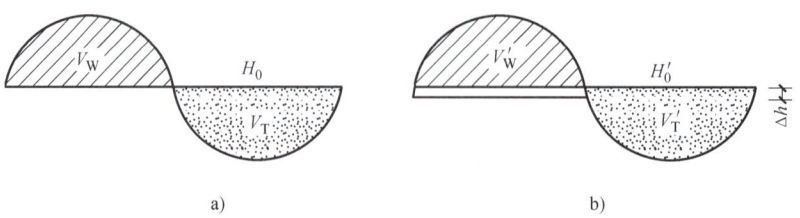

图 2-3　土的可松性对场地设计标高的影响
a) 理论设计标高　b) 考虑可松性影响调整后的设计标高

场地设计标高调整高度可按下式计算

$$V_T + A_T \Delta h = (V_W - A_W \Delta h) K'_s \qquad (2\text{-}8)$$

整理后得

$$\Delta h = \frac{V_W(K'_s - 1)}{A_T + A_W K'_s} \qquad (2\text{-}9)$$

式中 V_W——设计标高调整前的总挖方体积（m³）；

V_T——设计标高调整前的总填方体积（m³），$V_T = V_W$；

A_W——设计标高调整前的挖方区总面积（m²）；

A_T——设计标高调整前的填方区总面积（m²）；

K'_s——土的最终可松性系数。

根据式（2-9）计算的调整值是方格网每个角点均需考虑的标高增加值，故场地设计标高值用下式表示

$$H'_0 = H_0 + \Delta h \qquad (2\text{-}10)$$

2）考虑泄水对场地设计标高的影响。由于场地平整过程中需设置一定泄水坡度，利于场地的雨污水及时排出。故场地内任一点实际施工时所采用的设计标高需根据泄水坡度进行调整。示意图如图2-4所示。

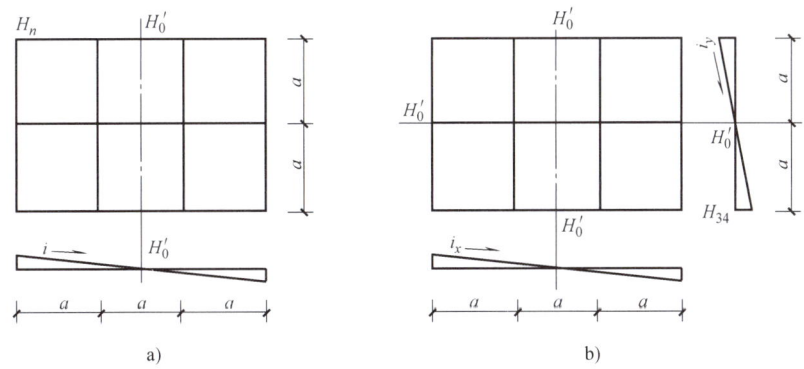

图2-4 场地泄水示意图

a）单向泄水 b）双向泄水

场地采用双向泄水时，场地任意一角点的设计标高可按下式计算

$$H_n = H'_0 \pm L_x i_x \pm L_y i_y \qquad (2\text{-}11)$$

式中 H_n——场地任一角点的设计标高（m）；

H'_0——考虑土的可松性影响调整后的场地设计标高，即为场地中心点的标高（m）；

L_x、L_y——计算点沿 x 和 y 方向距场地中心点的距离（m）；

i_x、i_y——场地在 x 和 y 方向的泄水坡度（%）。

场地采用单向泄水时，场地任意一角点的设计标高可按下式计算

$$H_n = H'_0 \pm Li \qquad (2\text{-}12)$$

2. 场地平整土方工程量计算的几种方法

土方工程量的计算实际上是用数学方法解决工程问题的一种近似计算。可采取的计算方式有以下几种：

（1）近似计算　利用数学近似来计算各种图形的面积、体积问题，规则图形就更为简单，不规则的可划分为规则图形来计算。

（2）查表法　查相关的手册，基本图形的面积、体积均有给出。

（3）软件作图测量　目前 CAD 图及其他软件中画出图形后，均有面积和体积测量功能，可以直接求出。工程实践中在满足精度要求的条件下，简化的计算方法是比较方便的。

（4）方格网法　当地形较平缓时，土方工程量的计算一般采用方格网法。方格网法计算过程比较复杂，但精度较高。当场地比较狭长时一般采用横断面法，如市政工程。本部分内容只对方格网法计算土方工程量进行介绍。采用方格网法计算土方工程量的步骤如下：

1）划分方格网，计算方格各角点施工高度。将地形图划分成边长 10~40m 的方格网，用水准仪测出每个方格网的各角点标高，即自然地面标高，并标于方格网中相应角点的左下角。再将各角点的场地设计标高标注在方格网中相应角点的右下角。方格网各角点的施工高度可按下式计算

$$h_n = H_n - H'_n \tag{2-13}$$

式中　h_n——某角点施工高度（m）；
H_n——某角点设计标高（m）；
H'_n——某角点自然地面标高（m）。

将各角点的施工高度填在方格网的右上角，"–"表示该角点土方需进行开挖，"+"表示该角点土方需进行回填。

2）计算零点，确定"零线"　在一个方格网内。同时有填方或挖方时，应先算出方格网边上的零点的位置，即在该点土方不挖也不填，并标注于方格网上。将方格内两个零点连接起来即可确定填方区与挖方区的分界线，即"零线"，如图 2-5 所示。

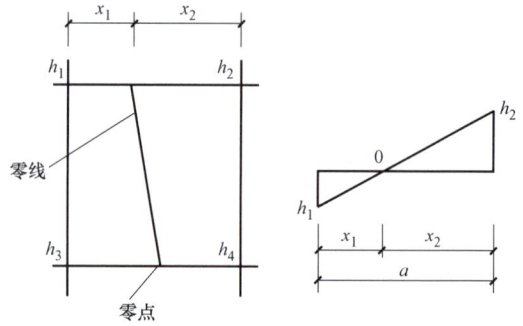

图 2-5　零点及零线示意图

零点的位置可按下式计算

$$x_1 = \frac{h_1}{h_1 + h_2} a \tag{2-14}$$

$$x_2 = \frac{h_2}{h_1 + h_2} a \tag{2-15}$$

式中　x_1、x_2——角点至零点的距离（m）；
h_1、h_2——存在零点的方格边上两角点施工高度的绝对值（m）；
a——方格的边长（m）。

3）计算方格土方工程量。方格土方工程量可采用平均高度法或平均断面法计算。其中平均高度法是以底面积乘以各角点的平均高度来近似计算，计算时如果偏差较大可以缩小方格网，可以使计算简化。在方格土方工程量计算时首先应根据各方格实际需挖填情况确定方格的底面类型，包括一点填方或挖方的三角形、二点填方或挖方的梯形、三点填方或挖方的五角形以及四点填方或挖方的正方形。方格底面类型平均高度法计算公式见表 2-4。

表 2-4 方格底面类型及平均高度法计算公式

方格底面类型	图示	计算公式
一点填方或挖方（三角形）		$V = \frac{1}{2}bc \frac{\sum h}{3} = \frac{bch_3}{6}$ 当 $b = c = a$ 时，$V = \frac{a^2 h_3}{6}$
二点填方或挖方（梯形）		$V_+ = \frac{b+c}{2}a \frac{\sum h}{4} = \frac{a}{8}(b+c)(h_1+h_3)$ $V_- = \frac{d+e}{2}a \frac{\sum h}{4} = \frac{a}{8}(d+e)(h_2+h_4)$
三点填方或挖方（五角形）		$V = \left(a^2 - \frac{bc}{2}\right) \frac{\sum h}{5}$ $= \left(a^2 - \frac{bc}{2}\right) \frac{h_1+h_2+h_4}{5}$
四点填方或挖方（正方形）		$V = \frac{a^2}{4} \sum h = \frac{a^2}{4}(h_1+h_2+h_3+h_4)$

4) 计算边坡土方工程量。为保证土方施工安全，当土方开挖或回填高度较大时，其边缘均应做成一定的坡度，即为放坡，如图 2-6 所示。

放坡大小一般用放坡系数 m 表示，$m = b/h$。边坡坡度则用 $1:m$ 表示。土方放坡系数是工程中常用到的一个重要概念。

边坡工程量常用图算法计算。图算法是根据地形图和边坡竖向布置图或现场测绘，将要计算的边坡划分为两种近似的几何形体，一种为三角

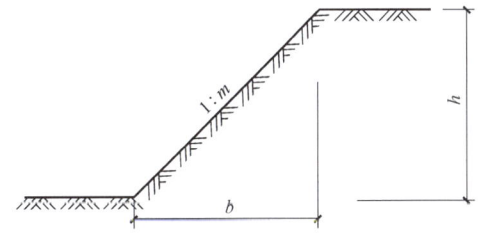

图 2-6 土方边坡示意图
b—边坡宽度 h—边坡高度 m—放坡系数

棱锥，另一种为三角棱柱，然后应用几何公式分别进行土方计算，最后将各块汇总即得场地总挖土、填土的量的一种方法。因建筑工程场地平整的高度一般不大，通常不需要放坡，此处不再对边坡工程量计算公式进行介绍。

5) 计算土方总量。将挖方区（或填方区）所有方格的土方工程量及边坡土方工程量计算结果汇总，即得该场地挖方和填方的总土方量。

【例 2-1】 某建筑工程场地平整施工方格网的方格边长为 20m×20m，泄水坡度 $i_x = i_y = 0.3\%$，如图 2-7 所示。土为三类土。各角点左上角表示角点编号，左下角表示自然地面标高。试按挖填平衡的原则计算该场地挖、填土方工程量（不考虑土的可松性和边坡的影响，保留两位小数）。

【解】 ① 计算场地平整标高初步值。
$H_0 = [43.03+44.48+42.79+41.88+2×(43.70+44.15+43.94+42.56+42.20+42.79)+4×$

(42.99+43.40)]m/(4×6) = 43.18m

② 根据泄水坡度计算方格各角点设计标高。

H_1 = 43.18m − 30m × 0.3% + 20m × 0.3% = 43.15m

H_2 = 43.18m − 10m × 0.3% + 20m × 0.3% = 43.21m

H_3 = 43.18m + 10m × 0.3% + 20m × 0.3% = 43.27m

H_4 = 43.18m + 30m × 0.3% + 20m × 0.3% = 43.33m

H_5 = 43.18m − 30m × 0.3% = 43.09m

H_6 = 43.18m − 10m × 0.3% = 43.15m

H_7 = 43.18m + 10m × 0.3% = 43.21m

H_8 = 43.18m + 30m × 0.3% = 43.27m

H_9 = 43.18m − 30m × 0.3% − 20m × 0.3% = 43.03m

H_{10} = 43.18m − 10m × 0.3% − 20m × 0.3% = 43.09m

H_{11} = 43.18m + 10m × 0.3% − 20m × 0.3% = 43.15m

H_{12} = 43.18m + 30m × 0.3% − 20m × 0.3% = 43.21m

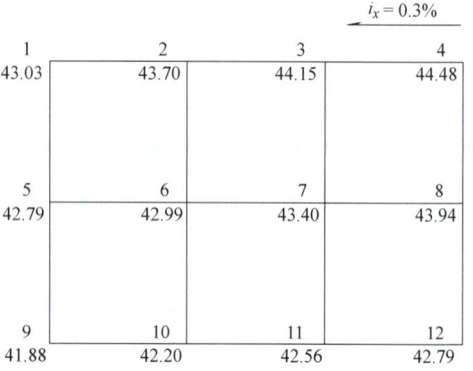

图 2-7 某场地平整方格网布置示意图

③ 计算方格各角点施工高度。

H_1 = 43.15m − 43.03m = 0.12m

H_2 = 43.21m − 43.70m = −0.49m

H_3 = 43.27m − 44.15m = −0.88m

H_4 = 43.33m − 44.48m = −1.15m

H_5 = 43.09m − 42.79m = 0.30m

H_6 = 43.15m − 42.99m = 0.16m

H_7 = 43.21m − 43.40m = −0.19m

H_8 = 43.27m − 43.94m = −0.67m

H_9 = 43.03m − 41.88m = 1.15m

H_{10} = 43.09m − 42.20m = 0.89m

H_{11} = 43.15m − 42.56m = 0.59m

H_{12} = 43.21m − 42.79m = 0.42m

④ 确定零点及"零线"位置。从各角点施工高度可看出在 1—2 线、2—6 线、6—7 线、7—11 线、8—12 线上存在零点。

则各线上零点位置计算如下：

1—2 线上：X_{0-1} = 20m × 0.12m/(0.12m + 0.49m) = 3.93m

X_{0-2} = 20m × 0.49m/(0.12m + 0.49m) = 16.07m

2—6 线上：X_{0-2} = 20m × 0.49m/(0.16m + 0.49m) = 15.08m

X_{0-6} = 20m × 0.16m/(0.16m + 0.49m) = 4.92m

6—7 线上：$X_{0-6} = 20\text{m} \times 0.16\text{m}/(0.16\text{m}+0.19\text{m}) = 9.14\text{m}$
$X_{0-7} = 20\text{m} \times 0.19\text{m}/(0.16\text{m}+0.19\text{m}) = 10.86\text{m}$

7—11 线上：$X_{0-7} = 20\text{m} \times 0.19\text{m}/(0.19\text{m}+0.59\text{m}) = 4.87\text{m}$
$X_{0-11} = 20\text{m} \times 0.59\text{m}/(0.19\text{m}+0.59\text{m}) = 15.13\text{m}$

8—12 线上：$X_{0-8} = 20\text{m} \times 0.67\text{m}/(0.67\text{m}+0.42\text{m}) = 12.29\text{m}$
$X_{0-12} = 20\text{m} \times 0.42\text{m}/(0.67\text{m}+0.42\text{m}) = 7.71\text{m}$

以上计算也可直接用方格网边长减去另一部分长度计算。

在重要工程计算中，如建筑工程轴线及标高的测量等，有必要采用两种计算方法计算，以验证结果的准确性。零线位置如图 2-8 所示。

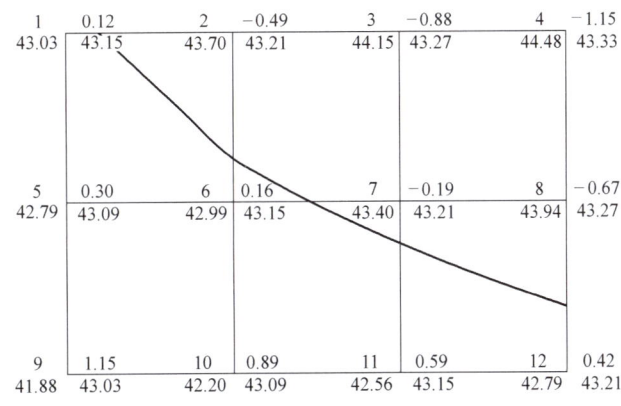

图 2-8 场地平整"零线"示意图

⑤ 计算各方格土方开挖及回填工程量。全挖或全填方格（以下计算方格用下角标表示其位置，如1—3 表示第 1 行第 3 列方格）：

$$V_{1-3}(-) = 20 \times 20 \times (0.88+1.15+0.19+0.67)\text{m}^3/4 = 289.00\text{m}^3$$
$$V_{2-1}(+) = 20 \times 20 \times (0.3+0.16+1.15+0.89)\text{m}^3/4 = 250.00\text{m}^3$$

二挖二填方格：

$$V_{2-3}(-) = 20\text{m} \times [(4.87+12.29)\text{m}/2] \times (0.19+0.67)\text{m}/4 = 36.89\text{m}^3$$
$$V_{2-3}(+) = 20\text{m} \times [(15.13+7.71)\text{m}/2] \times (0.59+0.42)\text{m}/4 = 57.67\text{m}^3$$

三填一挖或三挖一填方格：

$V_{1-1}(-) = 16.07\text{m} \times (15.08/2)\text{m} \times 0.49\text{m}/3 = 19.79\text{ m}^3$

$V_{1-1}(+) = (20 \times 20 - 16.07 \times 15.08/2)\text{m}^2 \times (0.12+0.30+0.16)\text{m}/5 = 32.34\text{m}^3$

$V_{1-2}(+) = 4.92\text{m} \times (9.14/2)\text{m} \times 0.16\text{m}/3 = 1.20\text{m}^3$

$V_{1-2}(-) = (20 \times 20 - 4.92 \times 9.14/2)\text{m}^2 \times (0.49+0.88+0.19)\text{m}/5 = 117.79\text{m}^3$

$V_{2-2}(-) = 10.86\text{m} \times (4.87/2)\text{m} \times 0.19\text{m}/3 = 1.67\text{m}^3$

$V_{2-2}(+) = (20 \times 20 - 10.86 \times 4.87/2)\text{m}^2 \times (0.16+0.89+0.59)\text{m}/5 = 122.53\text{m}^3$

汇总：

$V(-) = 289.00\text{m}^3 + 36.89\text{m}^3 + 19.79\text{m}^3 + 117.79\text{m}^3 + 1.67\text{m}^3 = 465.14\text{m}^3$

$V(+) = 250.00\text{m}^3 + 57.67\text{m}^3 + 32.34\text{m}^3 + 1.20\text{m}^3 + 122.53\text{m}^3 = 463.74\text{m}^3$

从上面结果可看出该场地挖、填基本平衡。

2.2.3 场地平整土方调配

场地平整土方工程量计算完毕后需要进行场地内各方格之间挖、填土方之间的调配计算，并作为施工的依据。土方调配的内容包括确定挖、填土方的调配方向、数量和运距。土方调配合理与否，直接影响场地平整的施工工期和费用。

土方调配的原则有：力求达到挖方与填方基本平衡，总运输量最小，即挖、填方量与其运距的乘积最小；考虑近期施工与后期利用相结合。

对于大型土石方工程，需要进行土方调配的计算，可以用计算机来进行计算并优化。

2.3 排水与降水

2.3.1 排水与降水概述

施工过程中为避免场地内积水而影响施工，一般在地面上基坑四周设排水沟，防止地面水流入基坑。在没有采用井点降水的基坑里也可设排水沟，使周围的积水汇聚到排水沟后，经过沉淀处理再排至市政管网中。排水沟的横断面一般不小于500mm×500mm，纵向坡度一般为2‰~3‰。

当地下建筑物或基础位于地下水位以下时，为了保证施工的干作业，需要采取降水措施把施工区域的水位降低。降低地下水位的方法有重力降水法和强制降水法。其中，重力降水法是通过集水坑进行降水的；强制降水法包括轻型井点、管井井点、深井井点、电渗井点等降水方法。集水坑降水法和轻型井点降水法采用较普遍。

2.3.2 集水坑降水法

1. 集水坑降水法的含义

集水坑降水法是在基坑开挖过程中，在基坑底基础范围以外设置若干个集水坑，并在基坑底四周或中央开挖排水沟，使水在重力作用下经排水沟流入集水坑内，然后用水泵抽走的方法，如图2-9所示。

2. 集水坑的设置

集水坑应设置在基础范围以外，一般沿基坑四周设置，优先在基坑四个角设置。集水坑的间距根据地下水量大小、基坑平面形状及水泵的抽水能力等确定。一般每隔20~40m设置一个。直径或宽度一般为0.6~0.8m。其深度随着挖土深度逐渐加深，并应经常低于挖土面0.7~1.0m。当基坑挖至设计标高后，集水坑底应低于基坑底面1.0~2.0m，坑底铺设碎石滤水层（不小于0.3m）或砾石与粗砂层，以免抽水时将泥砂抽出，坑底土被扰动。

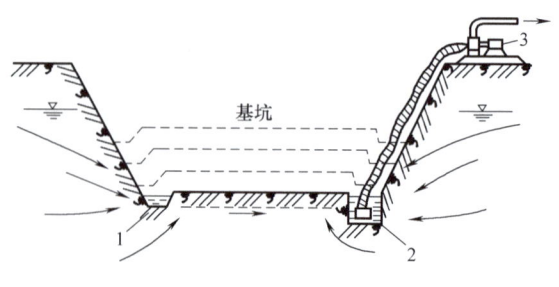

图2-9 集水坑降水法示意图
1—排水沟 2—集水坑 3—水泵

3. 集水坑降水法的适用条件

集水坑降水法适用于降水深度不大，水流较大的粗粒土层的降水，也可用于渗水量较小的黏性土层。不适宜于细砂土和粉砂土层（该土层易发生流砂现象）降水。

4. 流砂产生原因及防治方法

（1）流砂的概念 当基坑（槽）挖土到地下水位以下，而土质又是细砂或粉砂时，因水压力产生水流动，则基坑（槽）底下面的土会形成流动状态，并随地下水涌入基坑，这种现象称为流砂。

（2）流砂产生的原因 水在土中渗流对土体产生动水压力 G_D，其方向与水流方向一致。当水流方向向下时动水压力向下，与土的重力方向一致，土体趋于稳定。当抽水水流方向向上时动水压力向上，这时土颗粒不但受到水的浮力作用，还受到向上的动水压力作用，当动水压力大于或等于土的浸水容重时，土粒失去自重而处于悬浮状态，土将随着渗流的水一起流动进入基坑，发生流砂现象，如图2-10所示。

实践表明，对于易发生流砂的细砂、粉砂土质，若基坑挖深超过地下水位线0.5m，就有可能发生流砂现象。地下水位越高，基坑内外的水位差越大，动水压力就越大，就越容易发生流砂现象。在粗大砂砾中，因孔隙较大，水在期间流过时阻力小，动水压力也小，不易出现流砂现象。在黏性土中时，由于土粒间黏结力较大，也不易发生流砂现象。

此外，当基坑坑底位于不透水层内，而不透水层下面为承压含水层，坑底不透水层的覆盖厚度的重力小于承压水的顶托力时，基坑底部即可能发生管涌冒砂现象。另一种与流砂相近的现象是管涌，在渗透水流作用下，土中的细颗粒在粗颗粒形成的孔隙中移动，逐渐流失；随着土的孔隙不断扩大，渗透速度不断增加，较粗的颗粒也相继被水流逐渐带走，最终导致土体内形成贯通的渗流管道，造成土体塌陷，这种现象称为管涌。可见，管涌破坏一般有个时间发展过程，是一种渐进性质的破坏。管涌冒砂现象如图2-11所示。

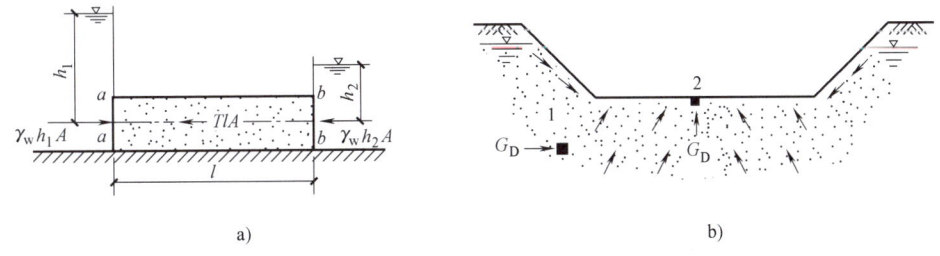

图2-10 动水压力原理图

a）水在土中渗流时的力学现象 b）动水压力对地基土的影响

发生流砂现象时，土完全丧失承载力，边挖边冒，基坑难以挖到设计深度，严重时会引起基坑边坡塌方，如果附近有建筑物，会因地基被掏空而使建筑物下沉、倾斜甚至倒塌。

（3）流砂的防治 流砂现象对土方施工和附近建筑物的危害很大，在施工过程中应尽量避免发生流砂现象。

防治流砂的原则是"治流砂必先治水"。防治的主要途径是消除、减小或平衡动水压力，截断地下水流等。具体措施有：

1）枯水期施工。枯水期地下水位较低，基坑内外水位差小，使最高地下水位不高于坑底 0.5m，则动水压力不大，就不易产生流砂。

2）水下挖土。即不抽水或减少抽水，保持坑内水压与地下水压基本平衡，流砂无从发生。

3）抢挖并抛大体积石块法。采取分段抢挖施工，使挖土速度超过冒砂速度，挖至设计标高后抛大石块压住流砂，平衡动水压力。此法可解决局部或轻微的流砂，如果坑底冒砂较快，土已丧失承载能力，该方法无法阻止流砂现象。

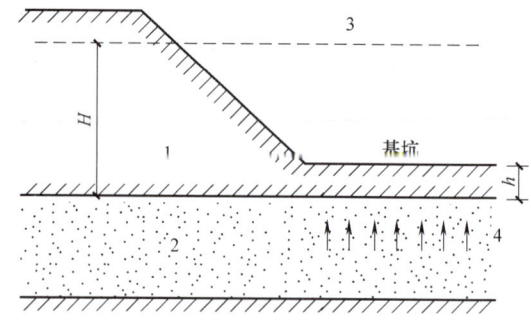

图 2-11 管涌冒砂示意图
1—不透水层　2—透水层　3—压力水位线　4—承压水的顶托力

4）人工降低地下水位。采用井点降水法使地下水位降低至基坑底面以下，地下水的渗流向下改变水流方向，则动水压力的方向也向下，增大了土颗粒间的压力，从而有效防止流砂发生。

5）设止水帷幕。在基坑周边设置地下连续墙、深层搅拌桩、钢板桩等连续的止水支护结构，或采用冻结法，形成封闭的止水帷幕，从而使地下水只能从支护结构下端向基坑渗流，增加水的渗流路径，减小水力梯度，从而减小动水压力，防止流砂产生。

2.3.3 井点降水法

井点降水法即人工降低地下水位法，是指在基坑开挖前，在基坑四周预先埋设一定数量的滤水管（井），在基坑开挖前和开挖过程中，利用抽水设备不断抽出地下水，使地下水位降到坑底以下并稳定后才开挖基坑，直至土方和基础工程施工结束为止。

井点降水法可分为轻型井点、喷射井点、电渗井点、管井井点、深井井点等。

（1）轻型井点降水　沿基坑周围或一侧每隔一定间距将井点管（下端为滤管）埋入含水层内，井点管上部通过弯联管与总管连接，利用抽水设备将地下水从井点管内不断抽出，使原有地下水位降至坑底面以下。

（2）喷射井点降水　喷射井管由内管和外管组成，在内管下端装设特制的喷射器与滤管相连，用高压水泵或空气压缩机通过井点管中的内管向喷射器输入高压水（喷水井点）或压缩空气（喷气井点）形成水气射流，将地下水经井点外管与内管之间的环形空间抽出排走。

（3）电渗井点降水　利用井点管（轻型或喷射井点管）本身作阴极，沿基坑外围布置，以钢管（$\phi 50 \sim \phi 75mm$）或钢筋（$\phi 25mm$ 以上）作阳极，垂直埋设在井点内侧，阴阳极分别用电线连接成通路，并对阳极施加强直流电电流。应用电压比降使带负电的土粒向阳极移动（即电泳作用），带正电荷的孔隙水则向阴极方向集中产生电渗现象。在电渗与真空的双重作用下，强制黏土中的水在井点管附近积聚，由井点管快速排出，使井点管连续抽水，地下水位逐渐降低。而电极间的土层则形成电帷幕，由于电场作用从而阻止地下水从四面流入坑内。

（4）管井井点降水　沿基坑每隔一定距离设置一个管井，每个管井单独用一台水泵不间断抽水，从而降低地下水位。

（5）深井井点降水 在深基坑的周围埋置深于基底的管井，使地下水通过设置在管井内的潜水泵将地下水抽出，使地下水位低于坑底。轻型井点及管井井点（包括深井井点）是施工中常采用的降水方法。

以上各种井点降水方法可根据土的渗透系数、降水深度、设备条件等进行选择，见表2-5。

表2-5 各类井点的适用范围

降水类型	适合范围	
	渗透系数/(m·d^{-1})	可能降低的水位深度/m
轻型井点 多级轻型井点	0.1~80	3~6 6~12
喷射井点	0.1~50	8~20
电渗井点	<0.1	5~6，宜配合其他形式降水使用
深井井点	10~80	>15
管井井点	20~200	3~5

2.3.4 轻型井点降水的设计与施工

1. 轻型井点降水系统构成

轻型井点系统由管路系统和抽水设备组成。管路系统包括滤管、井点管、弯联管及总管等，如图2-12所示。

井点管为直径38~51mm、长6~10m的钢管，可整根或分节组成。井点管的上端通过弯联管与总管相连，弯联管一般采用橡胶软管或透明塑料管，后者能随时观察井点管出水情况。

井点管下端配有滤管，滤管为进水设备，长1.0~2.0m，直径38~51mm，可与井点管一体制作或用螺纹套管连接，管壁上钻有直径12~19mm的梅花状排列的滤孔，滤孔面积为滤管表面积的15%~25%。钢管外面包以两层孔径不同的滤网，内层为细滤网（钢丝布或尼龙丝布），外层为粗滤网（塑料带编织纱布）。为使水流畅通，在管壁与滤网之间用细塑料管或钢丝绕成螺旋状将两者隔开。滤网外面用带孔的薄钢管或粗钢丝网保护。

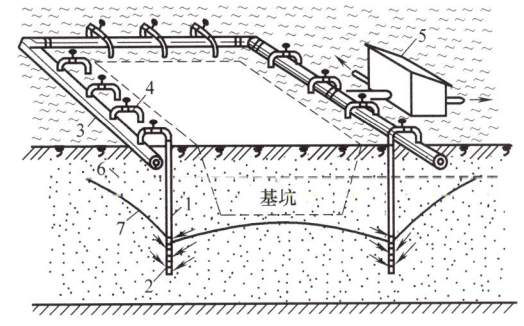

图2-12 轻型井点系统构成示意图
1—井点管 2—滤管 3—总管 4—弯联管 5—泵房
6—原地下水位线 7—降水后地下水位线

集水总管一般为直径108mm、133mm（常用规格直径）的钢管，每节长4m，其间用橡胶管连接，并用钢箍卡紧以防漏水。总管上每隔0.8m或1.2m设有一个与井点管连接的接头。

抽水设备常用的有真空泵抽水设备与射流泵抽水设备两类。真空泵抽水设备由真空泵、离心泵和水汽分离器（又称为集水箱）等组成，一套真空泵抽水设备能带动的总管长度为100~120m。射流泵抽水设备由离心泵、射流器、循环水箱等组成，一套射流泵抽水设备可带动总管长度30~50m。

2. 轻型井点系统的布置

轻型井点系统的布置应根据基坑平面形状、尺寸、基坑深度、土质、地下水位高低、降水深度等因素确定，包括平面布置和高程布置两方面。

（1）平面布置 当基坑或沟槽宽度小于6m，水位降低深度不超过5m时，可采用单排线状井点布置在水流的上游，两端延长一般不小于沟槽宽度，见图2-13。若沟槽宽度大于6m，或土质不良，渗透系数较大时，则采用双排井点。在考虑到抽水设备的水头损失以后，井点降水深度一般不超过6m。面积较大的基坑宜用环状井点，为便于挖土机械和运输车辆出入基坑，可不封闭，布置为U形环状井点，如图2-14所示。井点管间距根据土质、降水深度、工程性质等确定，一般为0.8~1.6m，不超过2.0m。井点管距离基坑开挖侧壁顶端一般为0.7~1.0m。

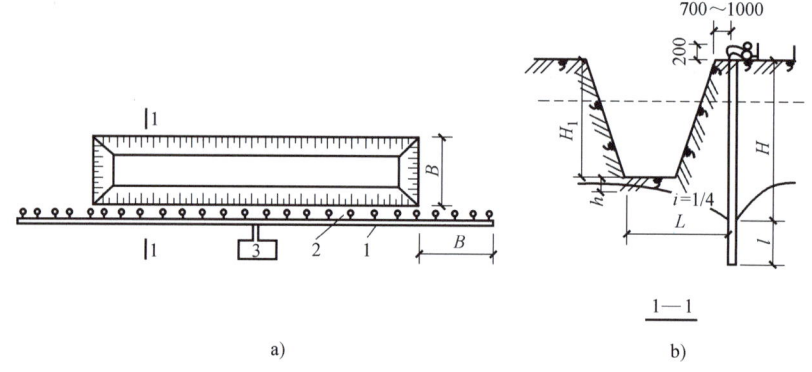

图 2-13 单排井点布置简图
a）平面布置图 b）剖面图
1—总管 2—井点管 3—真空泵

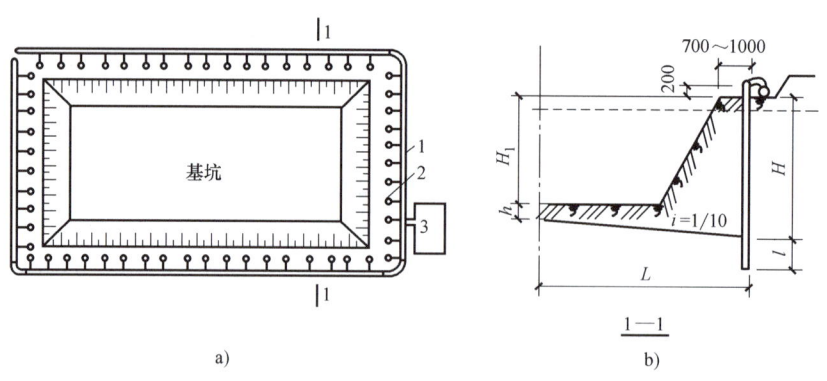

图 2-14 环状井点布置简图
a）平面布置图 b）剖面图
1—总管 2—井点管 3—真空泵

（2）高程布置 轻型井点的降水深度在井点管（不包括滤管）处一般不超过6m为宜，井点管露出地面高度约0.2~0.3m，主要是考虑便于安装操作。滤管必须埋设在透水层中。井点管的埋设深度H可用式（2-16）计算，如图2-15所示。

$$H \geqslant H_1 + h + IL \tag{2-16}$$

式中 H_1——井点管埋设面至基坑底的距离（m）；

h——基坑中心处坑底面（单排井点时，为远离井点一侧坑底边缘）至降低后地下水位的距离，一般为0.5～1.0m；

I——地下水降水水力梯度；环状井点为1/10，单排线状井点为1/4；

L——井点管至基坑中心的水平距离（基坑宽度方向），单排井点中为井点管至基坑另一侧的水平距离（m）。

如果计算出的H值大于井点管长度，则应降低井点系统的埋置面。可采用事先挖沟槽的方式，使集水总管的布置标高降低，更接近于原地下水位线，以适应降水深度的要求。

当一级井点系统达不到降水深度时，可采用二级井点，即先挖去第一级井点所疏干的土，然后在基坑底部装设第二级井点，使降水深度增加，如图2-16所示。

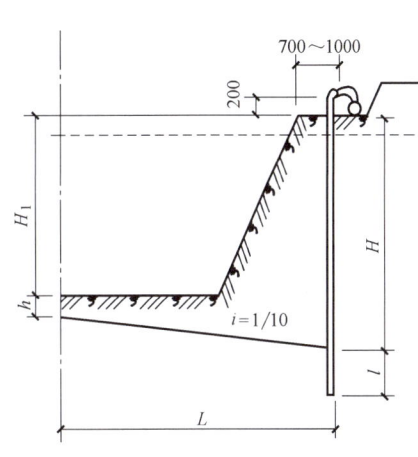

图2-15 井点管埋深计算示意图

【例2-2】 已知某工程地下室形状及平面尺寸如图2-17所示，其地下室底板垫层的底标高为-5.9m，天然地面标高为-0.5m。土方采用放坡开挖，边坡采用1∶0.5，施工作业面1.0m，试进行轻型井点系统平面布置及高程布置，确定井点管、滤管及总管的长度。

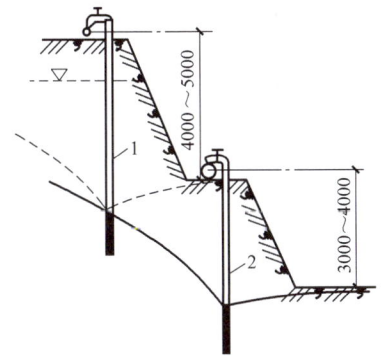

图2-16 二级轻型井点降水示意图
1——一级井点管 2——二级井点管

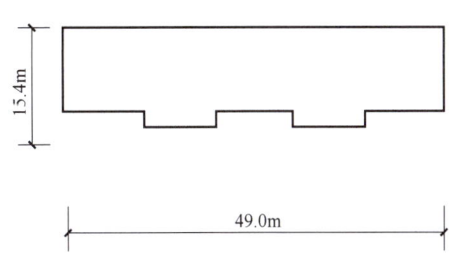

图2-17 某工程地下室形状及平面尺寸示意图

【解】 ① 平面布置。本工程宽15.4m，长49.0m，挖土深度5.9m-0.5m=5.4m，采用单层环形布置。

已知工作面1.0m，则坑底尺寸如下：

基底宽度=15.4m+1.0m×2=17.4m

基底长度=49.0m+1.0m×2=51m

考虑放坡后，基坑上口尺寸如下：

基坑上口宽度=15.4m+0.5×5.4m×2+1.0m×2=22.8m

基坑上口长度=49.0m+0.5×5.4m×2+1.0m×2=56.4m

另井点管距基坑上口侧壁边缘距离取为1.0m，选择总管直径133mm布置于天然地面

上，则

$$总管长度 = (22.8+1.0×2)m×2+(56.4+1.0×2)m×2 = 166.4m$$

② 高程布置。

井点管及滤管直径选用 50mm 钢管，井点管长度 7.0m，滤管长度 1.0m。取井点管露出地面 0.2m，则自然地面至基坑底面的距离 $H_1 = 5.9m - 0.5m = 5.4m$，基坑底面至水位降低后的距离 h 取 0.5m，井点管至基坑中心（宽度方向）长度 $L = (22.8+1.0×2)m/2 = 24.8m/2 = 12.4m$。

环形井点降水水力梯度取 1/10，则井点管所需的埋置深度

$$H = H_1 + h + LI = 5.4m + 0.5m + 12.4m × 1/10 = 7.14m > 7m - 0.2m = 6.8m$$

井点管长度不满足降水要求，故将总管埋设位置下移 0.4m，即埋设总管前先将土挖 0.4m 深，再铺设总管，此时井点管所需长度 $H = 7.14m - 0.4m + 0.2m = 6.94m < 7m$，满足要求。由于总管及井点管上表面均下移 0.4m，故放坡宽度发生变化，此时

$$基坑上口宽 = 15.4m + 0.5 × (5.9 - 0.5 - 0.4)m × 2 + 1.0m × 2 = 22.4m$$
$$基坑上口长 = 49.0m + 0.5 × (5.9 - 0.5 - 0.4)m × 2 + 1.0m × 2 = 56m$$

则

调整后的总管长 = $(22.4+1.0×2)m×2+(56+1.0×2)m×2 = 164.8m$。

平面布置及高程布置如图 2-18 所示。

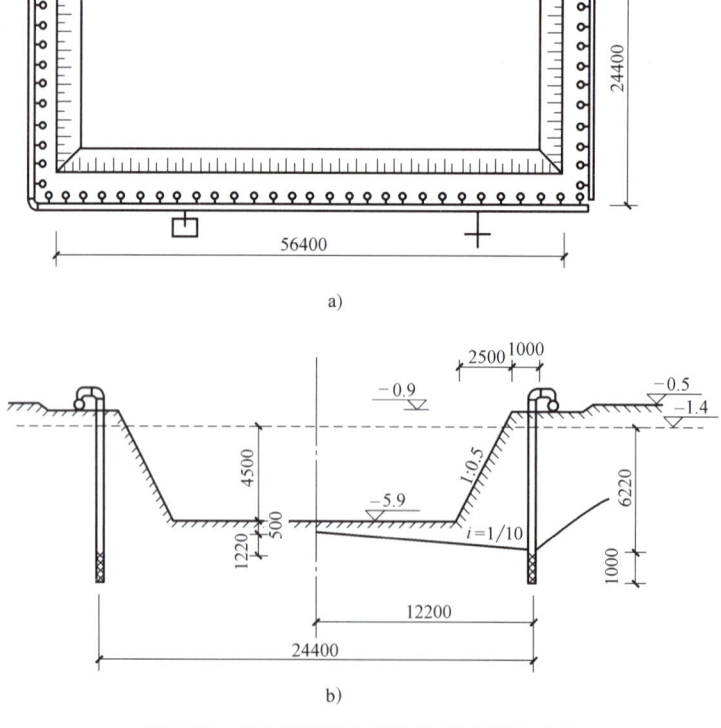

图 2-18 例 2-2 平面布置及高程布置示意图
a) 平面布置图　b) 剖面图

3. 轻型井点系统的计算

轻型井点系统的计算内容主要包括基坑涌水量计算、井点管数量计算、井点管间距计算及抽水设备的选用等。井点计算由于不确定因素较多，是在一定的假设前提下，根据实验所得到的经验或半经验公式，计算出的数值只是近似值。

（1）基坑涌水量计算 井点系统的涌水量计算是以水井理论为依据进行的。根据地下水在土层中的分布情况，可将水井分为无压完整井、无压非完整井、承压完整井、承压非完整井四种类型（为了计算方便而进行的一种假设和理想化），如图 2-19 所示。

水井布置在含水层中，当地下水表面为自由水压时，称为无压井。当含水层处于两个不透水层之间时，地下水表面具有一定水压，称为承压井。当水井底部达到不透水层时，称为完整井，否则称为非完整井。水井类型不同，其涌水量的计算公式也不相同。

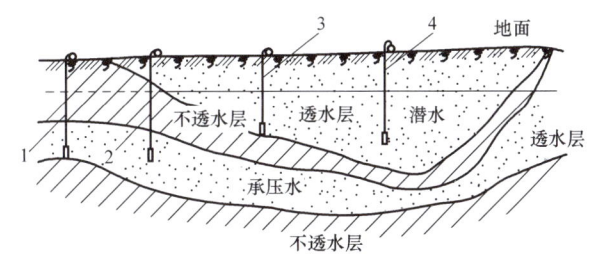

图 2-19 水井类型示意图

1—承压完整井 2—承压非完整井 3—无压完整井 4—无压非完整井

当水井开始抽水时，井内水位逐步下降，周围含水层中的水则流向井内。经一定时间的抽水后，井周围的水面由水平面逐步变成漏斗状的曲面，并渐趋稳定形成水位降落漏斗。自井轴线至漏斗外缘（该处原有水位不变）的水平距离称为抽水影响半径 R。单井抽水时水位的变化如图 2-20 所示。

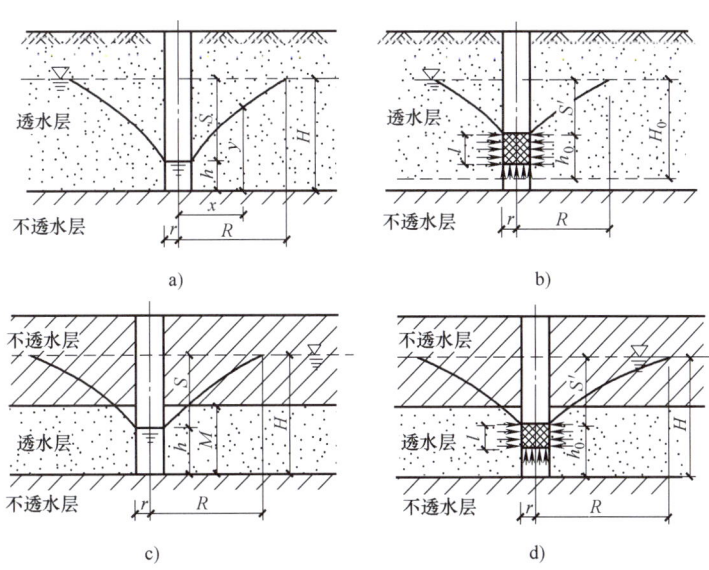

图 2-20 单井抽水时水位的变化示意图

a）无压完整井 b）无压非完整井 c）承压完整井 d）承压非完整井

根据达西渗透定律，无压完整井的涌水量可按下式计算

$$Q = KIA \tag{2-17}$$

式中　Q——单位时间内涌出的水量（m^3/d）；

　　　K——土的渗透系数（m/d）；

　　　A——地下水流的过水断面面积（m^2），近似取铅直的圆柱面表面积作为 A，距井轴线 x 处的圆柱面表面积为 $A = 2\pi xy$；

　　　I——水力梯度，距井轴线 x 处为 $I = \dfrac{dy}{dx}$。

将 A、I 代入式（2-18），得

$$Q = K 2\pi x y \dfrac{dy}{dx} \tag{2-18}$$

分离变数，两边积分得

$$\int_h^H 2y\,dy = \int_r^R \dfrac{Q}{\pi K} \dfrac{dx}{x} \tag{2-19}$$

则

$$H^2 - h^2 = \dfrac{Q}{\pi K} \ln \dfrac{R}{r} \tag{2-20}$$

移项，并以常用对数代替自然对数，得

$$Q = 1.366 K \dfrac{H^2 - h^2}{\lg \dfrac{R}{r}} \tag{2-21}$$

式中　H——含水层厚度（m）；

　　　h——井内水深（m）；

　　　R——抽水影响半径（m）；

　　　r——水井半径（m）；

　　　K——含水层土的渗透系数（m/d）。

设水井内的水位降低值为 S，则 $S = H - h$，代入式（2-21），得

$$Q = 1.366 K \dfrac{(2H - S)S}{\lg R - \lg r} \tag{2-22}$$

轻型井点系统中各井点布置在基坑四周同时抽水，因而各单井的水位降落漏斗互相干扰，每个单井的涌水量比单独抽水时小，因此考虑到群井的相互作用，其总涌水量不等于各单井涌水量之和。为了简化计算，可假想由所有井点管组成一个圆形的大水井，X_0 为假想的大水井半径，轻型井点群井降水涌水量计算示意图如图 2-21 所示。

式（2-22）则变为

$$Q = 1.366 K \dfrac{(2H - S)S}{\lg R - \lg X_0} \tag{2-23}$$

式中　S——基坑中心水位降低深度（m）；

　　　R——环状井点系统的抽水影响半径（m），可按下式计算

$$R = 1.95 S \sqrt{HK} \tag{2-24}$$

X_0——环状轻型井点的假想半径（m），当矩形基坑的长宽比不大于 5 时，可按下式计算

$$X_0 = \sqrt{\frac{A}{\pi}} \qquad (2\text{-}25)$$

式中 A——环状轻型井点系统所包围的面积（m^2）。

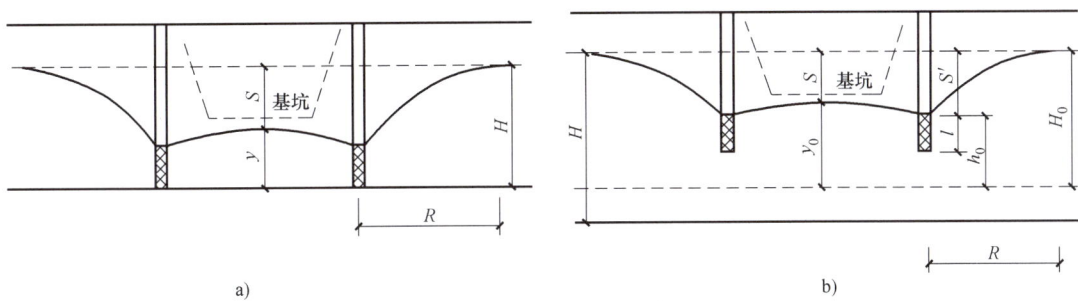

图 2-21 轻型井点群井降水涌水量计算示意图
a）无压完整井 b）无压非完整井

当矩形基坑的长宽比大于 5 或基坑宽度大于抽水影响半径的 2 倍时，需将基坑分块，使其符合计算公式的适用条件，然后按块计算涌水量，将其相加即为总涌水量。

对于实际工程中常遇到的无压非完整井的井点系统，地下水不仅从井的侧面进入，还从井底注入，因此其涌水量较无压完整井大，精确计算比较复杂。为了简化计算，可简单地用有效影响深度 H_0 代替含水层厚度 H 来计算涌水量，则有

$$Q = 1.366K \frac{(2H_0-S)S}{\lg R - \lg X_0} \qquad (2\text{-}26)$$

因为在非完整井中抽水，影响不到含水层的全部深度范围，在一定深度以下，地下水不受扰动。有效影响深度 H_0 可查表 2-6 确定。当查表计算所得 $H_0 > H$ 时，则 $H_0 = H$。

表 2-6 有效影响深度计算公式

$S/(S'+l)$	0.2	0.3	0.5	0.8
H_0/m	$1.3(S'+l)$	$1.5(S'+l)$	$1.7(S'+l)$	$1.85(S'+l)$

注：S 为井点系统中心处水位降低值（m）；S' 为井点管处水位降低值（m）；l 为滤管长度（m）。

【例 2-3】 已知例 2-2 中地质勘察报告显示地面至 -1.8m 为杂填土，-1.8 ~ -9.6m 为细砂层，-9.6m 以下为粉质黏土，地下水位标高为 -1.4m，细砂层的渗透系数 $K = 6.8 m/d$，试根据前述已知条件计算基坑涌水量。

【解】 本题中杂填土及细砂层为透水层，粉质黏土为不透水层，根据前述井点系统布置可知滤管位于细砂层内，但底部未达不透水层，故按无压非完整井考虑，应用式（2-26）进行涌水量计算。

① 计算含水层有效影响深度 H_0。含水层有效影响深度 H_0 需根据 $S/(S'+l)$ 查表确定。

基坑中心降水深度 $S = 5.9m - 1.4m + 0.5m = 5m$

井点管处水位降低值 $S' = S + I \times L = 5m + 1/10 \times 24.4m/2 = 6.22m$

滤管长 $l = 1.0m$

故

$$S/(S'+l) = 5\text{m}/(6.22\text{m}+1.0\text{m}) = 0.69$$

查表 2-6 得

$$H_0 = 1.8(S'+l) = 1.8\times(6.22\text{m}+1.0\text{m}) = 13.0\text{m} > 含水层厚度 9.6\text{m}-1.4\text{m} = 8.2\text{m}$$

故取 $H_0 = 8.2\text{m}$。

② 计算抽水影响半径 R。应用式（2-24）计算，则

$$R = 1.95\times 5\times(8.2\times 6.8)^{1/2}\text{m} = 72.8\text{m}$$

③ 计算环状轻型井点的假想半径 X_0。应用式（2-25）计算

$$A = 24.4\text{m}\times 58\text{m} = 1415.2\text{m}^2$$

则

$$X_0 = (1415.2/3.14)^{1/2}\text{m} = 21.23\text{m}$$

④ 计算涌水量。

$$Q = [1.366\times 6.8\times(2\times 8.2-5)\times 5/(\lg 72.8-\lg 21.23)]\text{m}^3/\text{d} = 989.31\text{m}^3/\text{d}$$

（2）井点管数量及间距计算　初步井点管数量按下式计算

$$n_{初步} = 1.1Q/q \tag{2-27}$$

式中　q——单根井点最大出水量（m^3/d），可按下式计算

$$q = 65\pi dl\sqrt[3]{K}$$

式中　d——滤管直径（m）；

l——滤管长度（m）。

井点管间距按下式计算

$$D_{初步} = L/n \tag{2-28}$$

式中　L——总管长度（m）。

D 取值应根据总管上的接头间距确定，一般符合相关模数，以便可重复使用，常取 0.8m、1.2m、1.6m、2.0m 等。

根据最终确定的井点管间距计算实际的井点管数量。最终井点管数量按下式计算

$$n_{取值} = L/D_{取值} \tag{2-29}$$

【例 2-4】　试计算例 2-3 中的井点管间距及数量。

【解】　① 计算初步井点管数量。

$q = 65\pi dl\sqrt[3]{K} = 65\times 3.14\times 0.05\times 1.0\times\sqrt[3]{6.8}\text{m}^3/\text{d} = 19.3\text{m}^3/\text{d}$，

$n = 1.1Q/q = 1.1\times 989.31/19.3 = 56.4$ 根，取 57 根

② 计算井点管间距。

$$D_{初步} = L/n = (164.8/57)\text{m} = 2.89\text{m}，取 D_{取值} = 2.0\text{m}$$

③ 计算最终井点管数量。

$$n_{取值} = 164.8/2.0 = 82.4 \text{ 根}，取 83 \text{ 根}$$

4. 轻型井点抽水设备选择

水泵的选择根据所需真空度或水泵扬程参考施工手册等资料进行选择。真空泵在抽水过程中所需的最低真空度 h_k 可按下式计算

$$h_k = 10(h+\Delta h) \tag{2-30}$$

式中 h_k——真空泵在抽水过程中所需的最低真空度（kPa）；

h——降水深度（m）；

Δh——水头损失，包括进入滤管的水头损失、管路阻力损失及漏气损失等，可近似取 1.0~1.5m。

真空泵在抽水过程中的实际真空度应大于所需的最低真空度，但应小于水汽分离器内的浮筒关闭阀门的真空度，以保证水泵连续而又稳定地排水。

对于水泵，一般选用单级离心泵。其型号根据流量、吸水扬程与总扬程确定。水泵的流量应比基坑涌水量增大 10%~20%，水泵的吸水扬程要大于降水深度和各项水头损失之和，总扬程应大于吸水扬程与出水扬程之和。多层井点系统中，下层井点的水泵应比上层井点的总扬程要大，以免另需中途接力。

一般情况下，一台真空泵配备一台水泵作业，当土的渗透系数 K 和涌水量 Q 较大时，也可配备两台水泵。

例 2-2~例 2-4 中总管长 164.8m，选择 2 台 W5 型干式真空泵。真空泵所需的最低真空度

$$h_k = 10(h+\Delta h) = 10 \times (7+1) \text{kPa} = 80 \text{kPa}$$

水泵所需流量

$$Q = 1.1 \times 989.31 \text{m}^3/\text{d}/2 = 544.12 \text{m}^3/\text{d} = 22.67 \text{m}^3/\text{h}$$

水泵的吸水扬程

$$H_s \geqslant 7.0\text{m} + 1.0\text{m} = 8.0\text{m}$$

由于本工程出水高度低，只要吸水扬程满足要求，则不必考虑总扬程。

根据水泵所需的流量及扬程选择 6B20 型离心泵（$Q = 4.5~360\text{m}^3/\text{h}$，$H_s = 8~98\text{m}$）即可满足要求。

5. 轻型井点系统的施工

轻型井点系统的施工包括准备工作、井点系统设计、埋设、使用和拆除。

准备工作包括井点系统设备、施工机具、井点管准备等。

井点系统埋设的程序：根据降水方案放线→总管布设→冲孔→井点管埋设→砂滤层埋设→黏土封口→连接弯联管→安装抽水设备→抽水。

井点管的埋设一般用水冲法施工，分为冲孔和埋管两个过程。

冲孔采用直径为 50~70mm 的钢管，其长度一般比井点管长 1.5m 左右。冲管的下端装有圆锥形冲嘴，在冲嘴的圆锥面上钻有三个喷水小孔，各孔之间焊有三角形翼，以辅助水冲时扰动土层，便于冲管更快下沉。冲孔所需的水压力根据土质不同而异，一般为 0.6~1.2MPa。为了加快冲孔速度可以在冲管两侧加装两根空气管，通入压缩空气。冲孔时应将冲管直插入土中，并作上、下、左、右摆动，加剧土层松动。冲孔直径一般在 300mm 左右，以便滤管底部有足够的砂滤层。井孔冲成后，随即拔出冲管，插入井点管，并在井点管与孔壁之间迅速填灌粗砂滤层，以防孔壁塌土。砂滤层应选用洁净粗砂，厚度一般为 60~100mm，填灌高度至少达到滤管顶以上 1.0~1.5m，以保证水流畅通。冲管冲孔法埋设井点示意图如图 2-22 所示。

每根井点管沉放后应检验其渗水性能。井点管与孔壁之间填砂滤料时，管口应有泥浆水冒出，或向管内灌水时，能很快下渗方为合格。

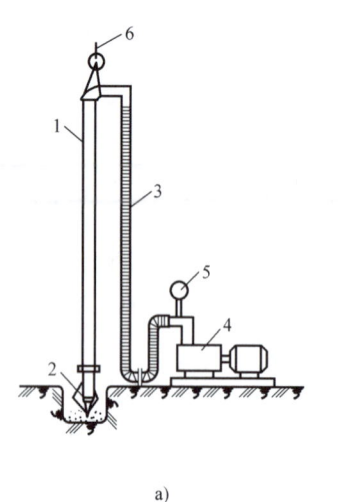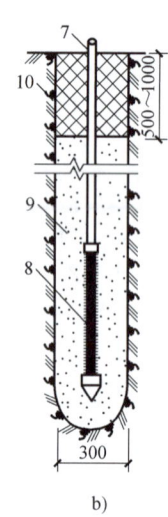

图 2-22 冲管冲孔法埋设井点示意图

a）冲孔 b）埋管

1—冲管 2—冲嘴 3—胶管 4—高压水泵 5—压力表
6—吊钩 7—井点管 8—滤管 9—砂 10—封口黏土

在第一组轻型井点系统安装完毕后，应立即进行抽水试验，检查管路接头质量、井点出水状况和抽水设备运转情况等，若发现漏气、漏水现象，应立即处理，因为一个漏气点往往会影响整个井点系统的真空度大小，影响降水效果。抽水试验合格后，井点孔口至地面以下 0.5~1.0m 的深度内应用黏土填塞封孔，以防漏气和地表水下渗，提高降水效果。

轻型井点系统使用时，应连续抽水，若时抽时停，滤管易堵塞，也容易抽出土粒，使出水浑浊，严重时会引起附近建筑物沉降开裂。同时，由于中途停抽，地下水回升，会引起边坡土方坍塌或在建的地下结构上浮等事故。

采用轻型井点降水时，应对附近建筑物进行沉降观测，必要时应采取防护措施。

2.3.5 降水对周边环境的影响和防治措施

1. 降水对邻近建筑物的影响

当在弱透水层和压缩性大的黏土层中降水时，由于地下水流失造成地下水位下降、地基自重应力增加、土层压缩和土粒随水流失甚至被掏空等原因，会产生较大的地面沉降。又由于土层的不均匀性和降水后地下水位呈漏斗曲线，四周土层的自重应力变化不一致而导致不均匀沉降，使周围建筑物下沉、房屋开裂、倾斜或倒塌。

2. 降水对邻近道路、市政管网的影响

同样的原因，抽水过急、抽水量过大会引起周围邻近道路开裂、下沉，导致市政管网如消防水管、供水管、煤气管线、光纤等断裂，会造成严重后果。

3. 降水时防止邻近建筑物受影响的措施

在基坑降水开挖中，为防止因降水影响或损害降水影响范围内的建筑物，可采取下列措施：

降水对周边环境的影响和防治措施

（1）减缓降水速度　具体做法是加长井点，减缓降水速度，加大砂滤层厚度，勿使土粒带出，防止在抽水过程中带出土粒。

（2）设止水帷幕　设止水帷幕是常用的有效的一种方法。在基坑周围与邻近建筑物之间设一道封闭的止水帷幕，使基坑外地下水的渗流路径延长，以保持水位。止水帷幕的设置可结合挡土支护结构设置或单独设置。

（3）回灌井法　回灌井法是传统的一种施工方法，即在降水井点和要保护的建筑物之间打设一排井点，在降水井点抽水的同时，通过回灌井点向土层内灌入一定数量的水形成一道隔水帷幕，从而阻止或减少回灌井点外侧被保护的建筑（构筑）物的地下水损失，使建筑物下基本保持原有地下水位，以求邻近建筑物的沉降最小。回灌井是防止井点降水损害周围建筑物的一种经济、简便、有效的方法，它能将井点降水对周围建筑物的影响减少到最低程度。为确保基坑施工的安全和回灌的效果，回灌井点与降水井点之间应保持一定距离，一般不宜小于6m，降水与回灌应同步进行。

2.4　土方开挖及回填

2.4.1　土方开挖

1. 土方开挖方式

土方开挖方式包括人工挖土和机械挖土两类。机械挖土效率高、工期短、成本低，是目前土方开挖采用的主要方式。人工挖土生产率低、劳动繁重，在土方开挖过程中一般用于坑底200~300mm范围内为防止机械扰动原土，采取人工清土，或者用于基础边角等机械不便操作的位置的土方开挖。

2. 边坡失稳

土方边坡的稳定主要是依靠土体内土颗粒间存在的摩擦力和黏结力使土体具有一定的抗剪强度。若土体失稳，则会沿着滑动面整体滑动（滑坡）。为保证边坡稳定，应使土的下滑力小于土颗粒间的摩擦力和黏结力之和。黏性土既有摩擦力又有黏结力，土的抗剪强度较高，土体不易失稳。砂性土只有摩擦力而无黏结力，抗剪强度较差。

土方开挖过程中由于基础层内土质分布情况发生变化及外界因素影响，造成土体内的抗剪强度降低或剪应力增加，使土体中的剪应力超过其抗剪强度而引起边坡失稳。边坡失稳的常见情形有：

1）边坡过陡，土体稳定性不够。

2）雨水、地下水渗入坑壁，土体泡软、重力增大及抗剪能力降低造成塌方。

3）基坑上边缘附近大量堆土、放置料具或有动荷载作用，使土体中的剪应力超过土体抗剪强度。

4）土方开挖顺序、方法不当，未遵守"分层、分段开挖，先撑后挖"的原则。

3. 土方开挖施工注意要点

（1）做好施工准备工作　土方开挖前，应编制详细的土方开挖方案，危险性较大的基坑工程应制订应急方案和措施。

土方开挖前通过查阅档案、现场调查和人工勘探的方法了解地下管线和设施分布情况，开挖过程中做好地下设施的保护工作。如发现文物或古墓,应立即妥善保护并及时报请当地有关部门,待妥善处理后方可继续施工。

土方开挖时为保持坑(槽)壁的稳定,应合理确定放坡坡度。但当土质较好、开挖深度不大时,土方开挖时可不放坡,直立不放坡的允许开挖深度经验值可参考表 2-7 确定。

表 2-7 直立不放坡的允许开挖深度

土的类别	开挖深度/m
稍密的杂填土、素填土、碎石类土、砂土	1.00
密实的碎石类土(充填物为黏土)	1.25
可塑状的黏性土	1.50
硬塑状的黏性土	2.00

当开挖深度超过上表限值时,放坡的大小应根据土质情况、开挖深度、施工方法等因素综合确定。土方开挖放坡参考值见表 2-8。

表 2-8 土方开挖放坡参考值

土类别	开挖高度与宽度之比		
	人工挖土	机械挖土	
		坑内作业	坑上作业
一、二类土	1∶0.5	1∶0.33	1∶0.75
三类土	1∶0.33	1∶0.25	1∶0.67
四类土	1∶0.25	1∶0.10	1∶0.33

放坡开挖是一种最简单的基础土方开挖方法,优点是施工速度快,成本低;缺点是周边场地要空旷,为放坡开挖提供工作面,且开挖和回填土方工程量大。

(2)分层、分段开挖,严禁超挖 土方开挖时应根据基础平面形状、尺寸、开挖深度等确定土方开挖的施工段数量。当平面尺寸较大时,可以根据投入的挖掘机械数量确定多个施工段,每个施工段可以同时开挖作业,以加快施工进度。当平面尺寸不大时,可不分施工段,但应合理确定土方开挖的顺序和流向,以便于后续基础工程的施工。当开挖深度较大时,应合理确定每层开挖深度,并配合进行基坑支护,每挖一层支护一层,以保证基坑侧壁的稳定。

深基坑工程挖土可采用中心岛式(也称为墩式)挖土、盆式挖土。中心岛式挖土:即先挖去基坑四周的土。优点是四周可以先为基坑支护作业留出工作面,如土钉、锚杆施工等,中间部分可以临时作为施工场地。盆式挖土:先挖除基坑中心的土方。优点是可以不受基坑支护的影响,先进行土方开挖和运输。所谓中心岛式开挖与盆式开挖,只不过是根据现场条件及设计要求,综合考虑土方施工进度和施工作业面而采用的不同挖土顺序而已。

土方开挖时严禁扰动地基土而破坏土体结构,降低其承载力。基坑侧壁也同样不得超挖，否则会破损支护结构引起事故。采用机械挖土时，应在基底标高以上保留一定厚度的土层不挖，待基础施工前由人工配合挖土。保留人工开挖的深度应根据所使用的挖掘机械或根据设计规定确定。采用人工挖土时，若基础开挖后不能立即进行下道工序，也应保留一定厚度土层不挖，待下道工序开始前再挖至设计标高。

土方开挖时挖掘机械要注意避免碰撞结构桩，防止撞击力过大造成结构桩发生位移或倾斜。挖土期间挖土机离边坡应有一定的安全距离，以免塌方造成事故。

土方开挖至坑底后应留有基础施工操作面，并做好坑底排水，做到基坑内不积水，便于下道工序施工。特别要注意控制相邻开挖段的土方高差，防止因土方高差过大产生塌方。

（3）留设坡道 挖土机的进出口通道，应铺设路基，以减轻路面压力，必要时局部加固处理。基坑开挖时，两台挖土机应保持一定间距，挖土机工作范围内，不允许进行其他作业。

挖土时需要满足运输车辆行走的要求，特别是深基坑时，要留设好坡道，必要时坡道需要专门铺设碎石或防滑钢板，并考虑基坑底部最后一部分土方及坡道部分土方的开挖及运输方法。

（4）基坑的时空效应及变形监测 基坑开挖后，上部土方被挖掉，等于是给基底及侧壁土方卸荷，打破了原有的荷载平衡，使土方产生应力释放，导致土方变形，此即时空效应。土方开挖时，可以适当加快土方开挖速度，减小时空效应，有利于围护结构和土体的稳定。因此坑槽开挖后应减少暴露时间，立即进行基础或地下结构的施工。并防止地基土浸水，在基坑开挖过程中和开挖后，应保证降水工作正常进行。

基坑开挖阶段，不得在基坑四周附近任意堆土或放置其他重物。基坑开挖应严格按要求放坡，操作时应注意土壁的变化情况，如发生裂缝及部分塌方现象，应及时进行加固或放坡处理，做好基坑工程的监测和控制，做好对周围环境的保护工作。当基坑开挖较深，周边有市政管线及建筑物时，对周边建筑及地下管线的监测与保护就显得尤为重要。

通过围护结构和周围环境的观测，能随时掌握土层和围护结构内力的变化情况，以及邻近基础、地下管线和道路的变化情况，将观测值与设计计算值进行对比和分析，随时采取必要的措施，保证在不造成危害的条件下安全地进行施工。重点监测的内容包括：基坑内外地下水位的下降；围护结构顶部的沉降及水平位移；邻近基础沉降；路面沉降；地下管线沉降与位移。围护结构、周边环境的监测应根据设计要求频率按时进行监测。在发现沉降、位移或变形的速率有明显加快的趋势时，应提高监测频率。

（5）应急方案及意外处理 基坑开挖是风险性较大的工程，施工过程中可能会遇到各种意外情况，施工时应制定应急措施。主要可能发生的情况有：边坡塌方，局部涌水，围护结构漏水，周围环境沉降和位移过大。

基坑开挖过程中安排专人巡视，发现异常现象应立即采取措施进行加固处理。以确保周围建筑、道路及地下管线的安全。

4. 基坑（槽）验槽

基坑（槽）验槽重点是针对天然地基，采用桩基时，不是重点要求内容。

基础土方开挖至设计标高后，施工单位应会同勘察、设计、监理及建设单位共同进行验槽，合格后方能进行基础工程施工。验槽方法通常为观察法和钎探法。

(1) 观察法　观察法主要检查内容有:
1) 基坑（槽）的位置、平面尺寸、坑（槽）底标高等，边坡是否符合设计要求。
2) 坑（槽）壁、底土质类别，均匀程度是否与勘察报告相符。
3) 土的含水率有无异常现象等。

验槽的重点部位是柱基、墙角、承重墙下或其他受力较大的部位。在验槽过程中，若发现与设计或勘察资料不符的情况，应会同勘察、设计单位共同研究处理方案。

(2) 钎探法　钎探法是指用锤将钢钎（采用直径22～25mm的钢筋制成，长2.1～2.6m）打入坑（槽）底以下土层一定深度，记录每贯入30cm深度的锤击次数，根据其锤击次数和入土难易程度判断土的软硬情况及有无墓穴、枯井和软弱下卧层等。通过钎探可以确定地基承载力、基底土层等是否与勘察资料相符。

钎探点一般按纵横间距1.5m以梅花形布设。打钎时，同一工程应钎径、锤重、落距一致，打钎深度为2.1m。打钎完成后，要从上而下逐步分析钎探记录情况，再横向分析各钎点之间的锤击次数，对锤击次数过多或过少的钎点需进行重点检查。钎探后的孔要用砂填实。

5. 基础土方开挖工程量计算

当基础土方开挖时的形状比较简单、规则时（见图2-23），其工程量可按下式计算

$$V = \frac{A_1 + A_2}{2} H \tag{2-31}$$

式中　A_1、A_2——基础开挖底面积和上表面积（m^2）；
　　　H——基础开挖的深度（m）。

但实际进行土方开挖时，往往由于基础形式多样、形状不规则，较难用式（2-31）计算出土方工程量。因此需要将基础划分为更具体的类型，一般可划分为挖沟槽、挖基坑和挖土方。凡沟槽底宽在3m以内，沟槽底长大于3倍槽底宽的为沟槽。凡土方基坑底面积在20m^2以内的为基坑。凡沟槽底宽在3m以上，基坑底面积20m^2以上的均按挖土方计算。

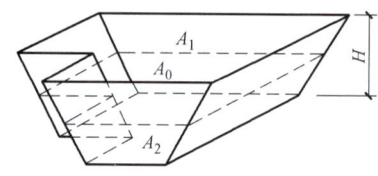

图2-23　基础土方工程量计算简图

挖沟槽土方工程量可按下式计算

$$V = (b + 2c + mH) HL \tag{2-32}$$

挖基坑及土方工程量可按下式计算

$$V = (a + 2c + mH)(b + 2c + mH) H + \frac{1}{3} m^2 H^3 \tag{2-33}$$

式中　b——基槽（坑）或基础底宽度（m）；
　　　c——土方开挖时的工作面（m），混凝土基础一般取300mm，需做防水层时一般取800mm；
　　　m——放坡系数（放坡土方开挖宽度与高度之比）；
　　　H——基槽土方开挖深度（m）；

L——基槽挖土长度（m）；
a——基坑或基础底长度（m）。

6. 土方开挖机械

土方开挖常用的机械设备有推土机、铲运机、正铲挖掘机、反铲挖掘机、拉铲挖掘机、抓铲挖掘机、装载机等。

（1）推土机　推土机操作灵活，运转方便，所需工作面小，可挖土、运土，易于转移，行驶速度快，应用广泛。其适用范围：

1）推一至四类土。

2）场地平整。

3）短距离移挖作填，回填基坑（槽）、管沟并压实。

4）开挖深度不大于1.5m的基坑（槽）。

（2）铲运机　铲运机操作简单灵活，不受地形限制，不需特设道路，准备工作简单，能独立工作，不需其他机械配合能完成铲土、运土、卸土、填筑等工序，行驶速度快，易于转移；生产效率高。其适用范围：

1）含水率较低的一至四类土。

2）大面积场地平整、压实。

3）运距800m内的挖运土方。

4）开挖大型基坑（槽）、管沟，填筑路基等。但不适于砾石层、冻土地带及沼泽地区使用。

（3）正铲挖掘机　正铲挖掘机装车轻便灵活，回转速度快，移位方便；能挖掘坚硬土层，易控制开挖尺寸，挖掘力大，工作效率高。作业特点：前进向上，强制切土。其适用范围：

1）开挖停机坪以上含水率不大的一至四类土。

2）经爆破后的岩石与冻土碎块。

3）大型场地整平土方。

（4）反铲挖掘机　反铲挖掘机操作灵活，挖土、卸土均在地面上作业。作业特点：后退向下，强制切土。其适用范围：

1）开挖停机坪以下的一至三类的砂土或黏土。

2）管沟和基槽挖土。

3）独立基坑挖土。

4）边坡挖土。

（5）拉铲挖掘机　拉铲挖掘机由钢丝绳牵拉，灵活性较差，工作效率不高，不能挖掘坚硬土；可以装在简易机械上工作，使用方便。作业特点：后退向下，自重切土。其适用范围：

1）土质比较松软，施工面较狭窄的深基坑、基槽、深井或淤泥等一、二类土。

2）水中挖取土，清理河床。

3）桥基、桩孔挖土。

4）装卸散装材料。

（6）抓铲挖掘机　抓铲挖掘机挖掘半径及卸载半径大，操纵灵活性较差。作业特点：

直上直下，强制切土。其适用范围：

1) 开挖较深较大的基坑（槽）、管沟一至三类土。
2) 填筑路基、堤坝。
3) 挖掘河床。
4) 不排水挖取水中泥土。

(7) 装载机　装载机可广泛用于土木工程施工的土石方施工作业，它的主要作用是铲装土、砂石等散状物料，也可对硬土等做轻度铲挖作业，还可进行推运土、刮平地面和牵引其他机械等作业。由于装载机具有作业速度快、效率高、操作轻便等特点，因此它成为工程建设中土石方施工的主要机种之一。

(8) 挖掘机械与运土车辆配套计算　挖掘机进行土方开挖时，一般需用自卸汽车配合将挖出的土方运至弃土场。为充分发挥挖掘机及自卸汽车的生产效率，保证挖掘机及自卸汽车连续工作，要合理确定挖掘机及自卸汽车的数量。

1) 挖掘机数量确定。挖掘机数量根据土方工程量的大小、工期长短等因素确定，可按下式计算

$$N=\frac{Q}{P}\frac{1}{TCK} \qquad (2-34)$$

式中　N——挖掘机数量（台）；
　　　Q——土方工程量（m³）；
　　　P——挖掘机单机生产率（m³/台班）；
　　　T——土方开挖工期（d）；
　　　C——每天工作班数（一般 8h 为一班，根据施工安排每天工作班数为 1~3 班）；
　　　K——时间利用系数（一般 0.8~0.9）。

挖掘机单机生产率 P 可查定额手册或按下式计算

$$P=\frac{8\times3600}{t}q\frac{K_c}{K_s}K_B \qquad (2-35)$$

式中　t——挖掘机每斗作业循环时间（s）；
　　　q——挖掘机斗容量（m³）；
　　　K_c——土斗的充盈系数，可取 0.8~1.1；
　　　K_s——土的最初可松性系数；
　　　K_B——工作时间利用系数，一般为 0.7~0.9。

【例 2-5】　某工程土方开挖工程量总计为 60000m³，欲采用斗容量 1m³ 反铲挖掘机挖土（每天工作班数为 3 班），每斗作业循环时间约为 40s，土方为三类土。如果土方开挖工期为 20d，试计算挖掘机需求数量。

【解】　三类土最初可松性系数为 1.24~1.3，取 1.3 土斗充盈系数取 1.0，工作时间利用系数取 0.8，则挖掘机单机生产率

$$P=8\times3600\times1\times1.0\times0.8/(40\times1.3)\text{m}^3/\text{台班}=443\text{m}^3/\text{台班}$$

单班时间利用系数取 0.8，则挖掘机数量

$$N = 60000/(443 \times 20 \times 3 \times 0.8) \text{台} = 2.8 \text{台}$$

即实际需配备 3 台挖土机。

2) 自卸汽车的数量确定。自卸汽车的数量应保证挖掘机连续工作，可按下式计算

$$N' = \frac{T_S}{t_1} \tag{2-36}$$

式中　N'——所需自卸汽车的数量；

　　　T_S——自卸汽车每一运土循环的延续时间（min），可按下式计算

$$T_S = t_1 + \frac{2l}{v_c} + t_2 + t_3 \tag{2-37}$$

式中　t_1——自卸汽车每次装车时间，可按式（2-38）、式（2-39）计算

　　　l——运土距离（m）；

　　　v_c——自卸汽车行驶平均速度（m/min），一般取 20~30km/h；

　　　t_2——自卸汽车卸土时间（min），一般取为 1min；

　　　t_3——自卸汽车操纵时间（min），包括停放待装、等车、让车等时间，一般取 2~3min。

$$t_1 = nt \tag{2-38}$$

式中　n——自卸汽车每车装土次数，可按下式计算

$$n = \frac{Q_1}{q \frac{K_c}{K_s} \gamma} \tag{2-39}$$

式中　Q_1——自卸汽车的载重量（kN）；

　　　γ——土的密度，一般取 17kN/m³。

2.4.2 土方回填

土方开挖完成并在基础工程施工完成后，没有建筑物或构筑物的部分需要进行土方回填并夯填密实，以保证建筑工程室内外地面在正常使用过程中不会产生较大的沉降。

土方回填及施工要求

土方回填达不到质量要求，会导致地面下沉，甚至产生较大的工程事故。在土方回填前应首先对基底进行处理，并选择适宜的回填材料和填筑方法。

由于影响土方回填质量的因素较多，当工程对回填质量要求较高，回填质量及工期不能满足工程要求时，常采用技术措施或结构加强的方法处理。

1. 回填前基底处理

1）清除基底上杂物，排除积水，并应采取措施防止地表水流入填方区浸泡地基，造成基土下陷。

2）当基底为耕植土或松土时应将基底做清理或充分夯实、碾压密实。

3）当填土场地地面陡于 1/5 时，应先将斜坡挖成阶梯形，阶高 0.2~0.3m，阶宽大于 1m，然后分层填土，以防止填土发生滑移。

2. 土方回填材料的要求

土方回填材料的选择对回填土的密实度影响很大，应符合下列规定：

1）采用级配良好的砂土或碎石土、级配砂石。

2) 以黏土、粉质土等作为填料时，其含水率宜为最优含水率，含水率大的黏土不宜作填土用。经验判别方法是：土料以手握成团，落地开花为适宜。当含水率过大，应采取翻松、晾干、换土回填、掺入干土或其他吸水性材料等措施。若土料过干，则应预先洒水润湿。

3) 符合要求的建筑垃圾再生料、爆破石渣可作表层以下填料，其最大粒径不得超过每层铺垫厚度的 2/3。

4) 淤泥、冻土、膨胀土以及有机质含量大于 5% 的土不得作为填方土料。

3. 土方回填方法及施工要求

土方回填应分层进行，每层厚度应根据压实方法确定。若填方中采用不同透水性的填料填筑，必须将透水性较大的土层置于透水性较小的土层之下。每层填土压实质量合格后方可进行下一回填层施工。土方回填施工一般要求如下：

1) 尽量采用同类土填筑，控制土的含水率在最优含水率范围内，保证上、下层接合良好。

2) 填土从最低处开始，由下向上整个宽度分层铺填碾压或夯实；在地形起伏之处，做好接搓，修筑 1:2 阶梯形边坡，每台阶可取高 50cm、宽 100cm。接缝部位不得在基础、墙角、柱墩等重要部位。

3) 回填管沟时，应人工先在管子周围填土夯实，并从管道两边同时进行直至管顶 0.5m 以上。在不损坏管道的情况下，方可采用机械填土回填夯实。

4) 填土应预留一定的下沉高度，以备在干湿交替等自然因素作用下，土体逐渐沉落密实。

4. 土方回填压实方法

土方回填应根据工程特点、施工条件和设计要求等选择合适的压实方法，确保回填土的压实质量。土方回填的压实方法一般有碾压法、夯实法和振动压实法等。

(1) 碾压法　碾压法是利用沿着土的表面滚动的鼓筒或轮子的压力在短时间内对土体产生作用，在压实过程中，作用力保持不变。碾压机械有平碾（压路机）、振动碾、羊足碾等。碾压机械进行大面积填方碾压，宜采用"薄填、慢驶、多遍"的方法，从填土区两侧逐渐压向中心。

平碾（压路机）适用于薄层填土或表面压实、平整场地、修筑堤坝及道路工程。振动碾使土同时受到振动和碾压，压实效率高，适用于填料为爆破石渣、碎石类土、杂填土或粉土的大型填方工程。羊足碾需要较大牵引力，与土接触面积小，单位面积压力比较大，适用于压实黏性土。

(2) 夯实法　夯实法是利用夯锤自由落下的冲击力使土颗粒重新排列而压实填土，其作用力为瞬时冲击动力。夯实机械主要有蛙式打夯机、夯锤等。

蛙式打夯机体积小、质量轻、操纵方便、夯击能量大，在建筑工程上使用很广，缺点是劳动强度较大，适用于黏性较低的土（砂土、粉土、粉质黏土）、基坑（槽）、管沟及边角部位的填方的夯实。夯锤夯实法是借助起吊设备将重锤提升至 4~6m 高处使其自由下落，对基坑（槽）内预留的一定厚度的表层土进行夯击。在同一夯位夯击 8~12 次，可获得 1~2m 的有效夯实深度。锤重一般为 2~3t，锤底直径为 1.0~1.5m。夯锤适用于夯实砂性土、湿陷性黄土、杂填土以及黏性土等。

(3) 振动压实法　振动压实法是将振动机械置于地基表面进行一定时间的振动，利用其激振力在土中产生的剪切压密作用使一定深度内的土相对移位而达到密实。该方法操作简单，但振实深度有限。振动压实法适用于处理砂性土及松散性杂填土（炉灰、炉渣、碎砖瓦等）、小面积黏性土薄层回填土振实、较大面积砂土的回填振实以及薄层砂卵石、碎石垫层的振实。

5. 填土压实的影响因素

填土压实的影响因素很多，其中最主要的有压实功、土的含水率、每层铺土厚度和压实遍数。

（1）压实功的影响　填土压实后的密度与压实机械在其上所施加的功有一定的关系。

压实功主要指压实工具的质量、锤落高度、碾压遍数、作用时间等。当土的含水率不变时，在开始压实时，土的密度急剧增加，待接近土的最大密度时，压实功虽然增加很多，土的密度则几乎没有变化，如图 2-24 所示。

（2）含水率的影响　在压实力不变的情况下，填土含水率的大小直接影响碾压（或夯实）遍数和质量。较为干燥的土由于摩擦力较大，而不易压实。当土具有适当含水率时，土的颗粒之间因水的润滑作用使摩擦力减小，在同样压实功作用下，得到最大的密实度，这时土的含水率称为最佳含水率。土的密度与含水率的关系如图 2-25 所示。土的最佳含水率和最大干密度变动范围见表 2-9。当含水率超过一定限度时，土料孔隙会由于充满水而呈饱和状态，压实机械所施加的外边有一部分为水所承受，不能使填土达到良好的密实度。

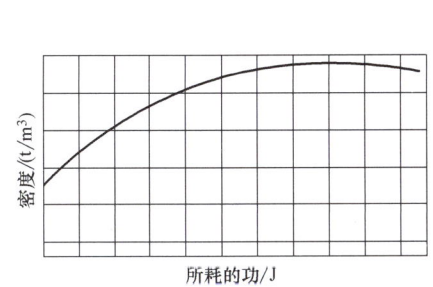

图 2-24　土的密度与压实功的关系示意图

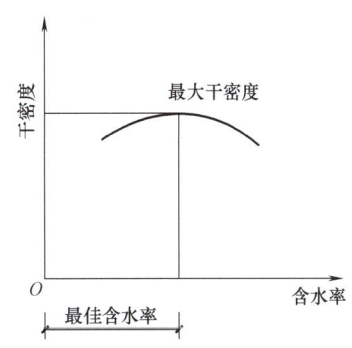

图 2-25　土的密度与含水率的关系

表 2-9　土的最佳含水率和最大干密度变动范围

序号	土的种类	变动范围	
		最佳含水率(%)	最大干密度/(g·cm^{-3})
1	砂土	8~12	1.80~1.88
2	黏土	19~23	1.58~1.70
3	粉质黏土	12~15	1.85~1.95
4	粉土	16~22	1.61~1.80

（3）铺土厚度及压实遍数的影响　在压实功作用下土中的应力随深度增加而逐渐减小，如图 2-26 所示。压实影响深度与土的性质和含水率等因素有关。其压实作用也随土层深度的增加而逐渐减小，超过一定深度后，即使继续施加压实功，土的密实度也基本不变。因此，每层回填时的铺土厚度应合理确定，过厚则压实遍数需增多而且效果不好，过薄则效率过低。土方达到规定密实度所需的压实遍数、铺土厚度等应根据土质和压实机械在施工现场

的压实试验决定。若无试验可参考表2-10确定。

表2-10 填土施工的分层厚度及每层压实遍数

压实机具	分层厚度/mm	每层压实遍数
平碾	250~300	6~8
振动压实机	250~350	3~4
柴油打夯机	200~250	3~4
人工打夯	<200	3~4

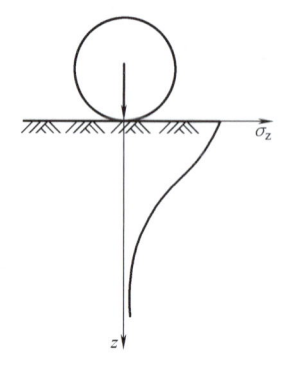

图2-26 土的应力变化与深度的关系

6. 填土质量检查

填土压实后必须要达到密实度要求。土的密实度要求根据工程结构性质、使用要求以及土的性质确定。

填土密实度通常以设计规定的控制干密度 ρ_d 或规定的压实系数 γ_C 作为检查标准。

最大干土密度 ρ_{dmax} 是当土处于最优含水率时通过标准的击实方法确定的土的密度,可通过击实试验确定或公式计算。根据规范或设计规定的压实系数及填土的最大干密度可计算出填土的控制干密度 ρ_d。

土的控制干密度 ρ_d 与最大干密度 ρ_{dmax} 之比称为压实系数 γ_C。土的压实系数根据工程重要性及用途由设计确定。

在土方回填完成后,一般采用环刀法进行填土取样,通过试验测定填土的实际干密度 ρ_0。其取样组数规定:基坑回填为每 20~50m³ 取样一组(每个基坑至少一组);基槽或管沟回填每层按长度每 20~50m 取样一组;室内填土每层按每 100~500m² 取样一组;场地平整填方每层按 400~900m² 取样一组。取样部位为每层压实后土的下半部。

当实际干密度 $\rho_0 \geqslant$ 控制干密度 ρ_d 时则表示填土质量合格,否则应采取措施提高填土的密实度,直到满足上述关系时为止。

2.5 基坑支护

土方开挖时,如果土质和施工场地允许,采用放坡开挖的方式往往是比较经济的。但在建筑物密集地区施工,没有足够的场地进行放坡,或由于开挖深度太大而导致放坡开挖的土方量过大,此时需要采用基坑支护措施以减少土方开挖对周边已有建筑物的不利影响,保证施工的顺利进行。

2.5.1 基坑支护施工方案要求

基坑支护工程达到一定深度要求时应编制专项施工方案,具体要求如下:

1) 开挖深度超过3m(含3m)或虽未超过3m但地质条件和周边环境复杂的基坑(槽)支护、降水工程应编制专项施工方案,经监理单位和建设单位审批后方可实施。

2）开挖深度超过 5m（含 5m）的基坑（槽）的支护、降水工程，或开挖深度虽未超过 5m，但地质条件、周围环境和地下管线复杂，或影响毗邻建筑（构筑）物安全的基坑（槽）的支护、降水工程应编制专项施工方案，且经专家论证通过后方可实施。

2.5.2 基坑支护结构类型

基坑支护结构必须安全可靠，经济合理。基坑支护结构类型应根据挖土深度、土质条件、地下水位、施工方法等情况进行选择。常用的支护结构类型如图 2-27 所示。

1. 重力式支护结构

（1）水泥土搅拌桩　水泥土搅拌桩是用搅拌机械在地面以下将土和水泥等固化剂强制搅拌，使软土硬结形成连续搭接的具有整体性、水稳定性和一定强度的水泥土柱状加固体。

水泥土搅拌桩能够提高地基承载力，并减小地基沉降，可用于进行地基加固。同时水泥土搅拌桩可利用自身重力挡土，可作为软土层基坑开挖的支护结构，是加固饱和黏性土地基的常用方法。水泥土搅拌桩的水泥掺量根据设计确定，水泥土强度可达 0.8~1.2MPa，连续搭接的水泥土搅拌桩渗透系数很小，抗渗性能好，是目前作为基坑止水帷幕的主要方法。单纯的水泥土搅拌桩作为支护能力较弱，主要适用于深度不大的基坑，以 4~6m 深的基坑支护为宜。

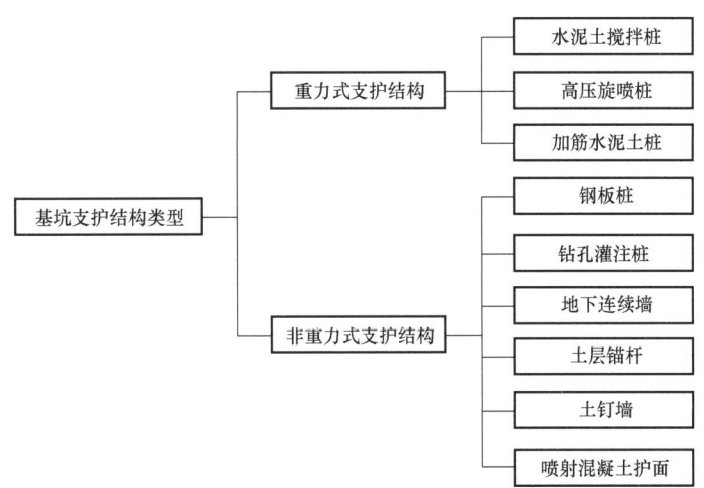

图 2-27　基坑支护结构分类示意图

水泥土搅拌桩排列的宽度一般取开挖深度的 0.6~0.8 倍，基坑底面以下的嵌固深度宜取开挖深度的 0.8~1.0 倍。根据桩的排列，水泥土搅拌桩平面布置可分为壁式（单排或双排桩）、格栅式、实体式（三排或三排以上桩），如图 2-28 所示。

水泥土搅拌桩施工重点应保证固化剂与土的混合物搅拌充分，达到较高的强度，可采用"两喷两搅"或"两喷三搅"工艺。水泥掺量较小、土质较松时可采用前者，反之可采用后者。"两喷两搅"的工艺流程是：桩机就位→第一次搅拌下沉→第一次提升、喷浆→第二次搅拌下沉→第二次提升、喷浆→清洗桩机、移位。

（2）高压旋喷桩　高压旋喷桩是将带有特殊喷嘴的注浆管钻进到预定深度，然后利用高压泥浆泵使浆液以高速喷射冲切土体，使射入的浆液和土体混合，经过凝结硬化，在地基

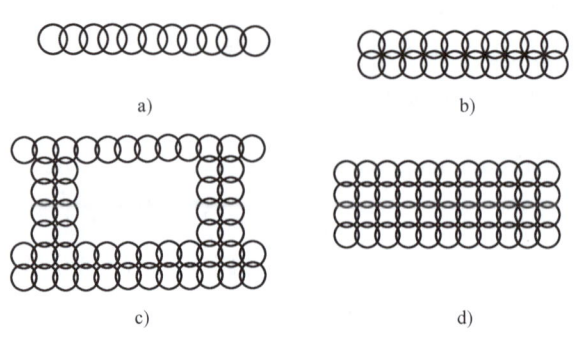

图 2-28 水泥土搅拌桩平面布置
a)、b) 壁式　c) 格栅式　d) 实体式

中形成比较均匀、连续搭接且具有高强度的水泥加固体。

加固体的形式和喷射移动方式有关，若喷嘴以一定转速旋转、提升时，则形成圆柱状的桩体；若喷嘴只是提升不旋转，则形成壁状加固体。

高压旋喷桩施工根据工程需要和土质条件可分别采用单管法、双管法和三管法。单管旋喷注浆法是利用钻机把安装在注浆管（单管）底部侧面的特殊喷嘴置入土层预定深度后，用高压泥浆泵等装置把浆液从喷嘴中喷射出去，使浆液与土体搅拌混合形成水泥加固体。双管法使用双通道的二重注浆管。当二重注浆管钻到预定深度后，通过在管底部侧面的一个同轴双重喷嘴同时喷射出高压泥浆和空气两种介质的喷射流冲击破坏土体，在高压浆液和外圈环绕气流的共同作用下增大加固体的体积。三管法是使用三通道分别输送水、空气和浆液，以高压泵等高压发生装置产生高压水喷射流，环绕圆筒状气流进行高压水喷射和气流同轴喷射冲切土体，形成较大的空隙，再由泥浆泵注入浆液填充凝结为较大的加固体。

高压旋喷桩受土层等影响较小，可广泛适用于淤泥、软弱黏性土、砂土甚至砂卵石等多种土质，能够提高地基承载力、减少建筑物不均匀沉降，也能够对基坑起到支护作用和抗渗作用。高压旋喷桩施工工艺流程是：桩机就位→制浆→钻孔→插注浆管→喷浆→边旋喷边提升→清洗→桩机移位。当喷射注浆管贯入土中，喷嘴达到设计标高时即可喷射注浆。喷浆时应先达到预定的喷射压力，喷浆旋转 30s，水泥浆与桩端土充分搅拌后再边喷浆边反向匀速旋转提升注浆管，直至设计标高停止喷浆。在桩顶原位转动 2min，保证桩顶密实均匀。喷射施工完成后应把注浆管等机具设备采用清水冲洗干净，防止凝固堵塞。

（3）加筋水泥土桩（SMW 工法）　加筋水泥土桩（SMW 工法——Soil Mixing Wall）也称为新型水泥土搅拌桩，是利用专门的多轴搅拌机就地钻进地基切削土体，同时在钻头端部将水泥浆液注入土体，经充分搅拌混合及重叠搭接施工形成水泥土混合体，在水泥土混合体未结硬前再将 H 型钢（也可以采用拉森式钢板桩或钢管等其他型材）插入搅拌桩体内，形成具有一定强度和刚度的、连续完整的、无接缝的地下连续墙体。

H 型钢承受土侧压力能力强，加筋水泥土桩能够将承受荷载与防渗挡水结合起来，成为同时具有受力与抗渗两种功能的支护结构，能用于较深（一般不大于 10m）的基坑支护结构，适合于以黏土和粉细砂为主的松软地层。

H 型钢水泥土搅拌桩支护结构的施工关键在于搅拌桩制作，以及 H 型钢的制作和打拔。

1) 搅拌桩制作与常规搅拌桩比较要特别注意桩的间距和垂直度。施工垂直度应小于

1%,以保证型钢顺利插入和拔出,保证墙体的防渗性能。

2)型钢的制作、插入与起拔。工字钢对接一般采用内菱形接桩法。型钢表面应进行除锈,并在干燥条件下涂抹减摩剂,搬运使用时应防止碰撞和强力擦挤。型钢应在水泥土初凝前插入。插入前应校正位置,设立导向装置,以保证垂直度小于1%。插入过程中必须吊直型钢,尽量靠自重压沉。若压沉无法到位,再开启振动下沉至标高。型钢回收时采用2台液压千斤顶组成的起拔器夹持型钢顶升使其松动,然后利用振动方式将H型钢拔出。边拔型钢边向孔内注浆填充。

2. 非重力式支护结构

(1) 钢板桩　钢板桩由带锁口的热轧型钢制成,把这种钢板桩互相连接打入地下形成连续钢板桩墙,既挡土又挡水。施工时先把钢板桩打入地下再挖土。钢板桩可多次重复使用,打设方便,承载力高。钢板桩适用于软弱地基、地下水位较高、水量较多的深基坑支护结构,但在砂砾及密实砂土中施工困难。

根据截面形式可将钢板桩分为一字形(或称为平板桩)、波浪形(如带有互锁的"拉森"板桩)、Z字形和组合型等,如图2-29所示。建筑工程中常用前两种。一字形钢板桩容易打入地下,挡水和承受轴向力的性能良好,但长轴方向抗弯能力较小。波浪形钢板桩挡水和抗弯性能都较好,并可根据需要焊接成所需长度。当基坑深度较大时可以考虑使用后两种形式的钢板桩。

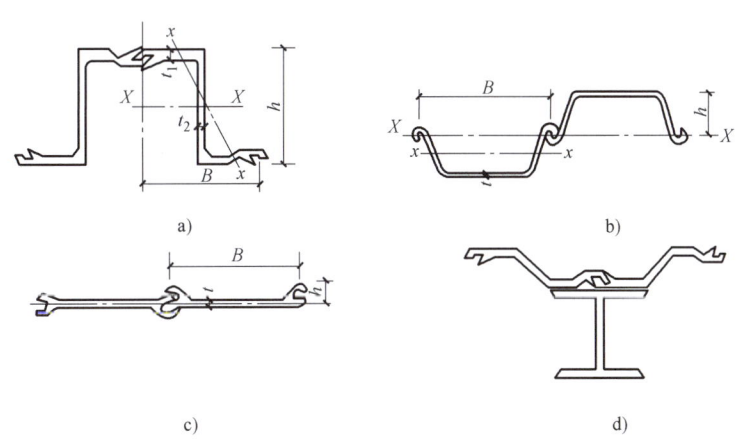

图 2-29　钢板桩截面形式
a) Z字形　b) 波浪形　c) 一字形　d) 组合型

根据有无锚板可将钢板桩分为无锚板桩和有锚板桩。无锚板桩即为悬臂式板桩,依靠入土部分的土压力来维持板桩的稳定。它对土的性质、荷载大小等较为敏感,一般悬臂长度不大于5m。有锚板桩是在板桩上部用拉锚或顶撑加以固定,以提高板桩的支护能力。

钢板桩在基础施工完毕后可拔出重复使用。

(2) 钻孔灌注桩　钻孔灌注桩是利用钻孔机械钻出桩孔,并在孔中浇筑混凝土而成的桩。钻孔灌注桩施工无噪声、无振动、无挤土,刚度大,抗弯能力强,变形较小,多用于基坑坑深7~15m的基坑工程。灌注桩之间主要通过桩顶压梁及中间位置的腰梁连成整体,因而相对整体性较差。其施工方法与工程结构桩相同,详见第3章相关内容。

(3) 地下连续墙　地下连续墙是利用各种挖槽机械在地下挖出窄而深的沟槽,借助于泥浆的护壁作用，在槽内吊放入钢筋笼后，并用导管法浇注混凝土而形成的一道具有防渗（水）、挡土和承重功能的连续的地下墙体。地下连续墙需分段施工，每个单元槽段采用特殊的接头方式连接。

地下连续墙具有以下优点：可在各种土质条件下施工；施工时无振动、噪声低、不挤土，除产生较多泥浆外，对环境影响很小；可在建筑物、构筑物密集地区施工，对邻近结构和地下设施基本无影响；墙体的抗渗性能好，能抵挡较高的地下水压力；可以兼作地下室结构外墙，实现"两墙合一"。

地下连续墙施工工艺流程如下：

1）浇筑导墙。导墙是指在地下连续墙挖槽之前沿墙面两侧浇筑的临时性结构，两片导墙之间的距离即为地下连续墙的厚度。导墙的作用是：挖沟槽的导向和测量的基准；挖沟槽时稳定上部土体，防止槽口坍塌；存储泥浆，以保持单元槽段内泥浆液面的高度，使泥浆起到稳定槽壁的作用；作为搁置钢筋笼、接头管等重物的支撑，承受施工荷载。导墙一般为现浇钢筋混凝土结构，厚度为150~300mm，也可采用预制钢筋混凝土结构。

2）泥浆制备。泥浆在成槽过程中具有保持槽内稳定液压，维护槽壁以防坍塌，推裹泥渣排出槽外，冷却和润滑钻头的作用。泥浆制备既要考虑护壁的作用，又要考虑其经济性。泥浆制备可以采用以下方法：

① 制备泥浆：挖掘槽前利用专用设备事先搅拌好膨润土泥浆，挖槽时注入槽段内。

② 自成泥浆：用钻头式挖槽机挖槽时，边挖槽边向槽段内注入清水，清水与钻松的泥土拌和自成泥浆。

③ 半自成泥浆：当自成泥浆的某些性能指标不符合规范要求时，可加入一些辅料满足要求。

3）开挖槽段。槽壁的形状决定了墙体的外形，其精度是保证地下连续墙质量的关键之一。地下连续墙施工前需先沿墙体长度方向划分施工的单元槽段。单元槽段的最小长度不得小于挖掘机械的一次挖土长度，并应尽量长一些，以减少槽段的接头数量，提高地下连续墙的整体性和防渗性，并提高施工效率。一般情况下单元槽段的长度为4~8m，个别情况下也有10m或更长的情况。

挖槽过程中，应始终保持槽内充满泥浆，泥浆面必须高于地下水位0.5m以上，且不低于导墙顶面0.3m。挖槽深度必须保证设计深度，同一槽段内槽底深度必须一致且保持平整。槽段开挖完毕，应检查槽位、槽深、槽宽及槽壁垂直度是否满足设计要求，合格后应尽快清底并进行下道工序施工。

4）清底换浆。槽段开挖结束后，混凝土浇筑之前应进行槽段的清底换浆工作，以清除槽底沉渣。有时在浇筑混凝土前需要再进行一次清底换浆。清底换浆的方法一般有沉淀法和置换法两种。沉淀法是指在土渣基本都沉淀至槽底之后用泵进行清底，置换法是指在挖槽结束后，土渣尚未沉淀之前用新鲜的泥浆把槽内原有的泥浆置换出来。目前采用较多的是置换法。清底换浆后，应测定槽内泥浆的指标及沉渣厚度，达到设计要求后方可浇筑混凝土。

5）施工接头。地下连续墙的接头质量直接影响其受力性能和抗渗性能，应在结构设计和施工中予以高度重视。常用的接头形式有接头管（也称为锁口管）接头、接头箱接头、隔板式接头等。其中接头管是目前采用较多的一种接头形式。接头管直径一般比墙的厚度少50mm，其长度根据挖土深度确定，可分段接长。施工时，当一个单元槽段的土方挖完后，在槽段的端部用起重机放入接头管，然后清底换浆、吊放钢筋笼并浇混凝土。混凝土初凝后应上下活动接头管，每10~15min活动一次，防止接头管与混凝土连接成一个整体而无法拔出。混凝土浇筑3~5h后开始用起重机等设备抽拔接头管，并在混凝土浇筑结束后8h以内全部拔出。接头管拔出后，单元槽段的端部形成半圆形，继续施工时即形成下一槽段的接头，如图2-30所示。

6）钢筋笼制作与吊放。地下连续墙的钢筋笼应根据其配筋图和单元槽段的划分来制作。一般情况下每个单元槽段的钢筋笼应制作成一个整体。若地下连续墙很深或受起重能力的限制，可上下分段制作，待吊放时再连接。钢筋的接头可采用焊接或机械连接。

制作钢筋笼时应预留插放混凝土浇筑导管的位置，并在其周围增设箍筋和连接钢筋进行加固。钢筋笼的纵向主筋应放在内侧，横向钢筋放在外侧，以免横向钢筋阻碍导管的插入。纵向钢筋的底端应距离槽底100~200mm，并应稍向内弯折，以防止吊放钢筋笼时擦碰槽壁。钢筋笼的端部与接头管或混凝土接头面之间应留有150~200mm的空隙。主筋净保护层的尺寸应满足设计或规范要求。

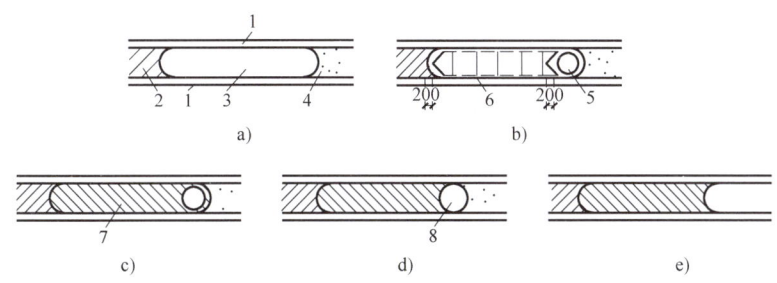

图2-30 接头管接头施工示意图
a) 开挖槽段 b) 吊放接头管和钢筋笼 c) 浇筑混凝土 d) 拔出接头管 e) 形成新接头
1—导墙 2—已浇筑混凝土的单元槽段 3—开挖的槽段 4—未开挖的槽段
5—接头管 6—钢筋笼 7—浇筑混凝土中的单元槽段 8—接头管拔出后的孔洞

钢筋笼应具有必要的刚度。起吊时不能在地面上拖曳，以防造成其下端钢筋弯曲变形。吊放钢筋笼时，务必使吊点中心对准槽段中心垂直而又准确地插入槽内，然后徐徐下降。钢筋笼插入槽内后，应检查其顶端标高是否符合设计要求，然后将其挂置在导墙上。若钢筋笼分段制作，下段钢筋笼也应先垂直悬挂在导墙上，将上下两段钢筋笼连接后再整体下降至设计标高。

7）水下混凝土浇筑。地下连续墙混凝土采用导管法进行浇筑。混凝土必须按水下混凝土制备，水泥应选用普通硅酸盐水泥或矿渣硅酸盐水泥，并掺加外加剂（如絮凝剂）。

浇筑前导管下口先用球塞堵住，并用绳子或钢丝吊住，塞子可用木、橡胶或混凝土等材料制作。开始浇筑混凝土时，导管下口应距槽底0.5m左右，太近则容易堵塞。第一次灌入导管内的混凝土应满足混凝土浇入基坑后能封住管口并满足导管口埋入混凝土内500mm以上。管口若埋入太浅则导管内易进水，若太深则管内混凝土不易压出。当管中混凝土的体积和高度满足上述要求后，剪断拴住球塞的绳子或钢丝，球塞被管中混凝土冲开，混凝土即进入水中。此时较轻的木塞或其他球塞则会浮起，并可重复使用。

浇筑中导管下口应始终埋入混凝土内 1.5m 以上。若埋入太深则易使混凝土下部沉积过多的粗骨料而表层积聚较多的砂浆，若埋入太浅则泥浆容易混入混凝土内。当混凝土浇筑至地下连续墙顶部附近，导管内混凝土不易流出时，可将导管的埋入深度减为 1m 左右，并将导管适当作上下抽动，以促使混凝土流出导管，但抽动范围不得超过 300mm。若一个单元槽段内采用两根或两根以上的导管同时进行浇筑时，导管的间距一般为 3~4m，导管距槽段端部的距离不宜超过 2m。若管距过大，则导管中间部位的混凝土面会较低，泥浆容易混入。浇筑过程中应使各导管的混凝土面处于同一水平面上。在浇筑过程中应控制混凝土的浇筑速度，一般情况下槽内混凝土面的上升速度不应小于 2m/h。由于混凝土的顶面存在一层与泥浆接触的浮浆层，因此混凝土需超灌 300~500mm 高，以便在混凝土硬化后剔除表面的浮浆层后连续墙的高度仍能满足设计要求。

（4）土层锚杆　土层锚杆是一种设置于钻孔内、端部伸入稳定土层中的钢筋或钢绞线与孔内注浆体组成的受拉杆体，它一端与工程构筑物相连，另一端锚固在土层中，通常对其施加预应力，以承受由土压力、水压力或风荷载等所产生的拉力，用以维护构筑物的稳定。支护结构和其他结构所承受的荷载通过拉杆传递到土层中的锚固体，再由锚固体将传来的荷载分散到周围稳定的土层中去。土层锚杆由锚头、自由段、锚固段组成，如图 2-31 所示。

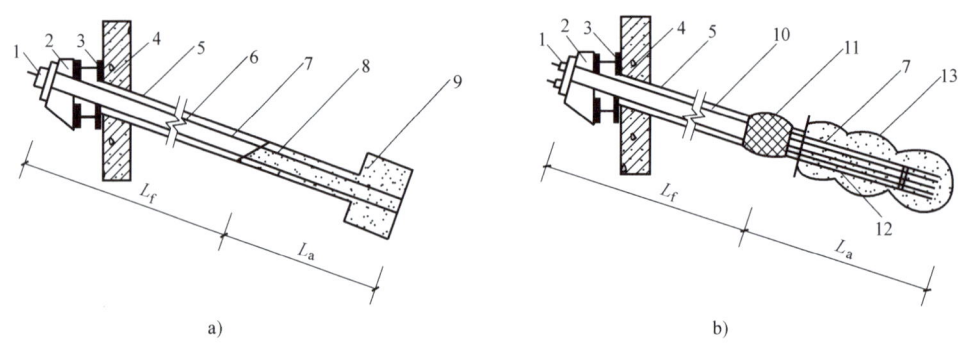

图 2-31　土层锚杆构造示意图
a）端部扩大头形锚固段土层锚杆　b）连续球体形锚固段土层锚杆
1—锚具　2—台座　3—横梁　4—支挡结构　5—钻孔　6—二次灌浆的防腐处理
7—预应力锚筋　8—圆柱形锚固体　9—端部扩大头体　10—塑料套管
11—止浆密封装置　12—注浆套管　13—连续球体形锚固体
L_f—自由段长度　L_a—锚固段长度

锚头由锚具、台座、横梁等组成。自由段由锚筋、隔离套及水泥砂浆组成。隔离套的作用是使锚筋与水泥砂浆隔离开，保证锚筋在自由段部分能自由延伸，不影响锚固段的锚固能力。锚固段由锚筋、水泥砂浆锚体等组成。锚固段的作用是用水泥砂浆将锚筋与土体粘结在一起形成锚杆的锚固体。锚固段可设计成圆柱形、端部扩大头形或连续球体形三类。其中端部扩大头形适用于锚固于砂质土、硬黏土层，且要求较高承载力的锚杆。连续球体形适用于锚固于淤泥、淤泥质土层，且要求较高承载力的锚杆。土层锚杆施工工艺流程如下：钻孔→

安放锚筋及注浆管→灌浆→养护→放置锚具等→张拉锚筋。

锚筋主要有钢管、粗钢筋、钢丝束和钢绞线。承载力小时用粗钢筋，承载力大时用钢丝束或钢绞线。自由段锚筋可采用涂润滑油或防腐漆，再在其外面包裹塑料布或塑料管的方法进行防腐及隔离处理。

灌浆的作用是形成锚固段，防止锚筋腐蚀，填充土层中的孔隙和裂缝等。灌浆的浆液为水泥浆或水泥砂浆。灌浆前应将钻管口封闭，接上压浆开关即可灌浆浇筑锚固体。土层锚杆灌浆后待锚固体强度达到设计强度的75%时方可进行张拉。锚杆张拉控制应力不应超过锚杆杆体强度标准值的75%。

（5）土钉墙　土钉墙是基坑开挖至一定深度，用人工（可用洛阳铲）或小型地质钻机在斜坡上钻孔，插入粗钢筋或钢管作为土钉，孔内灌浆，基坑壁采用钢筋网喷射混凝土护面。土钉墙是一种边坡稳定式的支护，其作用与被动起挡土作用的上述围护墙不同，它是起主动嵌固作用，增加边坡的稳定性，使基坑开挖后坡面保持稳定。

土钉支护比传统支护方案节约30%左右的费用，施工迅速、便捷。

1）钢筋土钉。钢筋土钉采用较粗直径钢筋，每隔1.5m用Φ6钢筋制成托架，注浆管与钢筋用钢线扎紧。土钉倾角5°～10°，土钉注浆材料为水泥净浆，浆体标准强度不小于20MPa，水灰比0.45～0.55，水泥浆应随拌随用。

钢筋土钉采用洛阳铲成孔。成孔前应按设计要求确定孔位和倾角，并做好标记和编号。施工过程中做好记录，成孔过程中若遭遇局部渗水塌孔或掉落松土应及时处理。成孔后及时分批组织验收，合格后进入下道工序。土钉制作时需确保托架位置正确，保证钢筋处于孔中央，注浆管与土钉临时用钢线绑好，成孔后及时下锚。

注浆使用纯水泥浆，用注浆泵注浆，注浆压力为0.2～0.4MPa，注浆时将注浆管插至距孔底300mm处开始注浆，浆液沿浆管从孔底注入，置换出泥浆和积水，至孔口流出新浆时，安好止浆塞，加压注浆并缓慢将注浆管拔出，完全拔出注浆管前需稳压3～5min。钢筋土钉适应于透水性较弱的土层。

2）钢管土钉。钢管土钉采用 $\phi 48mm \times 3.0mm$ 钢管，管端制成桩尖状，管身设注浆孔，管端设倒刺环，开孔处设角钢短刺。钢花管不开孔部分的长度为其总长的1/3，沿管内注入纯水泥浆。

钢管土钉制作用台钻每隔500mm钻对开 $\phi 10mm$ 小孔，前端制成尖状并焊接牢固，在管端小孔处设置倒刺环，倒刺环用50mm长30mm×30mm角钢制成，紧贴管壁焊接。

钢花管用自制滑轨架和重力滑动锤击入土壁中。滑轨架一般长约6.5m，可调整滑轨倾角，击入前用洛阳铲挖入深约1m的小孔，置入花管，施打过程中必须注意保持管身与滑轨架平行，以确保按设计要求角度击入，若钢管打入有困难可采用地质钻机XY-100辅助成孔；由于钢花管一般仅为6m长，故需接长，接长一般可用3Φ16钢筋帮条焊接，一般在击打至花管露出坡面300mm时进行，钢花管在击入过程中，若遭遇障碍，可能出现角度偏移或反弹现象，一般应重打使其冲过障碍，若反弹过大无法施打时，应移位重新施工。

钢管注浆一般应分3个步骤：第一步，将管口施工击入过程中损坏处切除；第二步，将软注浆管插入管内至距孔底不大于300mm处，从管底开始注浆，逐次将施打过程中进入管内的水和泥浆置换出来，至管口溢出水泥浆时，逐次拔管；第三步，将管口套上带截止阀的注浆帽，并将注浆帽与注浆管连接（并确保连接严密），加压注浆，注浆压力0.2～0.4MPa。当孔口返浆或土体冒浆或水泥用量达到30kg/m时方可停止注浆。稳压3～5min后关闭截止阀，30～60min可拆除注浆帽。注浆采用水灰比为0.4～0.55纯水泥浆（水泥浆应随拌随用）。

钢管土钉适宜在砂层中作土钉使用。但由于钢花管仅靠倒刺及从小孔中溢出的水泥浆液提高其与土体的黏结力，其抗拔力受较多不明因素影响，必须进行钢管的场地适应试验。浆体强度（以水泥砂浆试块强度为准）达到10MPa时，可进行抗拉试验；试验采用穿心千斤顶和液压油泵（液压电泵压力表和千斤顶先进行标定），位移可用百分表测量；试验时采用分段加荷载，若达不到设计要求则应修正设计参数或施工工艺。

（6）喷射混凝土护面　喷射混凝土是用压力喷枪喷射细石混凝土的施工方法。喷射混凝土分为干拌法和湿拌法两种。干拌法是将水泥、砂、石在干燥状态下拌和均匀，用压缩空气将其和速凝剂送至喷嘴并与压力水混合后进行喷灌的方法。干拌法喷射速度大，粉尘污染及回弹情况较严重。湿拌法是将拌好的混凝土通过压浆泵送至喷嘴，再用压缩空气进行喷灌的方法。施工时宜用随拌随喷的办法，以减少稠度变化。此法的喷射速度较低，由于水灰比增大，混凝土的初期强度也较低，但回弹情况有所改善，材料配合易于控制，工作效率较干拌法高。

喷射混凝土护面一般需在土方开挖坡面垂直楔入直径10～12mm，长40～50cm插筋，上铺20号钢丝网或钢筋网片，再喷射40～60mm厚的细石混凝土而成。

喷射混凝土护面一般与土层锚杆、土钉墙等配合施工，共同对基坑起到支护作用。

2.5.3　基坑支护结构的综合应用

在基坑支护过程中，为了取得更好的支护效果，往往将两种或两种以上支护结构类型进行组合应用。常用的组合形式有：

1）灌注桩+深层搅拌桩（止水帷幕）+土层锚杆。
2）地下连续墙+土层锚杆。
3）灌注桩+深层搅拌桩。
4）土钉墙+喷射混凝土护面。
5）灌注桩+内支撑等。

复习思考题

1. 土方施工的特点有哪些？施工前做哪些准备工作？
2. 流砂发生的原因及防治方法有哪些？
3. 简述土方开挖的施工要点。
4. 降水对周边环境的影响及防治措施有哪些？
5. 集水坑降水和轻型井点降水各有何优缺点？
6. 土方边坡失稳的主要原因有哪些？
7. 影响土方压实的因素有哪些？如何检查土方的压实？
8. 列举两种基坑支护的常见组合方式。

应用训练

新闻背景：某地一6岁男童不慎坠入一口枯井中。政府及村民进行了大规模救援行动，经 107h 的大规模救援，发现男童时已无生命迹象。以此为背景进行分析与计算。已知：井外径为 350mm，地面距井底为 40000mm，无地下水。土的最初可松性系数 1.2，土的最终可松性系数 1.05，如果采用挖掘机挖土救援方案，放坡系数为 1∶1，井周边预留 300mm 工作面，如图 2-32 所示。

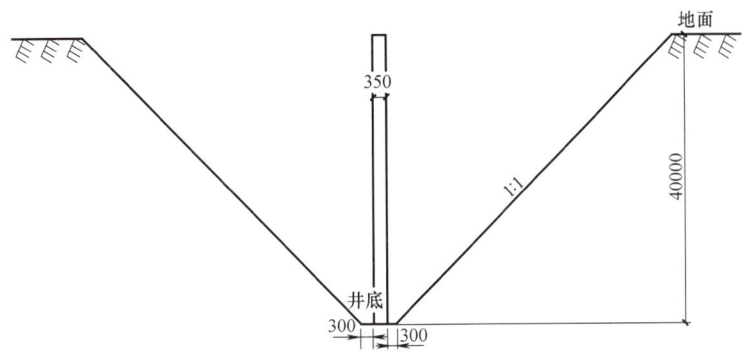

图 2-32　枯井救援开挖示意图

分析：

1. 将枯井周边的土按放坡挖除，估算需要挖土的土方量。

2. 如果 40 台挖掘机（斗容量按 1.5m³ 计算）同时作业，24h 昼夜不停，假设土方能够及时运走，计算挖土所需时间大约多少 h?

3. 如果保留原井，回填此坑并压实，需要多少 m³ 土?

第 3 章
地基处理与桩基础工程

问题引入：地基土松软情况下如何提高其承载能力？

3.1 地基处理工程

当建筑工程的荷载较大，其天然地基土质较软弱不能承担上部结构的荷载，产生过大的压缩变形或不均匀沉降而影响上部结构的正常使用时，都需要对地基土采用适当的加固或改良措施，提高地基土的承载力，保证地基稳定，减少结构物的沉降或地基变形。

地基加固的原理是将土质由松变实，使土的含水率由高变低。地基处理的方法很多，按其施工方法可分为排水固结法、振动挤密法、置换及拌入法、注浆法、加筋法、冷冻法等，主要是通过换填、夯实、挤密、注浆、搅拌、预压等方法提高土的承载力。常用地基处理方法及适用范围见表 3-1。

表 3-1 常用地基处理方法及其适用范围

处理方法	原理	施工方法		适用范围
排水固结法	软黏性土地基在荷载作用下，土中孔隙水排出，孔隙比减小，地基固结变形，超静水压力消散，土的有效应力增大，地基土强度提高	堆载预压法		软黏土地基
		砂井法	袋装砂井	透水性软弱黏性土地基
			塑料排水板	
			塑料管	
		砂井堆载预压法		
		降低地下水位法		饱和的细砂地基
		真空预压法		软黏土地基
		电渗法		饱和软黏土地基
振动挤密法	通过振动、挤压使地基土体孔隙比减小，强度提高	表面压实法		浅层疏松黏性土、松散砂性土、湿陷性黄土及杂填土地基
		重锤夯实法		高于地下水位 0.8m 以上稍湿的黏性土、砂土、湿陷性黄土、杂填土和分层填土地基
		强夯法		碎石土、砂土、低饱和度的黏性土、粉土、湿陷性黄土及填土地基的深层加固
		振冲挤密法		松散的砂性土，小于 0.005mm 的黏粒含量<10%
		灰土挤密法		地下水位以上，天然含水率 12%~25%、厚度 5~15m 的素填土、杂填土、湿陷性黄土以及含水率较大的软弱地基
		砂石桩		松散砂性土、素填土和杂填土地基
		水泥粉煤灰碎石桩		黏性土、粉土、砂土和已自重固结的素填土；对淤泥质土应按地区经验或通过现场试验确定其适用性

（续）

处理方法	原理	施工方法	适用范围
注浆法	用气压、液压或电化学原理把某些能固化的浆液注入裂缝或孔隙	渗入注浆法	砂及砂砾、湿陷性黄土、黏性土地基
置换及拌入法	以砂、碎石等材料置换软弱地基，或在部分土体内掺入水泥、石灰等形成加固体	换土垫层法	软弱的浅层地基处理
		高压旋喷桩	淤泥、淤泥质土、流塑、软塑或可塑黏性土、粉土、砂土、黄土、素填土和碎石土地基
		深层搅拌桩	淤泥、淤泥质土、粉土和承载力不大于0.12MPa的饱和黏土及软黏土、沼泽地带的泥炭土地基
		振冲置换碎石桩	软弱黏性土地基
		石灰桩	
加筋法	在土层中埋设强度较大的土工聚合物、拉筋、受力杆件等	土工合成材料法	软弱地基或用作反滤层、黏性土地基
		土钉墙	地下水位以上或经人工降低地下水位后的人工填土、黏性土和弱胶结砂土地基
		加筋土	人工填筑的砂性土地基
冻结法	通过人工冷却使地基冻结	冻结法	饱和的砂土或软黏性土层中的临时性措施

1. 换土法

当建筑物基础下的持力层比较软弱不能满足上部荷载对地基的承载力要求时，常采用换土法来处理软弱地基。换土法是先将基础底面以下一定范围内的软弱土层挖去，然后回填强度较高、压缩性较低，并且没有侵蚀性的材料，再分层夯实后作为地基的持力层。

土方量较大时，换土法所使用的材料通常有砂、灰土、碎石、三合土（石灰：砂：碎砖（石）=1:2:4）等。工程量较小，并且工程质量要求较高时，用级配砂石、素混凝土或钢筋混凝土作为换填材料进行地基处理。砂石垫层换土示意如图3-1所示。

换土法可提高持力层的承载力，减小软弱土层的承压力，加速软弱土层排水固结，且减少基础沉降量，能有效解决中小型工程的地基处理问题。其优点是能就地取材，施工简便，工期短，造价低。换土法适用于软弱土层较厚，而仅对局部进行加固处理的地基。

2. 夯实法

夯实法就是利用打夯工具或机具夯击土，排出土中的水分，加速土的固结，以提高土的密实度和承载力。夯实法又可分为重锤夯实法和强夯法。

夯实法中重锤自由下落时的冲击能重复夯打击实基土表面，使其形成一层比较密实的硬壳层，从而使地基得到加固。其中强夯

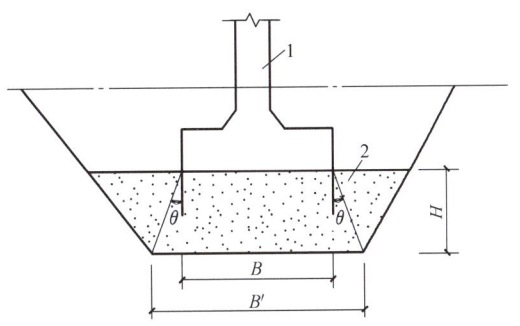

图3-1 砂石垫层换土示意图

1—基础 2—砂石垫层

法的夯锤从高处自由下落给地基以强大的冲击能量，在冲击波和压应力的作用下，迫使土体中孔隙压缩，排除孔隙中的气体和水，使土粒重新排列，迅速固结，从而提高地基土的强度并降低其压缩性。

强夯法也称为动力固结法，是利用起吊设备将 10~25t 的重锤提升至 10~25m 高处使其自由下落（具体锤重和下落高度依设计要求），依靠强大的夯击能和冲击波作用将碎石、片石、矿渣等性能较好的材料强力挤入地基中，在地基中形成一个一个的粒料墩，墩与墩间土形成复合地基，以提高地基承载力，减小沉降。在强夯过程中，土体结构破坏，地基土体产生超孔隙水压力，但随着时间的增加，土体结构强度会得到恢复。强夯法主要用于砂性土、非饱和黏性土与杂填土地基，一般可获得 3~6m 的有效夯实深度。

强夯法不宜在雨期施工，且施工时的振动和噪声较大，在人群和建筑物密集的地方不宜使用。

3. 挤密法

挤密法是把带有桩尖的桩管打入土中挤压土形成桩孔，然后拔出桩管，再在桩孔中灌入砂石、灰土（2∶8 灰土或 3∶7 灰土）、水泥粉煤灰碎石（水泥粉煤灰碎石挤密桩施工工艺流程见图 3-2）等填充料并进行捣实，迫使土体孔隙压缩，挤密土，排水固结，提高地基土的强度。挤密法适用于加固松软饱和土地基。

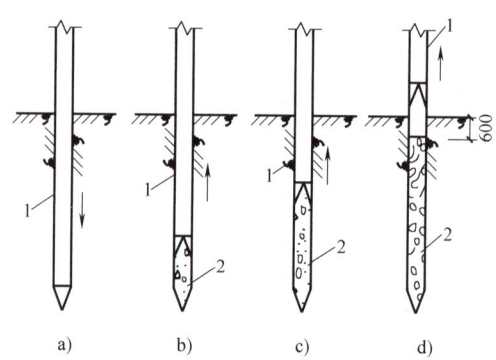

图 3-2 水泥粉煤灰碎石挤密桩施工工艺流程
a）打入桩管 b）、c）灌水泥、粉煤灰、碎石，振动拔管 d）成桩
1—桩管 2—水泥、粉煤灰、碎石桩

4. 搅拌法

搅拌法是利用水泥或石灰作为固化剂，采用深层搅拌机或高压旋喷机在地基深部就地将软土和固化剂充分拌和，利用固化剂和软土发生一系列物理、化学反应，使土颗粒凝聚、固结成具有整体性、水密性好、强高较高的水泥加固体。水泥加固体能够与天然地基共同形成竖向承载力较大的复合地基。具体施工方法见第 2 章中相关内容。

5. 预压法

预压法先在地基范围的地面上堆置重物预压一段时间，使地基压密以提高其承载力，减少沉降的方法。为了在较短时间内取得较好的预压效果，要注意改善预压层的排水条件。预压法常用的方法有砂井堆载预压法、袋装砂井堆载预压法、塑料排水带堆载预压法和真空预压法等。

砂井堆载预压法是在预压层的表面铺砂层，并用砂井穿过该土层以利排水固结。砂井直径一般为 300~400mm，间距为砂井直径的 6~9 倍，示意图如图 3-3 所示。

袋装砂井堆载预压法是将砂先装入纺织袋中，再将砂袋置于井中。井径一般为 70~120mm，间距为 1.5~2m。塑料排水带堆载预压法是将塑料排水带用插排机将其插入软土层中组成垂直和水平的排水体系，然后堆载预压，土中孔隙水沿塑料带的沟槽上升溢出地面，从而使地基沉降固结。真空预压法是利用大气压力作用作为预压荷载，无须堆载加荷。它是在地基表面砂垫层上覆盖一层不透气的塑料薄膜或橡胶布，四周密封与大气隔绝，然后用真空设施进行抽气，使土中孔隙水产生负压力，将土中的水和空气逐渐吸出，从而使土体固结，示意图如图 3-4 所示。

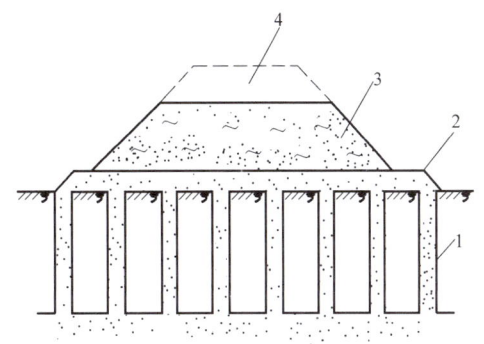

图 3-3 砂井堆载预压法示意图
1—砂井 2—砂垫层 3—永久性填土
4—临时超载填土

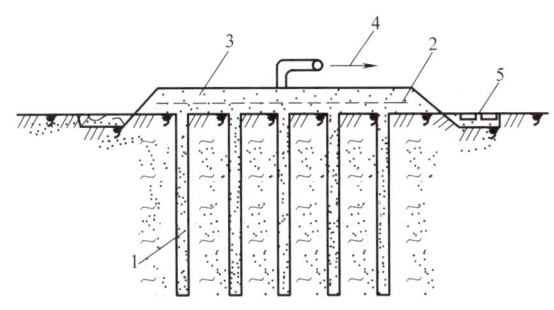

图 3-4 真空预压地基示意图
1—砂井 2—砂垫层 3—薄膜 4—抽水、气 5—黏土

3.2 桩基础工程

3.2.1 桩基础概述

1. 桩基础组成及作用

桩基础由沉入土中的桩和承台组成。桩的作用是借其自身穿过松软的压缩性土层，将来自上部结构的荷载传递至地下深处具有适当承载力且压缩性较小的土层或岩石上，或者将软弱土层挤压密实，从而提高地基土的承载力，以减少基础的沉降。承台作用就是将各单桩连成整体，承受并传递上部结构的荷载。

2. 桩的分类

按桩的材料可将桩分成混凝土桩、钢桩、木桩或组合桩。

按桩的受力情况可将桩分为端承桩和摩擦桩。端承桩是指穿过软弱土层而达到坚硬土层或岩层上的桩，上部结构荷载由桩端阻力承受，桩侧阻力小到可以忽略不计。摩擦桩是指桩身完全设置在软弱土层中,将软弱土层挤密实,以提高土的密实度和承载能力,上部结构的荷载主要由桩侧面摩擦力承担,如图3-5所示。

按桩的生产过程可将桩分为预制桩和灌注桩。预制桩是指在预制构件厂或施工现场预制,然后将其运至桩位处用沉桩设备在设计位置上将其沉入土中而成的桩。灌注桩是指在桩位处采用机械或人工的方式成孔,然后放入钢筋笼再浇筑混凝土而成的桩。

按桩对土体的影响可将桩分为挤土桩、部分挤土桩和非挤土桩。挤土桩是指在成桩过程中桩位周围土体受到桩体的挤压作用,使桩周围土体挤密并受到扰动的桩,如混凝土预制桩、沉管灌注桩等;非挤土桩是指成桩过程中对桩周围的桩间土体没有挤压作用的桩,如钻孔灌注桩、挖孔灌注桩等;部分挤土桩对桩周围土体的挤压作用则介于挤土桩与非挤土桩之间,如冲孔灌注桩等。

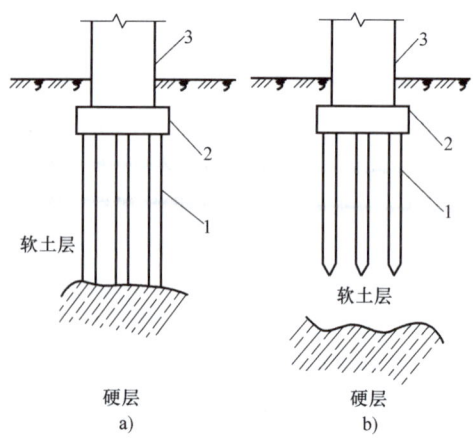

图 3-5 端承桩与摩擦桩示意图
a) 端承桩 b) 摩擦桩
1—桩 2—承台 3—上部结构

按桩的使用功能可将桩分为竖向抗压桩、竖向抗拔桩和水平受荷桩。建筑工程中的大多数桩均起竖向抗压作用,用于承担建筑物上部传来的竖向荷载。竖向抗拔桩是指在有抗浮要求的建筑物中承受上拔力的桩。水平受荷桩是指用于防止土体或岩体滑动而承受水平荷载的桩。

3.2.2 预制桩施工

1. 预制桩概述

由于预制桩事先在预制构件厂或施工现场进行成桩,具有以下几方面优点:桩身质量稳定,坚固耐久,能承受较大荷载;施工时不受地下水或潮湿环境影响,可以在不同土层施工;施工机械化程度高,工效高。

预制桩是我国目前采用非常广泛的一种桩型。预制桩的缺点是当土层变化复杂时,桩长规格较多,桩入土后易被冲压破损、变形而达不到设计标高。

根据桩芯填充情况有实心桩和空心桩,实心桩外形多为方形桩,空心桩外形一般有方形桩和圆形桩。根据桩的外形有方桩、管桩、三角形桩等,如图3-6所示。

根据桩的沉设方法可以将桩分为锤击沉桩、静力压桩。锤击沉桩又称为打桩,是利用桩锤落到桩顶上的冲击力来克服土对桩的阻力,使桩沉到预定的深度或达到持力层的一种施工方法。静力压桩是借助桩架自重及桩架上的压重产生的静压力,通过液压或滑轮组将预制桩压入土中的一种沉桩方法。

2. 预制桩的施工准备

(1) 编制桩基础工程施工方案 预制桩施工前应根据施工图设计要求、桩的类型、成孔过程对土的挤压情况、地质探测和试桩等资料,制订施工方案。主要内容包括:确定施工方法,选择打桩机械,确定打桩顺序,桩的预制、运输,以及沉桩过程中的技术和安全

图 3-6 常见预制桩截面形式
a)管桩 b)空心方桩 c)实心方桩

措施。

(2) 放桩位线 根据引入到施工现场的控制点及桩位布置图确定每个桩位。桩位可用小木桩、短钢筋或白灰撒十字线标出。

(3) 确定桩的施工顺序 桩的施工顺序是合理组织沉桩的重要前提,不仅决定桩位是否正确,还影响桩在施工现场的堆放布置。影响桩的施工顺序的因素很多,如沉桩时的挤土对桩施工质量的影响、桩机移动路线等。其中最重要的是尽量减小后施工的桩挤土导致先施工的桩桩身发生移位或倾斜。其原则可概括为"先深后浅、先大后小、先长后短"。

沉桩顺序一般有逐排沉设、自中间向四周沉设和自中间向两个方向对称分段沉设三种情况,如图 3-7 所示。当桩的中心距小于 4 倍桩的直径或边长时,应由中间向两侧对称施打,或由中间向四周施打。当桩的中心距大于 4 倍桩的直径或边长时,可采用上述两种打法,或逐排单向沉设。

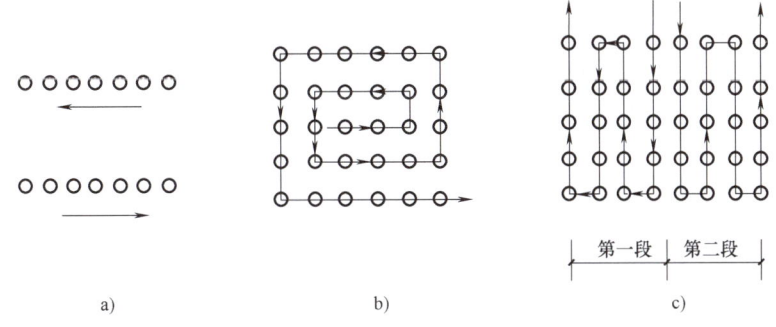

图 3-7 沉桩顺序示意图
a)逐排沉设 b)自中间向四周沉设 c)对称分段沉设

(4) 试桩 沉桩前应根据设计及规范要求进行试桩。通过试桩可以检验桩的入土深度能否达到设计要求,查明桩位处的地层及其参数是否与勘察结果相符,检验桩位的地基承载力,确定施工工艺、桩的沉入时间、最终贯入度等,为桩的正常施工提供工艺参数等依据。

试桩一般采用静载试验方法确定单桩极限承载力。静载试验是指在桩顶部逐级施加竖向压力、竖向上拔力或水平推力,观测桩顶部随时间产生的沉降、上拔位移或水平位移,以确定相应的单桩竖向抗压承载力、单桩竖向抗拔承载力或单桩水平承载力的检验方法。具体应根据工程桩的承载力类型确定施加荷载的类型，从而获得需要的参数。试桩数量应根据设计要求和工程地质条件确定，在同一条件下不应少于3根，当工程桩总数小于50根时试桩数量不应少于2根。

施工方法为锤击沉桩时，为确定打桩过程中的桩身应力、沉桩工艺参数、选择沉桩设备、选择桩端持力层等事项，也可采用高应变法进行试桩。高应变法是指用重锤冲击桩顶，实测桩顶附近或桩顶部的速度和力的时程曲线，通过波动理论分析，对单桩竖向抗压承载力和桩身完整性进行判定的检测方法。高应变法试桩数量不应少于3根。

试桩一般选择工程桩，其位置应由设计单位根据地质勘察资料和设计要求确定。特殊情况下也可以在工程桩以外的位置进行试桩。

3. 预制桩施工工艺流程

预制桩的施工工艺流程包括：预制→运输→堆放→沉桩→桩基检测→桩头处理。

（1）桩的制作、运输、堆放　预制桩制作时粗骨料应采用5~40mm碎石或卵石，钢筋笼宜用点焊或绑扎。桩顶和桩尖直接受到冲击力易产生很高的局部应力，桩顶和桩尖钢筋配置应作加强处理。桩顶设钢筋网片或钢板（见图3-8），桩尖设短钢筋，其位置要准确，混凝土保护层厚度要均匀，使桩顶有良好的抗裂和抗冲击性能。

图3-8　管桩桩顶构造

预应力混凝土预制实心桩的截面边长不宜小于350mm，混凝土强度等级不应低于C40。

预应力混凝土空心桩一般在工厂用离心旋转法制作。其中管桩按其强度等级分为预应力混凝土管桩（通常用代号PC表示，混凝土强度等级不低于C60）和预应力高强混凝土管桩（通常用代号PHC表示，混凝土强度等级不低于C80）。管桩的外径通常有300mm、400mm、500mm、550mm、600mm、800mm、1000mm等。单根桩的长度通常不大于15m。根据混凝土有效预压应力值不同又可分为A型、AB型、B型和C型。

钢筋混凝土预制桩应达到设计强度的70%才可起吊，达到100%设计强度才能运输和打桩。桩在起吊和搬运时，必须做到平稳并不得损坏棱角。吊点、绑扎点的数量及位置按桩长而定，应符合起吊弯矩最小的原则，即跨中与吊点的弯矩相等的原则。

当桩长大于13m时采用两支点起吊法，两支点设在离桩两端0.207L处，如图3-9所示。当桩长不大于13m时，可采用一点起吊法或直接进行水平起吊，即采用专用吊钩钩住管桩两端内壁直接进行水平起吊。

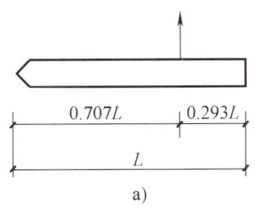 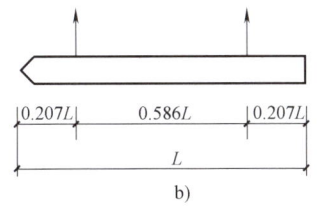

图 3-9 吊点的布置位置示意图
a) 一个吊点 b) 两个吊点

桩运到施工现场后,应按不同规格将桩分别堆放,以免沉桩时错用。堆放桩的场地应靠近沉桩地点,地面必须平整坚实,设有排水坡度。多层堆放时,各层桩间应放置垫木,垫木的间距可根据吊点位置确定,并应上下对齐。不同直径预制桩允许堆放层数不同,直径越大允许堆放层数越少,$\phi500 \sim \phi600mm$ 混凝土桩在现场堆放层数不宜超过 4 层,$\phi300 \sim \phi400mm$ 管桩最多可堆放 5 层,如图 3-10 所示。

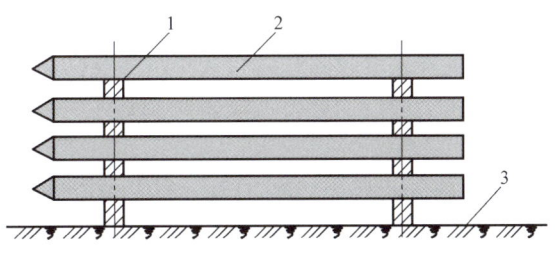

图 3-10 预制桩堆放示意图
1—垫木 2—预制桩 3—地坪

(2) 桩的沉设 桩的沉设方法主要采用静力压桩、锤击沉桩的方法。

1) 静力压桩。静力压桩的优点有:液压操作,自动化程度高;施工简便、速度快;施工无噪声、无振动、无污染,对周围环境影响很小。

静力压桩适用于土质均匀的软土、填土及一般黏性土层中。砂土及其他较坚硬土层,由于压桩阻力过大而不宜采用。目前广泛应用于闹市中心建筑较密集的地区。

静力压桩机目前主要为液压桩机。液压桩机由夹持机构、底盘平台、行走回转机构、液压系统和电气系统等组成。夹持机构依靠夹持液压缸的推力使液压缸端的夹持角与桩的表面在压入过程中产生的摩擦力将桩夹持住,顶升液压千斤顶通过夹持机构将桩压入土中。

静力压桩施工一般采取分节压入、逐段接长的施工方法。其施工工艺流程:桩机就位→第一节桩起吊就位→将第一节桩压入→第二节桩起吊就位→接桩→压桩至持力层或设计标高。当第一节桩压入土中,其上端距地面 0.5~1.0m 时将第二节桩接上,继续压入。压同一根桩应连续施工,以防停压后再压阻力增大而压不下去。

预制桩的长度往往很大,需要由几节桩连接而成。接桩的方法目前主要采用焊接法:在制桩时在桩的上、下接头处预埋钢板、钢帽等钢件,施工时将上、下桩头对正后对预埋件焊牢进行连接的方法。焊接时下节桩段的桩头宜高出地面 0.5m。桩对接前上下端板表面应采用钢丝刷子清理干净,焊接宜在桩四周对称进行。焊接层数不得少于 2 层,第一层焊完后必须把焊渣清理干净方可进行第二层的施焊，焊接时焊缝应连续饱满。上、下桩段间若有空隙，应用钢片填实焊牢。焊接好的桩接头应自然冷却后方可继续施工，自然冷却时间不宜少于 8min，常采用二氧化碳气体保护焊的工艺。通常一根桩的接头总数不宜超过 3 个。

其他连接方式如法兰连接等方法已不常用。

压桩施工中的主要注意事项：

① 压桩机应根据土质情况配足额定质量，场地应平整且有一定承载力。压桩时，桩帽、桩身的中心线应重合。

② 若设计桩顶标高低于自然地面，则需要用专门的钢质送桩器将工程桩送入土中，桩身与送桩器中心应在同一直线上。拔出送桩器后送桩孔应及时用土回填或加盖。不得将工程桩用作送桩器。当场地上多数桩的有效桩长小于或等于 15m 时送桩深度不宜超过 1.5m；当桩的垂直度偏差小于 1%，且桩的有效桩长大于 15m 时，送桩深度不宜超过 8m。

③ 压桩应连续进行，不得中断，接桩时间应尽量缩短，上下节桩应在同一轴线上，桩头应平整光滑。

④ 遇有地下障碍物，使桩在压入过程中倾斜时，应将桩拔起，待地下障碍物清除后重新压桩；如遇砂层而使压桩阻力突然增大致使压桩机上抬，此时可在最大压桩力作用下维持一定时间，使桩有可能缓慢下沉穿过砂层；压桩过程中桩身突然下沉或倾斜、桩顶混凝土破坏或压桩阻力剧变、桩身发生较大幅度的移位或倾斜时应暂停压桩，分析原因，采取处理措施后再继续施工。

⑤ 做好桩施工记录。桩基础工程属于隐蔽工程，施工中应做好每根桩的观测，并将各项主要指标进行记录，这是工程验收的依据之一。

静力压桩施工中容易出现的质量问题有桩身断裂、沉桩达不到设计要求、桩顶位移、桩身倾斜、接桩处开裂等。

① 桩身断裂。沉桩时桩身发生断裂的主要原因是桩身质量不好，混凝土强度低，或者桩身存在弯曲变形等现象，压入过程中遇到较大阻力时发生桩身断裂现象。

② 沉桩达不到设计要求。在进行桩的设计时，对于设计成摩擦桩的静力压桩来说，一般将最终标高作为最终控制的主要依据，有时桩最后不能达到设计要求。主要原因是在勘探过程中对地下土质或持力层没有做出准确的判断，实际施工情况与设计参数情况不符，从而导致桩身设计材料或强度存在问题。

③ 桩顶位移。桩顶位移主要是指桩产生横向移动或者相邻桩出现上浮现象。主要原因是由于静力压桩属于挤土桩，有时桩比较密集，土较密实饱和，在沉桩过程中相邻的桩会因土体挤压而产生上浮或位移现象。

④ 桩身倾斜。桩身倾斜主要是桩身垂直度偏差超过规范允许的范围而发生较大的倾斜。产生原因是施工场地不平整或存在较大的坡度，或施工过程中施工员没有认真复核桩体垂直度。

⑤ 接桩处开裂。接桩处开裂主要是两节桩的连接部位出现开裂。出现这种情况的原因比较多，包括：采用焊接连接时，桩的端头板不够平整，钢板表面不够清洁，焊接质量较差，焊接好停顿时间比较短或焊完直接施压；两节桩中心线不是同一条直线，接桩处有扭曲，压桩过程中接桩处局部出现集中应力而破坏连接等。

2）锤击沉桩。锤击沉桩的优点是施工速度快，机械化程度高，适用范围广。但施工时噪声较大，且对地表层有振动，在城区和夜间施工有所限制。

锤击沉桩适用于桩径较小（一般桩径600mm以下），地基土土质为可塑性黏状土、砂性土、粉土、细砂以及松散的碎卵石类土。锤击沉桩的打桩设备包括桩锤、桩架和动力装置等。

桩锤是对桩施加冲击力，将桩沉入土中的机具，其种类有落锤、蒸汽锤、柴油锤和振动锤等。落锤一般由铸铁制成，重0.2～2t。它利用绳索或钢丝绳通过吊钩由卷扬机沿桩架导杆提升到一定高度，然后自由落下击打桩顶。落锤费用低，但施工速度慢、效率低，桩顶易被打坏；适用于小直径桩，在软土层中应用较多。蒸汽锤是以高压蒸汽或压缩空气为动力的打桩机械，有单动汽锤和双动汽锤两种。蒸汽锤可用于打各种桩，也可在水下打桩并用于拔桩。柴油锤是利用气缸内冲击体的冲击力与燃烧压力，推动锤体跳动夯击桩体。柴油锤速度快，施工性能好；适用于各种土层及各类桩型。但施工时振动大、噪声高、废气污染严重。振动锤是利用机械强迫振动，通过桩帽传到桩上使桩下沉。锤重选择应根据地质条件、工程结构、桩的类型、密集程度及施工条件等确定。锤重一般依设计选择，并经试桩确认。

桩架是支持桩身和桩锤，在打桩过程中引导桩的方向及维持桩的稳定，并保证桩锤沿着所要求方向冲击的设备。桩架一般由底盘、导向杆、起吊设备、撑杆等组成。根据桩的长度、桩锤的高度及施工条件等选择桩架和确定桩架高度。桩架高度=桩长+桩锤高度+滑轮组高+桩帽高度+起锤移位高度。桩架用钢材制作，按移动方式有轮胎式、履带式、轨道式等。履带式桩架以履带式起重机为主机，配备桩架工作装置而组成，操作灵活，移动方便，适用于各种预制桩和灌注桩的施工。

动力装置为桩锤提供动力，根据所选桩锤而定。如空气锤的动力装置是空气压缩机，蒸汽锤的动力装置是蒸汽锅炉，落锤的动力装置是电动卷扬机。

锤击沉桩施工工艺流程与静力压桩相似，包括：桩机就位→第一节桩起吊就位→打第一节桩→第二节起吊就位→接桩→打桩至持力层或设计标高。

打桩时应采用重锤低击的原则进行打桩。重锤低击时桩锤对桩头的冲击小，回弹也小，桩头不易损坏，大部分能量都用于克服桩身与土的摩擦力和桩尖阻力上，桩能较快地沉入土中。桩开始打入时，应控制锤的落距，采用短距轻击；待桩入土一定深度（1～2m）稳定以后，再以规定落距施打。桩的入土深度及质量控制方法：摩擦桩应以控制桩端设计标高为主，贯入度为辅；端承桩桩端达到持力层时，一般为坚硬土层或风化岩石层，这时应以贯入度控制为主，桩端标高作为参考。

贯入度是指锤击桩每10击的入土深度，用mm/10击表示。最后贯入度指最后三阵锤击，每阵10击桩的平均入土深度。

打桩施工中的主要注意事项：

① 桩架垂直平稳，桩帽与桩顶锁紧牢靠，打桩时严禁偏打。因偏打会使桩头某一侧产生应力集中，造成压弯联合作用，易将桩打坏。因此打桩时桩锤、桩帽、桩身轴线应重合，衬垫要平整均匀，构造合适。

② 桩顶衬垫弹性应适宜，如果衬垫弹性合适会使桩顶受锤击的作用时间及锤击引起的应力波波长延长，而使锤击应力值降低，从而提高打桩效率并降低桩的损坏率。故在施打过程中，对每一根桩均应适时更换新衬垫。

③ 打桩入土的速度应均匀，连续施打，锤击间歇时间不要过长。否则由于土的固结作

用，使继续打桩受阻力增大，不易打入土中；送桩时桩身与送桩器的轴线应在同一垂直轴线上。送桩深度不宜大于 2m，当送桩深度超过 2m 且不大于 6m 时，打桩机应为三点支撑履带自行式或步履式柴油打桩机。

④ 密切观察桩锤回弹、桩身下沉变化情况。若打桩过程中桩的下沉突然加大，则表示可能遇到软土层、洞穴，或桩尖、桩身已损坏。若桩锤回弹较大且时常发生，则表示桩锤太轻，锤的冲击动能不能使桩下沉。若桩锤突然有较大的回弹，则表示桩尖可能遇到阻碍。

⑤ 做好桩施工记录。

在锤击沉桩施工过程中会遇见桩顶破碎，桩身断裂，桩身位移、扭转、倾斜，桩锤跳跃，桩身严重回弹等问题。发生这些问题的原因有钢筋混凝土预制桩制作质量、沉桩操作工艺和遇到复杂土层等三个方面的原因。打桩过程中若遇到上述问题，应立即暂停打桩，施工单位应与勘察、设计单位共同研究，查明原因，提出明确的处理意见，采取相应的技术措施后，方可继续施工。

① 桩顶破碎。桩顶直接受到桩锤的冲击而产生很高的局部应力，如果桩顶钢筋网片配置不当、混凝土保护层过厚、桩顶平面与桩的中心轴线不垂直及桩顶不平整等制作质量问题都会引起桩顶破碎。在沉桩工艺方面，若桩垫材料选择不当、厚度不足，桩锤施打偏心或施打落距过大等也会引起桩顶破碎。

② 桩身打断。制作时，桩身有较大的弯曲，局部混凝土强度不足，在沉桩时桩尖遇到硬土层或孤石等障碍物，增大落距，反复过度冲击等都可能引起桩身断裂。

③ 桩身位移、扭转、倾斜。桩尖四棱锥制作偏差大，桩尖与桩中心线不重合的制作原因，桩架倾斜，桩身与桩帽、桩锤不在同一垂线上的施工操作原因以及桩尖遇孤石等都会引起桩身位移、扭转或倾斜。

④ 桩锤跳跃。桩身回弹严重，选择桩锤较轻，能引起较大的桩锤跳跃；桩尖遇到坚硬的障碍物时，桩身则严重回弹。

⑤ 桩锤严重回弹。施工时桩锤回弹严重，贯入度突然变小，则可能与土层中夹有较厚的砂层或其他硬土层有关。当桩顶或桩身已被打坏，锤的冲击能不能有效传给桩时，也会发生桩打不下的现象。或者桩施工过程中途停歇时间较长，由于土的固结作用导致桩不能顺利被打入土中。

（3）桩头处理　成桩过程中，由于地质情况或桩的受力情况复杂导致实际成桩的桩顶标高与设计桩顶标高不同，因此在基坑开挖后，应按设计要求的桩顶标高将桩头多余的部分截去，截桩时不能破坏桩身。

预应力混凝土管桩与承台之间的连接，一般需将 4~6 根钢筋焊于钢板上，再将此连接件固定在桩的上端，之后再浇筑承台混凝土。对于空心方桩或管桩，一般应按设计要求在桩顶一定长度的空心中灌注微膨胀混凝土，有利于桩与承台间的连接，如图 3-11 所示。

3.2.3 混凝土灌注桩施工

混凝土灌注桩是指直接在桩位上用机械成孔或人工挖孔，在孔内安放钢筋、灌注混凝土而成型的桩。其优点是成桩受地层变化影响小，可一次成型而不需要接桩，施工过程中对土及周边环境振动小、噪声小。缺点是施工容易受地下水或土质影响出现塌孔、断桩等现象。

混凝土灌注桩的施工准备内容与预制桩相似，包括编制桩基础工程施工方案、放桩位

图 3-11 桩顶处理示意图
a) 截桩后桩顶 b) 桩芯灌混凝土及接筋

线、确定桩的施工顺序及试桩等。

在确定桩的施工顺序时应注意以下事项：对于无挤土现象的桩（如人工挖孔灌注桩、钻孔灌注桩），其施工顺序无特殊要求，可按桩机行走方便路线等现场条件确定成孔顺序。对于有挤土现象的桩（如沉管灌注桩），一般可结合现场施工条件，采用间隔 1 或 2 根桩成孔，邻桩混凝土初凝前或终凝后成孔或群桩基础的中间桩先成孔等施工顺序。

混凝土灌注桩试桩的数量要求与预制桩相同。

混凝土灌注桩按成孔方法可分为钻孔灌注桩（泥浆护壁成孔灌注桩和干作业成孔灌注桩）、人工挖孔灌注桩和沉管灌注桩等。

1. 钻孔灌注桩施工

钻孔灌注桩是指利用钻孔机械钻出桩孔，并在孔中浇筑混凝土而成的桩。根据桩深范围内是否在地下水又可将钻孔灌注桩分为泥浆护壁成孔和干作业成孔两种施工方法。钻孔灌注桩具有无振动、无挤土、噪声小，对周围结构物影响小等优点。钻孔灌注桩适宜于在硬的、半硬的、硬塑的和软塑的黏性土中施工。

（1）泥浆护壁成孔灌注桩 泥浆护壁成孔灌注桩是利用钻孔机械在桩位处进行钻孔，采用泥浆进行护壁，待钻孔达到设计要求时进行清孔，在孔内放入钢筋笼并进行水下浇筑混凝土。泥浆护壁成孔灌注桩在孔中注入一定稠度的泥浆进行护壁成孔，能够防止孔壁坍塌，适用范围广，适用于在地下水位以下的黏性土、粉土、砂土、填土、碎石土及风化岩等。

其施工工艺流程：测定桩位→埋设护筒→桩机就位→制备泥浆→机械成孔→泥浆循环出渣→清孔→安放钢筋笼→安设导管→浇筑水下混凝土→拔除护筒。

1）埋设护筒和制备泥浆。地表土层较好的场地可以不设护筒。但在杂填土或松软土层中钻孔时，应设护筒定位，保护孔口，防止地面水流入，存储泥浆防止塌孔，成孔时引导钻头的方向等。护筒高一般 2m 左右（埋入土中 1~1.5m），采用厚 4~8mm 钢板制成，内径应大于钻头直径 100~200mm。顶部开设 1 或 2 个溢流口。护筒与坑壁之间用无杂质的黏土填实，防止漏水。

在成孔过程中注入泥浆时，因泥浆比水重，所产生的液柱压力可平衡地下水位，对孔壁有一定的侧压力能够防止塌孔、保护孔壁，还能在泥浆循环过程中排出土渣、冷却与润滑钻头。泥浆制备可用原土造浆（在孔中注进清水）或建专用泥浆池，用黏土或膨润土和水混合，制成相对密度为 1.1~1.15 的泥浆。

2）机械成孔。钻机就位后，校正钻具中心对准护筒中心，边钻孔边注入泥浆，泥浆液面高于地下水位 1.0m 以上。成孔机械有潜水钻机、冲击钻机、冲抓钻机等。

①潜水钻机成孔。潜水钻机是一种旋转式钻孔机械，其防水电动机、变速机构和钻头密封在一起，由桩架及钻杆定位后可潜入水、泥浆中钻孔。注入泥浆后通过正循环或反循环排渣法将孔内切削土粒、石渣排至孔外。

正循环排渣法是泥浆由钻杆内部注入，并从钻杆底部喷出，携带钻下的土渣沿孔壁向上流动，由孔口将土渣带出流入沉淀池，经沉淀的泥浆流入泥浆池再注入钻杆，由此进行循环。正循环工艺是依靠泥浆向上的流动将土渣提升，其提升力较小，孔底沉渣较多。

反循环排渣法是泥浆由钻杆与孔壁间的环状间隙流入钻孔，然后由泵在钻杆内形成真空，使钻下的土渣由钻杆内腔吸出至地面而流向沉淀池，沉淀后再流入泥浆池。反循环通过泵吸作用提升泥浆，泥浆上升的速度较快，排放土渣能力大。

②冲击钻机成孔。冲击钻机成孔是将冲锤式钻头用动力提升，靠自由下落的冲击力切削破碎岩层或冲击土层成孔的。冲击钻机适用于粉质黏土、砂土及砾石等中成孔。冲击钻头形式有十字形、工字形、人字形等，一般常用十字形冲击钻头。冲击钻机施工中需以钢护筒、掏渣筒及打捞工具等辅助作业。

冲击钻机就位后，校正冲锤中心对准护筒中心，在冲程 0.4~0.8m 范围内应低提密冲，并及时加入石块与泥浆护壁，直至护筒下沉 3~4m 以后，冲程可以提高到 1.5~2.0m，转入正常冲击，随时测定并控制泥浆相对密度。施工中，应经常检查钢丝绳损坏情况，卡机松紧程度和转向装置是否灵活，以免掉钻。

③冲抓钻机成孔。冲抓钻机钻头上有一重钢块和活动抓片，通过机架和卷扬机将冲抓钻提升到一定高度，下落时松开卷筒制动，抓片张开，钻头便自由下落冲入土中，然后开动卷扬机提升钻头，这时抓片闭合抓土。冲抓钻整体提升至地面上卸去土渣，依次循环成孔。

冲抓钻机成孔施工过程、护筒安装要求、泥浆护壁循环等与冲击钻机成孔施工相同，适用于松软土层（砂土、黏土）中冲孔，但遇到坚硬土层时宜换用冲击钻施工。

3）清孔。清孔即清除桩位孔底沉积的土渣、淤泥浮土等。其目的是确保混凝土灌注质量、减少桩基的沉降量，提高桩的承载能力。对于稳定性较差的孔壁采用泥浆循环法清孔，原土造浆时清孔后的泥浆相对密度应控制在 1.1 左右，制备泥浆则控制在 1.15~1.25。

清孔结束后孔底沉淀物不应过厚，否则沉渣会混入桩头混凝土中，导致桩的沉降量大，承载力低。因此桩底沉淀物应符合规范要求。

4）安放钢筋笼。钢筋笼应根据设计配筋及构造要求在施工现场制作。当钢筋笼全长超过 12m 时宜分段制作，分段吊装，接头处用焊接连接，主筋接头数量应满足规范要求。为保证钢筋笼保护层满足要求，应在钢筋外侧设置混凝土垫块或定位钢筋。为增加钢筋笼的纵向刚度和灌注桩的整体性，每隔 2m 焊一道加强箍筋。

钢筋笼吊放时要垂直向下，不可强行压入，以免扰动桩壁土或产生塌孔。桩放至设计标高后，应将钢筋笼临时固定以防位置移位，再浇筑混凝土。

5）浇筑水下混凝土。泥浆护壁成孔灌注桩混凝土浇筑通常采用导管法。其施工工艺流程为：放入导管→导管及漏斗内灌入混凝土→剪断隔水栓或球塞→随浇混凝土随提升导管→拔除导管成桩，如图 3-12 所示。

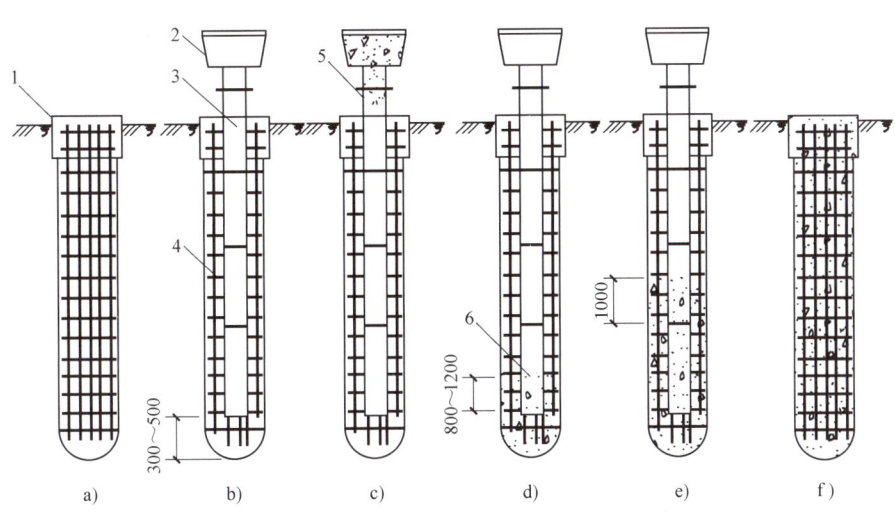

图 3-12　水下混凝土浇筑示意图
a）吊放钢筋笼　b）插下导管　c）漏斗灌满混凝土　d）除去隔水栓混凝土下落孔底
e）随浇混凝土随提升导管　f）拔除导管成桩
1—护筒　2—漏斗　3—导管　4—钢筋笼　5—隔水栓　6—混凝土

混凝土应具有良好的和易性，坍落度一般采用 180~220mm。导管内及漏斗灌的混凝土量应保证导管下端一次埋入混凝土面以下 0.8m 以上。

泥浆护壁成孔灌注桩施工时易发生孔壁坍塌、孔壁缩颈、孔底隔层、偏孔或桩身倾斜等问题。

① 孔壁坍塌。孔壁坍塌是指成孔过程中孔壁土层不同程度的坍塌。其主要原因是土质松软，泥浆护壁不良，下落钢筋笼时碰撞护筒及孔壁，护筒周围未用黏土坚实填充，孔内泥浆液面下降等造成塌孔。处理方法是在孔壁坍塌段用石子、黏土投入，重新开钻，并调整泥浆相对密度和液面高度。

② 孔壁缩颈。孔壁缩颈是指桩施工过程中出现局部桩断面变小的情况。其主要原因是由于泥浆相对密度不当，桩的间距过密，成桩的时间相隔太短等。处理方法是控制泥浆的相对密度，调整施工顺序等。

③ 孔底隔层。孔底隔层是指孔底残留石渣过厚，孔底涌进或坍壁泥土落底。其主要原因是清孔不彻底，清孔后泥浆浓度减少或浇筑混凝土、安放钢筋笼时碰撞孔壁造成塌孔落土。处理方法是做好清孔工作，控制泥浆浓度，施工时注意保护孔壁。

④ 偏孔或桩身倾斜。偏孔或桩身倾斜是指成孔过程中孔位偏移或孔身倾斜。其主要原因是桩架不稳固，导杆不垂直或土层软硬不均。处理方法是将桩架重新安装牢固、平稳垂直，若偏移过大，应填入石子、黏土重新成孔。

（2）干作业成孔灌注桩　干作业成孔灌注桩是先利用钻孔机械在桩位处进行钻孔，待钻孔达到设计要求时立即进行清孔，然后将钢筋笼吊入桩孔内再浇筑混凝土而成的桩。干作业成孔灌注桩适用于成孔深度内没有地下水的黏性土、粉土、填土、中等密度以上的砂土、风化岩层，不适用于有地下水的土层和淤泥质土。干作业成孔灌注桩的施工工艺流程为：钻机就位→钻孔→清孔→吊放钢筋笼→浇筑混凝土。

钻孔设备有螺旋钻机、钻孔扩机等。螺旋钻机成孔直径 300~800mm，深度 12~30m。清孔的方法是钻机在钻孔达到设计标高后空转清土，然后停止旋转，提钻卸土。

干作业成孔灌注桩混凝土分层浇筑、分层捣实的方法浇筑，每层厚度 50~60cm。混凝土的坍落度一般为 80~100mm。混凝土浇筑应适当超过桩顶设计标高，以保证在凿除浮浆层后，桩顶标高和混凝土质量符合设计要求。

2. 人工挖孔灌注桩

人工挖孔灌注桩是采用人工挖掘方法进行成孔，然后放置钢筋笼，浇筑混凝土而成的桩。人工挖孔灌注桩以硬土层为持力层、以端承力为主的一种基础形式，一般由桩身和扩大头组成。

人工挖孔灌注桩的优点有：成孔时不需要大型机具设备，成孔设备简单；桩身直径大，单桩承载能力高，受力性能好，既能承受垂直荷载，又能承受水平荷载；施工时设备简单，无噪声，无振动，对施工现场周围既有建筑物的危害影响小；施工时可在孔内直接检查成孔质量，观察地质土质变化情况；桩底清孔除渣彻底、干净，易保证混凝土浇筑质量。其缺点是安全操作条件差。因为人工挖孔的作业条件较为恶劣，以及易出安全事故，已被行业主管部门列为限制使用技术。

人工挖孔灌注桩适用于桩直径 800mm 以上，无地下水或地下水较少的黏土、粉质黏土、砂性土、人工填土、碎石土和风化土层，也可在湿陷性黄土、膨胀土、冻土等特殊土中使用，适应性较强。对于有地下水、地下水位较高、涌水量大及淤泥质土层不宜采用人工挖孔灌注桩。

人工挖孔灌注桩施工工艺流程主要包括挖土成孔（包括人工挖土、运土和护壁工作）和钢筋混凝土施工两个过程。

人工挖孔灌注桩的直径除了要满足设计承载力外，还应考虑施工操作所需的最小尺寸，因此桩径不宜小于 0.8m，且不宜大于 2.5m。人工挖孔施工时，为了确保人员在挖土作业过程中施工安全，必须进行护壁防止孔壁坍塌和流砂现象的发生，同时应该根据现场条件采取降水措施，并进行通风。护壁的方法很多，包括现浇钢筋混凝土护壁、沉井护壁和钢套管护壁等。

现浇钢筋混凝土护壁的施工工艺流程为：挖孔（挖土、运土）→支护壁模板→搭设操作平台→浇护壁混凝土→继续挖孔、护壁→放钢筋笼→浇混凝土。土方开挖和混凝土护壁施工应分段进行。每段高度取决于土壁直立状态而不塌方的能力，一般 0.9~1.2m 为一施工段。开挖井孔直径为设计桩径加混凝土护壁厚度。操作平台置于护壁内模顶部，以放置料具和浇筑混凝土。混凝土护壁厚一般为 150~300mm，上下段错位搭接，搭接高度 50~75mm（见图 3-13），既可防止孔壁坍塌，同时还可起到防水作用。护壁混凝土强度达到 1MPa（常温下约 24h）方可拆除模板，进入下一施工段，如此反复循环直至挖到设计要求的深度。当桩孔挖到设计深度，检查孔底土质是否已达到设计要求，再在孔底开挖扩大头。待桩孔全部成型后，用潜水泵抽出孔底的积水，并立即浇筑混凝土。当混凝土浇筑至钢筋笼的底面设计标高时再吊入钢筋笼就位，并继续浇筑桩身混凝土而形成桩基。

沉井护壁是先在桩位上制作钢筋混凝土井筒，井筒下捣制钢筋混凝土刃脚，然后在筒内挖土掏空，井筒靠其自重或附加荷载来克服筒壁与土体之间的摩擦力，边挖边沉，使其垂直地下沉到设计要求深度。沉井护壁适用于土为强透水层的工程。

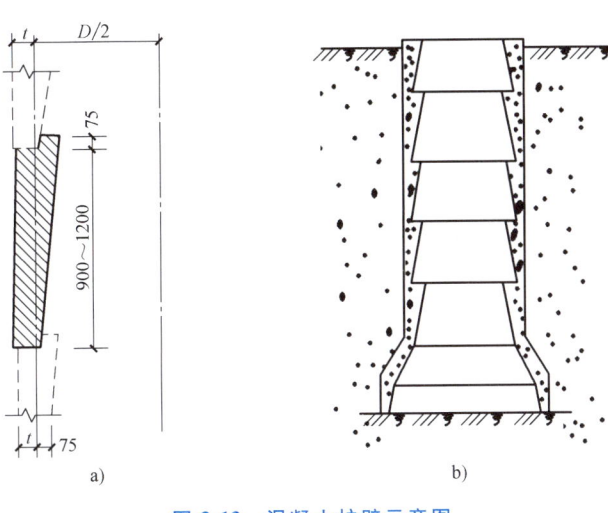

图 3-13 混凝土护壁示意图
a）护壁放大示意图　b）人工挖孔桩示意图

钢套管护壁是在桩的外围安放钢套管后放入钢筋笼，浇筑混凝土，最后再拔出钢套管重复使用。钢套管护壁适用于流砂地层、地下水丰富的强透水层或承压水地层。

人工挖孔灌注桩施工中应该注意：

① 挖掘成孔区内，不得堆放余土和建筑材料，并防止局部集中荷载和机械振动。

② 桩基础需坐落在设计要求的持力层上，桩孔的挖掘深度应由设计、勘察人员根据现场地基土层的实际情况决定。

③ 人工挖掘成孔应连续施工，成孔验收后立即进行混凝土浇筑。

④ 认真清除孔底浮渣，排净积水，浇筑过程中防止地下水流入。

⑤ 为避免混凝土浇筑时产生离析现象，可采用串筒或溜槽浇筑混凝土，并连续浇筑分段振捣，不留施工缝。

⑥ 井面应设置安全防护栏，当桩孔净距小于 2 倍桩径且小于 2.5m 时，应间隔挖孔施工。

3. 沉管灌注桩

沉管灌注桩是利用锤击打桩法或振动沉管法，将带有钢筋混凝土桩尖或带有活瓣式钢制桩靴的钢管沉入土中（钢管直径应与桩的设计尺寸一致）造成桩孔，然后放入钢筋笼并浇筑混凝土，随之拔出套管，利用拔管时的振动将混凝土捣实，形成所需要的灌注桩。

沉管灌注桩的优点是施工设备简单、桩长可随实际地质条件确定，经济效果好，尤其在有地下水、流砂、淤泥的情况下可使施工大大简化，适用于黏性土、粉土和砂土。缺点是单桩承载力低，在软土中易产生缩颈。

沉管灌注桩施工过程中对土体有挤密作用和振动影响，桩的施工顺序应结合现场具体施工条件及设计参数确定。成孔的顺序主要有：间隔一个或两个桩位成孔；在邻桩混凝土初凝前或终凝后成孔；一个承台下桩数在 5 根以上者，中间的桩先成孔，外围的桩后成孔。沉管灌注桩的施工工艺流程为：桩架就位→沉钢套管→吊放钢筋笼→浇筑混凝土→拔管成桩。

沉管灌注桩的施工方法主要包括振动沉管灌注桩和锤击沉管灌注桩。

（1）振动沉管灌注桩　振动沉管灌注桩是采用振动锤将钢套管沉入土中成孔。振动沉管灌注桩适用于一般黏性土、淤泥质土、淤泥、粉土、湿陷性黄土、松散至中密砂土、人工填土等。

振动沉管灌注桩的施工工艺流程为：桩机就位→沉钢套管→放钢筋笼→浇筑混凝土→拔管成桩。

为了提高桩的质量和承载能力，振动沉管灌注桩可采用单打法、复打法、反插法等施工工艺。

1）单打法。单打法是在沉入土中的套管内灌满混凝土，开动振动锤振动，振动5～10s开始拔管，边拔边振。每拔0.5～1.0m，停拔振动5～10s，如此反复进行，直至钢套全部拔出成桩。

2）复打法。复打法是在同一桩孔内连续进行两次单打，或根据需要进行局部复打。施工时，应保证前后两次沉管轴线重合，并在混凝土初凝之前进行。复打后桩截面可比桩管扩大80%。

3）反插法。反插法是在套管内灌满混凝土后，先振动再拔管，每次拔高0.5～1.0m，再向下反插0.3～0.5m，如此反复进行，直至拔出成桩。在拔管过程中应分段添加混凝土，保持套管内混凝土表面始终不低于地坪表面，或高于地下水位1～1.5m以上。反插法桩的截面可比桩管扩大50%，提高桩的承载力，但混凝土耗用量较大，一般只适用于饱和土层。

振动沉管灌注桩施工时要注意：混凝土坍落度通常为80～100mm（钢筋混凝土）或60～80mm（素混凝土），套管内混凝土高度不少于2m，桩中心距小于4倍套管外径时，可用跳打法或邻桩混凝土初凝前施工完毕。

（2）锤击沉管灌注桩　锤击沉管灌注桩是采用落锤、蒸汽锤或柴油锤将钢套管沉入土中成孔，再放入钢筋笼，浇筑混凝土的桩。

锤击沉管灌注桩适宜于一般黏性土、淤泥质土、砂土、人工填土及中密碎石土地基。锤击沉管灌注桩的施工工艺流程与振动沉管灌注桩相似。在施工过程中应注意以下事项：

1）桩尖与桩管接口处应垫垫圈，以防地下水渗入管内。沉管时先用低锤轻击，观察无偏移后，再正常施打。在管底未拔到桩顶设计标高之前，低锤密击不得中断。有地下水或泥浆时，在套管内先灌入1.5m左右封底混凝土再沉管。

2）拔管前，应先锤击套管，在测得混凝土确已流出套管时方可拔管。套管内混凝土要灌满，第一次拔管高度应控制在能容纳第二次所需灌入的混凝土量为限，一般应使套管内保持不少于2m高度的混凝土，不宜拔管过高。拔管速度要均匀，一般土层以不大于1m/min为宜，软弱土层与软硬交界处，应控制在0.3～0.8m/min以内。

3）为扩大桩径提高承载力或补救缺陷可采用复打法。当桩的中心距小于5倍套管外径或2m时，采用跳打法或邻桩混凝土初凝前施工完毕。

4）混凝土坍落度要求：钢筋混凝土80～100mm，素混凝土60～80mm。桩身混凝土应连续浇筑，分层振捣密实，每层高度1～1.5m。

（3）沉管灌注桩施工中常见质量问题　沉管灌注桩容易出现缩颈、断桩、吊脚桩和混凝土灌注过量等质量问题。

1）缩颈。缩颈是指桩身的局部直径小于设计要求的现象。产生的主要原因是当在淤泥和软土层沉管时，由于受挤压的土壁产生孔隙水压，拔管后便挤向新灌注的混凝土，桩局部范围受挤压形成缩颈。当拔管过快或混凝土量少，或混凝土拌合物和易性差时，周围淤泥质土趁机填充过来，也会形成缩颈。

处理方法：拔管时保持管内混凝土面高于地面，使之具有足够的扩散压力，混凝土坍落度应控制在 50~70mm，拔管时采用复打法并严格控制拔管的速度等可避免缩颈的出现。

2）断桩。断桩是指桩身局部分离或断裂，一段桩没有混凝土。产生的主要原因是桩距离太近，相邻桩施工时混凝土还未具备足够的强度，已形成的桩受挤压而断裂。

处理方法：施工时合理确定中心距离不小于 4 倍桩径的施工顺序，合理安排行车路线以减少对新灌注混凝土桩的影响，采用跳打法或等已成型的桩混凝土达到 50% 设计强度后，再进行下根桩的施工可有效避免断桩的发生。

3）吊脚桩。吊脚桩是指桩底部混凝土隔空或松软，没有落实到孔底地基土层上的现象。产生的主要原因是当地下水压力大时，或预制桩尖被打坏，或桩靴活瓣缝隙大时，水及泥浆进入套筒钢管内，或由于桩尖活瓣受土压力，拔管至一定高度才张开使得混凝土下落，造成桩脚不密实，形成松软层。

处理方法：为防止活瓣不张开，开始拔管时，可采用密张慢拔的方法，对桩脚底部进行局部反插几次，然后再正常拔管；桩靴与套管接口处使用性能较好的垫衬材料，防止地下水及泥浆的渗入等可避免吊脚桩的出现。

4）混凝土灌注过量。混凝土灌注过量是指灌桩时混凝土用量比正常情况下大 1 倍以上的现象。产生的主要原因是由于孔底有洞穴，或者在饱和淤泥中施工时土体受到扰动，强度大大降低，在混凝土侧压力作用下桩身扩大而混凝土用量增大所造成的。若发现混凝土用量过大时，应与设计单位联系，改用其他桩型。

4. 混凝土灌注桩施工质量要求

（1）施工质量检查内容　对施工方案中制订的原材料要求、施工顺序、监测手段也应进行检查：对混凝土、钢筋等原材料进行检查；检查成孔及清孔质量；钢筋笼制作及安放；混凝土搅拌（或商品混凝土坍落度）及灌注等施工过程的施工质量。

（2）灌注桩成孔深度的控制要求

1）锤击套管成孔，贯入度或桩尖深度应达到设计要求。泥浆护壁成孔、干作业成孔，应达到设计深度。桩位偏差应符合验收规范的规定，桩顶标高至少要比设计标高高出 0.5m。

2）灌注桩的沉渣厚度：当以摩擦力为主时，不得大于 150mm；当以端承力为主时，不得大于 50mm。

3）钢筋笼制作时，要求主筋沿环向均匀布置，箍筋的直径及间距、主筋的保护层等均应符合设计要求。加劲箍应设在主筋外侧，主筋一般不设弯钩，根据施工工艺要求，所设弯钩不得向内圈伸露，以免妨碍施工。钢筋笼制作、运输、安装过程中，应采取措施防止变形，并应有保护层垫块（或垫管、垫板）。吊放入孔时，应避免碰撞孔壁。灌注混凝土时，应采取措施固定钢筋笼的位置。

4）混凝土搅拌主要检查材料质量与配合比计量、混凝土坍落度；灌注混凝土应检查防止混凝土离析的措施、浇筑厚度及振捣密实情况。钢筋笼放入桩孔后，4h 内必须灌注混凝土。灌注桩的实际浇筑混凝土量不得小于计算体积。浇筑混凝土时，同一配合比的试块每班不得少于 1 组；泥浆护壁成孔的灌注桩，每根不得少于 1 组。

5）混凝土灌桩完成后，需凿桩头处理，按设计要求与承台可靠连接。

3.3 桩基的检测与验收

桩基检测是指为桩基验收提供依据的检测。桩基检测包括单桩竖向（抗压或抗拔）承载力检测、桩身完整性检测。对设计有抗拔或水平力要求的桩基工程，单桩承载力验收检测应采用单桩竖向抗拔或单桩水平静载试验。通过上述试验确定其极限承载力标准值，作为评价工程桩承载力是否满足设计要求的依据。

《建筑基桩检测技术规范》（JGJ 106—2014）对桩检测的根数和检测方法做了规定。桩基检测应由具有相应检测资质的单位承担，并出具检测报告。常见的检测方法如下：

1. 单桩竖向抗压静载试验

单桩竖向抗压静载试验是一种原位测试方法，其基本原理是将竖向荷载均匀地传至建筑物基桩上，通过实测单桩在不同荷载作用下的桩顶沉降得到静载试验的 Q-s 等曲线，然后根据曲线推求单桩竖向抗压承载力特征值等参数。

承载力检测前桩入土的终止时间应根据土的类型确定：砂土 7d 以上；粉土 10d 以上；若为黏性土，一般不得少于 15d，对于饱和黏性土不得少于 25d。

试验仪器设备由加载设备、荷载与沉降量测仪表、重物横梁反力系统等组成，如图 3-14 所示。加载设备一般为液压千斤顶，千斤顶应平放于试桩中心。试桩沉降采用大量程位移传感器或百分表测量。百分表应安装固定在相对不动的基准梁上。

2. 高应变法

高应变法适用于检测基桩的竖向抗压承载力和桩身完整性。锤击设备可采用柴油锤、液压锤、蒸汽锤等。锤的重力与单桩竖向抗压承载力特征值的比值不得小于 0.02。桩的贯入度可采用精密水准仪等仪器测定。

检测时用重锤冲击桩顶，实测桩顶附近或桩顶部的速度和力的时程曲线，通过波动理论分析计算单桩竖向抗压承载力，对单桩竖向抗压承载力和桩身完整性进行判定。

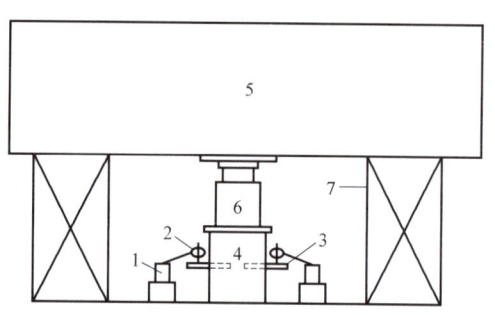

图 3-14 单桩竖向抗压静载试验示意图
1—基准梁 2—百分表 3—磁性表座 4—试桩
5—重物 6—千斤顶 7—支架

3. 低应变法

低应变法用于检测混凝土桩的桩身完整性，判定桩身缺陷的程度及位置。

低应变法是用小锤锤击桩顶，产生沿桩顶向下传播的一维应力波，这种应力波在传播过程中遇到诸如桩截面裂缝、接桩不良、断裂、离析、缩径等缺陷时表现为波阻抗的变化，从而使得应力波在该截面产生反射，反射的信息传播到桩顶便与桩顶的时域信号叠加，并通过安装在桩顶的速度传感器被仪器接收，根据反射信号的相位变化来判断缺陷的性质，根据反射信号的幅值用时域拟合法来确定桩缺陷的深度。

分析的结果可以将桩划分为四类：Ⅰ类桩，桩身完整；Ⅱ类桩，桩身有轻微缺陷，不会影响桩身结构承载力的正常发挥；Ⅲ类桩，桩身有明显缺陷，对桩身结构承载力有影响；Ⅳ类桩，桩身存在严重缺陷。

4. 钻芯法

钻芯法是用钻机钻取芯样，检测桩长、桩身混凝土强度、桩底沉渣厚度和桩身完整性，判定或鉴别桩端持力层岩土性状的方法。

桩径小于 1.2m 的桩的钻孔数量可为 1 或 2 个孔，桩径为 1.2~1.6m 的桩的钻孔数量宜为 2 个孔，桩径大于 1.6m 的桩的钻孔数量宜为 3 个孔。当钻芯孔为 1 个时，宜在距桩中心 10~15cm 的位置；当钻孔为 2 个或 2 个以上时，开孔位置宜在距桩中心 $0.15D$~$0.25D$ 范围内均匀对称布置。

钻取芯样宜采用液压操纵的高速钻机。当桩长小于 10m 时，每孔应截取 2 组芯样；当桩长为 10~30m 时，每孔应截取 3 组芯样；当桩长大于 30m 时，每孔应截取芯样不少于 4 组。每组混凝土芯样应制作 3 个抗压试件，并进行抗压强度试验，根据试验结果分析混凝土强度是否符合设计要求。桩身完整性类别应结合钻芯孔数、混凝土芯样特征及试件抗压强度等试验结果按《建筑基桩检测技术规范》（JGJ 106—2014）进行综合判定。

5. 声波透射法

声波透射法用于检测混凝土灌注桩的桩身完整性，判定桩身缺陷的位置、范围和强度。对于桩径小于 0.6m 的桩不适宜用该方法进行桩身完整性检测。

采用声波透射法应在桩身混凝土施工前在桩径内埋设声测管，并安设声波发射与接收换能器、声波检测仪等装置。当桩径小于或等于 800mm 时，声测管不得少于 2 根；桩径大于 800mm 且小于或等于 1600mm 时，不得少于 3 根；桩径大于 1600mm 时，不得少于 4 根。声测管应沿钢筋笼内侧呈对称形状布置。

检测时在预埋声测管之间发射并接收声波，通过实测声波在混凝土介质中传播的声时、频率和波幅衰减等声学参数的相对变化，对桩身完整性进行检测。

复习思考题

1. 地基处理的常用方法有哪几类？
2. 什么是端承桩、摩擦桩、预制桩、灌注桩？
3. 简述灌注桩常见质量问题及处理方法。
4. 泥浆护壁成孔灌注桩施工时，泥浆的作用有哪些？
5. 混凝土灌注桩施工质量检查内容有哪些？

应用训练

工程背景：某男童救援方案中（见第 2 章应用训练），采用人工挖孔方案，挖孔直径为 1350mm，外面采用预制钢护筒，假设可 2 人同时作业，挖土效率为 $0.7m^3/h$，土方可及时运走，挖土 24h 连续作业。设计一救援方案，估算救援时间并讨论方案的可行性。

第4章 钢筋工程

问题引入：钢筋用于工程上是否强度越高越好？

4.1 钢筋工程概述

1. 钢筋的作用与种类

钢筋是钢筋混凝土结构的骨架，依靠握裹力与混凝土结合成整体。混凝土的抗压能力较强，抗拉能力很差，而钢筋的抗拉能力强，将钢筋与混凝土组合在一起共同承担荷载，可大大提高构件的承载能力。钢筋工程施工时，钢筋的规格型号、位置必须符合设计要求。

钢筋的种类很多。根据钢筋的生产工艺可以将钢筋分为热轧钢筋、冷轧带肋钢筋、热处理钢筋、钢丝和钢绞线。

根据钢筋的化学成分可以将钢筋分为碳素钢筋和普通低合金钢筋。

普通热轧钢筋根据屈服强度特征值分为HPB300（表面为光圆），HRB335（热轧钢筋，表面为人字纹、螺纹或月牙纹）和HRBF335（细晶粒热轧钢筋）钢筋，HRB400、HRBF400和RRB400（余热处理）钢筋，HRB500和HRBF500钢筋，数字表示钢材的屈服强度。

冷轧带肋钢筋为母材经冷轧或冷拔减径后在其表面冷轧成具有三面或二面月牙形横肋的钢筋，按钢筋的强度等级可以分为CRB550、CRB600、CRB650、CRB800、CRB970等高强钢筋，高延性冷轧带肋钢筋在数字后加H表示。

普通热轧带肋钢筋牌号：HRB335、HRB400、HRB500；钢筋牌号标志分别以3、4、5表示。细晶粒热轧钢筋牌号：HRBF335、HRBF400、HRBF500；牌号标志分别以C3、C4、C5表示。

抗震钢筋牌号后加"E"，如HRB400E，HRB500E。抗震钢筋和普通钢筋的本质区别就是使钢筋获得更好的延性，从而能够更好地保证重要结构构件在地震时具有足够的塑性变形能力和耗能能力。

抗震钢筋的实测抗拉强度与实测屈服强度特征值之比不小于1.25；钢筋的实测屈服强度与标准规定的屈服强度特征值之比不大于1.30；钢筋的最大力下总伸长率不小于9%。

2. 施工工艺流程

钢筋工程施工工艺流程为：钢筋进场检验→钢筋翻样配料→钢筋加工→钢筋安装→检查与验收。

钢筋翻样配料是指进行钢筋下料长度计算，编写配料单。钢筋加工包括钢筋调直、弯曲、对焊连接、螺纹加工等。钢筋安装与检查包括钢筋绑扎安装、焊接或机械连接、隐蔽工程验收等。

4.2 钢筋的验收和存放

1. 钢筋及成型钢筋的验收

钢筋均应进行现场检查验收，并按现行国家标准规定抽取试件做力学性能检验，合格后方能入库存放、待用。

钢筋进场检验是保证工程质量的首要环节。检查方法及内容包括：检查钢筋的出厂合格证、出厂检验报告、钢筋的标牌及钢筋外观检查：钢筋的标牌上应注明厂标、钢号、炉罐（批）号及规格等。钢筋直径可用游标卡尺检查。钢筋的外观检查内容主要包括钢筋是否平直、无损伤，表面有无裂纹、油污、颗粒状或片状锈蚀，钢筋表面凸块是否超过螺纹的高度，钢筋的外形尺寸是否符合规范规定等。

钢筋的力学性能试验应从每批（对热轧钢筋，同规格、同牌号、同炉罐质量不大于60t为一批）中任意抽出2根钢筋，每根钢筋上取2个试样分别进行拉伸试验（测定屈服强度、抗拉强度、伸长率）和弯曲试验（测定抗弯强度）。超过60t的部分，每增加40t，增加1个拉伸试验试样和1个弯曲试验试样。

力学性能试验时若有一项试验结果不符合规定，则从同一批中另取双倍数量的试样重做各项试验，如仍有一个试件不合格，则该批钢筋为不合格品。

成型钢筋（包括箍筋、纵筋、焊接网、钢筋笼等）进场时，应检查质量证明文件，并抽取试件做屈服强度、抗压强度、伸长率和质量偏差检验。对由热轧钢筋制成的成型钢筋，当满足下列条件时，可适当减少进场检验项目：当有施工方或监理方的代表驻厂监督加工过程，并提供原材钢筋力学性能检验报告时，可仅进行质量偏差检验；对采用专业化加工模式，并提供原材钢筋力学性能检验报告时，可仅进行质量偏差检验。检查数量：同一工程、同一类型、同一原材来源、同一组生产设备生产的成型钢筋，检验批量不应大于30t。每批抽取3个试件进行质量偏差检验，再取其中2个试件进行拉伸屈服强度、抗拉强度、伸长率检验。此时对同一工程、同一类型、同一原材来源、同一组生产设备生产的成型钢筋，连续3次进场检验均一次合格时其检验容量可扩大一倍。

对冷轧钢筋组成的成型钢筋，应抽取试件做屈服强度、抗压强度、伸长率和质量偏差检验。当每车进场的成型钢筋包括不同类型时，可将多车的同类型钢筋合并为一个检验批进行验收；对不同时间进场的同批成型钢筋，当所有加工钢筋为统一企业生产时，可按一次进场的成型钢筋验收。

2. 钢筋的存放

钢筋运至现场后，应分等级、牌号、直径等挂牌存放，并应明确标识，如检验合格、检验不合格、待检等，以防止未检或不合格钢筋用到工程中。

钢筋应堆放整齐，避免锈蚀和污染，堆放时钢筋的下面要加垫木，离地不宜少于200mm。有条件时，尽量堆入仓库或料棚内。在仓库或场地周围挖排水沟，以利排水。钢筋成品要区分构件名称，按编号分类存放，并挂号牌。牌上注明构件名称、使用部位、钢筋直径、根数等，如图4-1所示。

a)　　　　　　　　　　　　　　　　b)

图 4-1　钢筋分类堆放

a）加工前的钢筋　b）加工后的钢筋

4.3 钢筋翻样与配料

4.3.1 钢筋翻样与配料的含义

结构施工图中的钢筋平面表示法不能够立体地反映钢筋在构件中的部位及相互关系，在钢筋配料前需要将平面表示法中钢筋进行立体化，以便于钢筋长度及数量的计算。钢筋翻样是根据结构图中的钢筋平法图，把各层梁、板、柱、墙等构件的钢筋区分不同等级、规格、形式、长度等进行编号，并根据构件的钢筋构造、锚固等画出钢筋关系示意图，包括构件中主要钢筋的示意图及不同截面的剖面图。

钢筋配料是根据配筋图及钢筋翻样图，绘出梁、板、柱、墙等构件的钢筋形状和单根钢筋加工简图，并标明数量、直径、锚固长度、接头位置、搭接位置等，根据混凝土保护层、弯钩长度及弯曲角度等计算钢筋下料长度、根数、质量等，并填写配料单。钢筋配料单是钢筋加工的依据，也是钢筋连接、安装的依据。

钢筋配料的步骤包括：

1）熟悉图样。编制钢筋配料单之前必须熟悉设计图、设计变更及交底，把施工图中钢筋的品种、规格列成钢筋明细表。

2）钢筋翻样。把各层梁、板、柱、墙等构件的钢筋按不同等级、规格、形式、长度等进行编号，并画出构件的钢筋关系示意图及剖面图。

3）计算钢筋的下料长度。根据混凝土保护层、弯钩长度及弯曲角度等计算钢筋下料长度。

4）编写钢筋配料单。在配料单中要反映出构件名称、钢筋编号、钢筋加工简图、钢筋直径、数量、下料长度、质量等，样式见表4-1。

5）根据钢筋配料单填写钢筋料牌，将每一编号的钢筋制作一块料牌，作为钢筋加工的依据。

表 4-1 钢筋配料单

序号	部位	直径/mm	下料长度/mm	构件数量	每件数量	总根数	形式	质量/kg

4.3.2 钢筋配料单的编制

1. 钢筋弯钩做法要求

纵向受力筋可做成直线形，为锚固需要末端有时做 90°弯钩，对于弯起钢筋则需做 45°弯折。

钢筋加工时受力钢筋的弯钩和弯折应符合下列规定：光圆钢筋末端应做成 180°弯钩，其弯弧内直径不应小于 2.5d，弯钩平直部分长度不应小于 3d；335MPa 级、400MPa 级钢筋可做成 45°、90°、135°弯钩，其弯弧内直径不应小于 5d，如图 4-2 所示。500MPa 级钢筋及框架结构顶层端节点需满足《混凝土结构工程施工规范》（GB 50666—2011）要求。

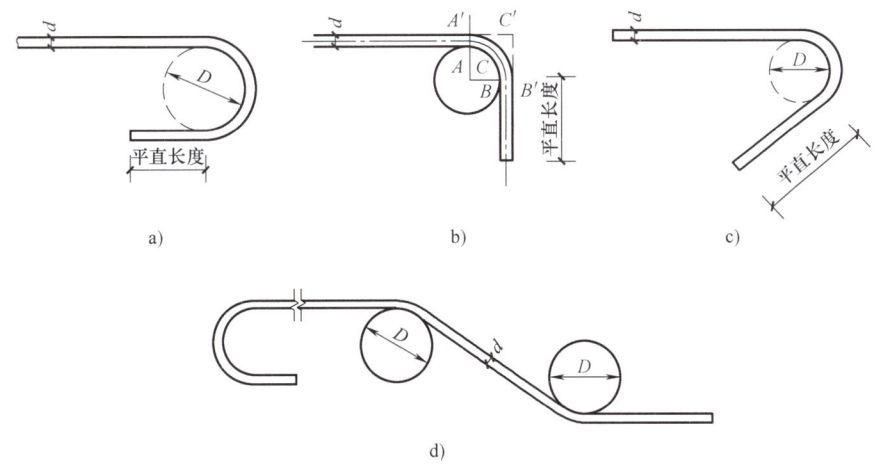

图 4-2 钢筋弯折及弯钩示意图

a) 180°弯钩 b) 90°弯钩 c) 135°弯钩 d) 45°弯钩

箍筋一般为环式封闭形或两端有弯钩的拉结筋。对于有抗震要求的结构，箍筋弯钩的弯折角度应为 135°，对一般结构不应小于 90°。箍筋弯折后平直部分长度，一般结构不宜小于箍筋直径的 5 倍，对有抗震要求的结构不应小于箍筋直径的 10 倍和 75mm 两者之中的较大值。

2. 弯曲调整值

钢筋在加工前成直线状态，加工时往往由于锚固等需要将其弯曲成一定角度。此时钢筋中心线长度与弯曲前保持一致，而钢筋外皮比原来伸长，内皮比原来缩短。

图样中的钢筋长度是通过测量其外轮廓尺寸来确定的，因此钢筋弯曲以后，其外轮廓尺寸和中心线长度之间存在一定的量度差值，该量度差值称为弯曲调整值。在计算钢筋下料长度时必须对弯曲调整值加以扣除。

弯曲调整值大小与钢筋直径、弯曲角度、弯心直径等因素有关。

（1）90°弯曲调整值 外包尺寸 $A'C'+C'B'=2\times(0.5D+d)=D+2d$，中心线弧长 $ACB=2\times$

$\pi(0.5D+0.5d)/4 = \pi(D+d)/4$。则弯曲调整值 $= D+2d-\pi(D+d)/4 = 0.215D+1.215d$。

当弯心直径 D 为 $4d$ 时，$90°$ 弯曲调整值 $= 0.215×4d+1.215d = 2.08d$，如图 4-3 所示。

(2) $45°$ 弯曲调整值 外包尺寸 $A'C'+C'B' = 2×\tan22.5°×(0.5D+d)$，中心线弧长 $\overset{\frown}{ACB} = 2×\pi(0.5D+0.5d)/8 = (D+d)\pi/8$。则弯曲调整值 $= 2×\tan22.5°×(0.5D+d)-(D+d)\pi/8 = 0.022D+0.436d$。

当弯心直径 D 为 $4d$ 时，$45°$ 弯曲调整值 $= 0.022×4d+0.436d = 0.52d$，如图 4-4 所示。

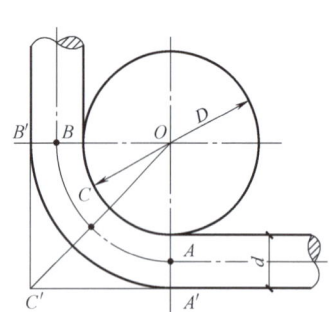

图 4-3 $90°$弯钩弯曲调整值计算简图

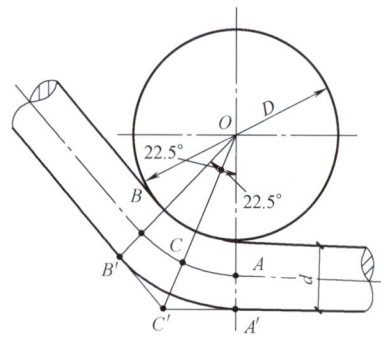

图 4-4 $45°$弯钩弯曲调整值计算简图

(3) $135°$ 弯曲调整值 弯曲调整值 $= D+2d-\pi(D+d)/4+2×\tan22.5°×(0.5D+d)-(D+d)\pi/8 = 0.236D+1.65d$，当设计要求钢筋末端需做 $135°$ 弯钩时，HRB335、HRB400 钢筋的弯弧内直径不应小于钢筋直径的 4 倍，弯钩的弯后平直部分长度应符合设计要求。

当弯心直径 D 为 $4d$ 时，$135°$ 弯曲调整值 $= 0.236×4d+1.65d = 2.59d$。

(4) 钢筋末端 $180°$ 弯钩增加值 $180°$ 弯钩是光圆钢筋加工过程中最常见的形式。$180°$ 弯钩的弯心直径不应小于 $2.5d$，弯钩平直部分长度不应小于 $3d$，如图 4-5 所示。

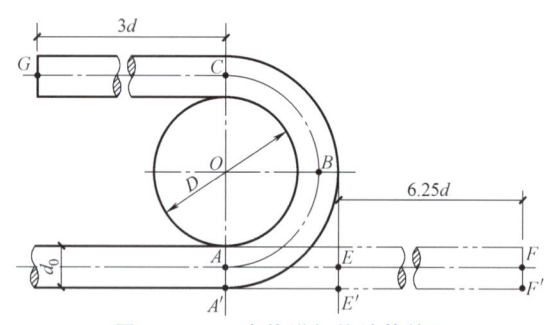

图 4-5 $180°$弯钩增加值计算简图

弯钩增加值 $E'F' = A'F'-A'E' = \overset{\frown}{ABC}+CG-A'E' = \pi(D+d)/2+3d-(0.5D+d) =$ 当弯心直径 D 为 $2.5d$ 时，弯钩增加值 $= 3.14×3.5d/2+3d-(0.5×2.5+1)d = 6.25d$。

3. 混凝土保护层

混凝土保护层是指受力钢筋外缘至混凝土构件表面的距离，其作用是保护钢筋在混凝土结构中不受锈蚀。混凝土保护层一般由设计给出，无设计要求时应符合表 4-2 规定。

混凝土的保护层厚度控制：传统上是采用水泥砂浆作为垫块，现多采用专用的塑料卡垫在钢筋与模板之间来控制，楼板的上层钢筋采用钢筋马凳（见图 4-6），较厚的地下室底板等的上层钢筋一般也是采用较粗的钢筋焊成的支架来控制。塑料卡的形状有塑料垫块和塑料环圈两种。塑料垫块用于水平构件，塑料环圈用于垂直构件。

表 4-2 纵向受力钢筋的混凝土保护层最小厚度 （单位：mm）

环境类别		板、墙、壳			梁			柱		
		≤C20	C25~C45	≥C50	≤C20	C25~C45	≥C50	≤C20	C25~C45	≥C50
一		20	15	15	30	25	25	30	30	30
二	a	—	20	20	—	30	30	—	30	30
	b	—	25	20	—	35	30	—	35	30
三		—	30	25	—	40	35	—	40	35

a) b)

图 4-6 混凝土保护层控制示意图

a）塑料卡垫 b）钢筋马凳

4. 钢筋下料长度计算

（1）纵向受力钢筋

直钢筋下料长度 = 直构件长度 - 保护层厚度 - 弯曲调整值 + 弯钩增加长度

弯起钢筋下料长度 = 直段长度 + 斜段长度 - 弯曲调整值 + 弯钩增加长度

弯曲调整值可近似按表 4-3 取值。180°弯钩增加值一般取 $6.25d$。

表 4-3 弯曲调整值近似值

钢筋弯起角度	30°	45°	60°	90°	135°
钢筋弯曲调整值	$0.35d$	$0.5d$	d	$2d$	$3d$

（2）箍筋

箍筋下料长度 = 箍筋直段长度 + 弯钩增加长度 - 弯曲调整值

为了箍筋计算方便，一般将箍筋弯钩增加长度和弯曲调整值两项合并成一项为箍筋调整值。计算时，将箍筋外包尺寸或内皮尺寸加上箍筋调整值即为箍筋下料长度。箍筋调整值可按表 4-4 近似计算。则

箍筋下料长度 = 箍筋直段长度 + 箍筋调整值

箍筋根数 =（配筋范围长度 - 100）/箍筋间距 + 1

每个封闭箍筋通常有 3 个 90°弯折，2 个 135°弯折及 2 个直段长度 $10d$，则按外包尺寸

总增加值 $= 2\times 10d - 3\times 2d - 2\times 3d = 8d$。

表 4-4 箍筋调整值近似计算表

箍筋量度方法	箍筋直径/mm			
	4~5	6	8	10~12
量外包尺寸	40	50	60	70
量内包尺寸	80	100	120	150~170

【例 4-1】 某钢筋混凝土框架梁 KL1 的截面尺寸与配筋如图 4-7 所示，共计 5 根。混凝土强度等级为 C25。梁侧拉结筋为 $\phi 10@400\mathrm{mm}$。试计算钢筋下料长度。

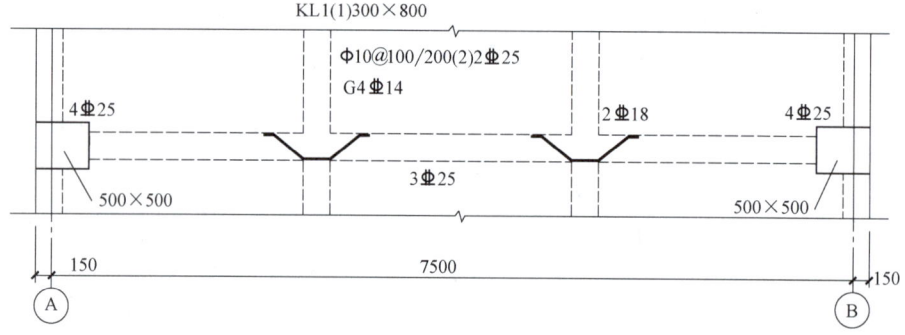

图 4-7 钢筋混凝土框架梁 KL1 平法施工图

已知构造要求：

1）纵向受力钢筋的混凝土保护层为 25mm。

2）框架梁纵向受力钢筋⊕25 的锚固长度为 $35d = 35\times 25\mathrm{mm} = 875\mathrm{mm}$，伸入柱内的长度为 $500\mathrm{mm} - 25\mathrm{mm} = 475\mathrm{mm}$，需向上（或下）弯 400mm。

3）吊筋底部宽度为次梁宽 $+2\times 50\mathrm{mm}$，按 45°向上弯至梁顶部，再水平延伸 $20d = 20\times 18\mathrm{mm} = 360\mathrm{mm}$。次梁宽为 250mm。

4）构造钢筋 G4⊕14 的锚固长度为 $15d = 15\times 14\mathrm{mm} = 210\mathrm{mm}$。

5）一级抗震等级的框架梁箍筋加密区长度为 2 倍的梁高，即箍筋加密区长度为 $2\times 800\mathrm{mm} = 1600\mathrm{mm}$。

【解】 对照 KL1 框架梁平法施工图及构造要求，绘制钢筋翻样图（见图 4-8），并将各种钢筋编号。

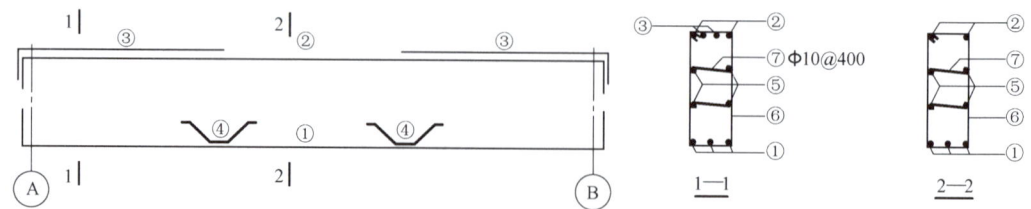

图 4-8 KL1 钢筋翻样图

钢筋下料长度应根据单根钢筋翻样图尺寸计算，并考虑保护层厚度、弯曲调整值及弯钩伸长值。

① 号纵向受力钢筋的下料长度为

$$(7500+150\times2-25\times2)\text{mm}+2\times400\text{mm}-2\times2\times25\text{mm}=8450\text{mm}$$

② 号纵向受力钢筋的下料长度为

$$(7500+150\times2-25\times2)\text{mm}+2\times400\text{mm}-2\times2\times25\text{mm}=8450\text{mm}$$

③ 号纵向受力钢筋的下料长度为

$$(7500+150\times2-500\times2)\text{mm}/3+475\text{mm}+400\text{mm}-2\times25\text{mm}=3092\text{mm}$$

④ 号吊筋的下料长度为

$$(250+2\times50)\text{mm}+2\times(2\times750^2)^{1/2}\text{mm}+2\times360\text{mm}-4\times0.5\times18\text{mm}$$
$$=350\text{mm}+2\times1061\text{mm}+2\times360\text{mm}-36\text{mm}=3156\text{mm}$$

⑤ 号架立筋的下料长度为

$$(7500-2\times350)\text{mm}+2\times15\times14\text{mm}=7220\text{mm}$$

⑥ 号箍筋的下料长度为

$$2\times(800-2\times25)\text{mm}+2\times(300-2\times25)\text{mm}+70\text{mm}=2070\text{mm}$$

⑥ 号箍筋的根数为

$$2\times1600/100\text{ 根}+[(7500-2\times1600)/200+1]\text{ 根}=55\text{ 根}$$

⑦ 号拉筋的下料长度为

$$(300-2\times25)\text{mm}+2\times6.25\times10\text{mm}=375\text{mm}$$

⑦ 号拉筋的根数为

$$2\times[(7500-2\times350)/400+1]\text{ 根}=36\text{ 根}$$

根据上述各编号钢筋的下料长度编制钢筋配料单，见表4-5。

表4-5 钢筋配料单

构件名称	钢筋编号	简图	型号	直径/mm	下料长度/mm	单根根数	合计根数	质量/kg
KL1（共5根）	①	400⌐——7650——⌐400	Φ	25	8450	3	15	488
	②	400⌐——7650——⌐400	Φ	25	8450	2	10	325
	③	2692 ⌐400	Φ	25	3092	4	20	238
	④	360 1061 1061 360 / 350	Φ	18	3156	4	20	126
	⑤	7220	Φ	14	7220	4	20	175
	⑥	750 / 250	Φ	10	2070	55	275	351
	⑦	250	Φ	10	375	36	180	42
合计	Φ10:393kg；Φ14:175kg；Φ18:126kg；Φ25:1051kg；总计:1745kg							

4.4 钢筋代换

钢筋代换

1. 钢筋代换原则及方法

当施工中遇到钢筋品种或规格与设计要求不符时，经过设计同意，可参照以下原则进行钢筋代换。

（1）等强度代换　当构件配筋受强度控制时，可按代换前后强度相等的原则代换，称为"等强度代换"。例如设计图中所用的钢筋抗拉强度设计值为 f_{y1}，钢筋总面积为 A_{s1}，钢筋根数为 n_1，代换后的钢筋抗拉强度设计值为 f_{y2}，钢筋总面积为 A_{s2}，钢筋根数为 n_2，等强度代换后应满足 $A_{s1}f_{y1} \leq A_{s2}f_{y2}$，则有

$$n_2 \geq n_1 d_1^2 f_{y1} / d_2^2 f_{y2} \tag{4-1}$$

【例 4-2】 某工程梁上部设计为 6 根 ⌀18 的 HRB400 钢筋，现欲用 ⌀20 的 HRB335 钢筋进行代换，试计算代换后的钢筋数量。

【解】 HRB400 钢筋抗拉强度设计值为 360MPa，HRB335 钢筋抗拉强度设计值为 300MPa，则根据公式有

$n = [6×18×18×360/(20×20×300)]$ 根 $= 5.83$ 根，取 6 根。

（2）等面积代换　当构件按最小配筋率配筋时，可按代换前后面积相等的原则进行代换，称为"等面积代换"。代换时应满足下式要求：$A_{s1} \leq A_{s2}$，则有

$$n_2 \geq n_1 d_1^2 / d_2^2 \tag{4-2}$$

式中　n_1、n_2——代换前后钢筋的根数；

　　　d_1、d_2——代换前后钢筋的直径（mm）；

　　　A_{s1}、A_{s2}——代换前后钢筋的总面积（mm²）。

【例 4-3】 某工程梁上部设计为 6 根 ⌀18 的 HRB335 钢筋，按符合最小配筋率要求用 ⌀20 的 HRB335 钢筋代换，试计算代换后的钢筋数量。

【解】 $n = [6×18×18/(20×20)]$ 根 $= 4.86$ 根，取 5 根。

2. 钢筋代换注意事项

钢筋代换时，必须充分了解设计意图和代换材料的性能，严格遵守现行钢筋混凝土结构设计规范的规定。

钢筋代换应征得设计单位同意，办理设计变更文件。还应符合下列规定：

1）重要受力构件（如吊车梁、薄腹梁、桁架下弦等）不宜用光圆钢筋代换变形钢筋，以免裂缝开展过大。

2）钢筋代换后，应满足《混凝土结构设计规范》(GB 50010—2010) 中所规定的钢筋间距、锚固长度、最小钢筋直径、根数、配筋率等配筋构造要求。

3）梁的纵向受力钢筋与弯起钢筋应分别代换，以保证正截面与斜截面强度。

4）有抗震要求的梁、柱和框架，不宜以强度等级较高的钢筋代换原设计中的钢筋；若必须代换时，其代换的钢筋检验所得的实际强度，尚应符合抗震钢筋的要求。

5）预制构件的吊环，必须采用未经冷拉的热轧光圆钢筋制作，严禁以其他钢筋代换。

6）当构件配筋受裂缝宽度或挠度控制时，代换后应进行裂缝宽度或挠度验算。

4.5 钢筋加工

钢筋加工的主要内容有钢筋除锈、钢筋调直、钢筋切断和钢筋弯曲成型等。

1. 钢筋除锈

施工中用的钢筋表面应洁净，不应有油渍、污渍和铁锈。

钢筋表面的铁锈根据其程度可分为水锈、陈锈和老锈。水锈在钢筋表面附有较均匀的细粉末，呈黄色或淡红色、黄褐色，处于铁锈形成的初期，在混凝土中不影响钢筋与混凝土的黏结，因此除了在焊接操作时在焊点附近需擦干净之外，一般可以不予处理，必要时用麻布擦拭即可。陈锈是在钢筋表面有一层铁锈粉末，颗粒较粗，用手捻略有微粒感，颜色转红，有的呈红褐色。对陈锈必须要清理干净，否则会影响钢筋与混凝土的握裹力，严重时会直接影响到构件的承载能力。老锈是在钢筋的表面以下带有颗粒状或片状的分离层的铁锈，锈斑明显，有麻坑，出现起层的片状分离现象，锈斑几乎遍及整根钢筋表面，颜色变暗，呈深褐色，严重的接近黑色。带有颗粒状或片状老锈的钢筋不能使用。

钢筋的除锈一般可以通过以下几种方法：少量的钢筋局部除锈可采用电动除锈机或人工用钢丝刷、麻袋布等方法进行擦拭；大量钢筋除锈可通过钢筋冷拉加工或钢筋调直机调直过程中完成。

2. 钢筋调直

以圆盘形式供货的小直径钢筋（一般是 $\phi 6 \sim \phi 14mm$ 钢筋）以及局部曲折、弯曲的钢筋在下料前需要进行调直处理。

钢筋调直一般采用机械方法，也可以采用冷拉的方法。目前多采用钢筋调直机进行调直，钢筋调直机兼有除锈、调直、切断三项功能。当钢筋的调直采用冷拉的方法时，HPB300 光圆钢筋的冷拉率不大于 4%，HRB335、HRB400 带肋钢筋的冷拉率不大于 1%。当施工现场没有钢筋调直机可用时也可以用卷扬机拉直设备进行调直。

3. 钢筋切断

钢筋加工时需要根据钢筋配料单中钢筋直径、长度等要求进行下料，其中钢筋切断是必不可少的一道工序。

钢筋可采用专用钢筋切断机切断。钢筋切断前应将同规格钢筋长短搭配，统筹安排，一般先断长料，后断短料，以减少钢筋的损耗。

4. 钢筋弯曲成型

钢筋弯曲成型是将已经切断的不同规格钢筋根据配料单的形式要求，将钢筋准确地加工成规定的形状、尺寸，便于下一步钢筋的安装。

钢筋弯曲成型的顺序是画线、试弯、弯曲成型。画线主要根据不同的弯曲角在钢筋上标出弯折的部位，以外包尺寸为依据，扣除弯曲量度差值。

钢筋弯曲一般采用钢筋弯曲机进行弯曲。钢筋弯曲机工作效率高、弯曲角度准确、劳动强度低。施工现场的少量细箍筋的弯曲也可以采用手工弯曲的方法。

4.6 钢筋连接

施工过程中由于单根钢筋长度不能满足构件要求，或因施工工序安排不能将钢筋一次性施工到顶，此时必须通过钢筋接头将两根或多根钢筋连接起来。钢筋连接的方式主要有绑扎连接、焊接连接和机械连接。

4.6.1 钢筋绑扎连接

钢筋绑扎连接是将两根钢筋搭接一定长度，用细钢丝将搭接部分进行多道绑扎牢固的一种方法。钢筋绑扎连接是钢筋连接时采用非常普遍的连接方式，主要用于 $\phi14mm$ 以下的钢筋接头连接，用20号或22号钢丝绑扎。

同一构件中相邻纵向受力钢筋的绑扎搭接接头宜相互错开。同一连接区段内纵向受拉钢筋搭接接头面积百分比应符合设计要求，当设计无具体要求时，梁、板、墙不宜大于25%，柱不宜大于50%。

钢筋绑扎搭接接头的连接区段长度为1.3倍搭接长度，凡搭接接头中点位于该连接区段内的搭接接头均属于同一连接区段。同一连接区段内纵向钢筋搭接接头面积百分比为该区段内有搭接接头的纵向受力钢筋截面面积与全部纵向受力钢筋截面面积的比值。

4.6.2 钢筋焊接连接

受力钢筋采用焊接接头时，设置在同一构件内的焊接接头应相互错开。在任一焊接接头中心至长度为钢筋直径的35倍且不小于500mm的区段范围内，同一根钢筋不得有2个接头。在该区段内有接头的受力钢筋截面面积占受力钢筋总截面面积的百分率应符合下列规定：非预应力筋，受拉区不宜超过50%，受压区不受限制；预应力筋，受拉区不宜超过25%，当有可靠保证措施时可放宽至50%，受压区不受限制。

1. 闪光对焊

闪光对焊是利用电焊机将两根钢筋端面接触，通以低压强电流，利用接触点产生的电阻热使金属融化，产生强烈闪光，使钢筋端部产生塑性区及均匀的液体金属层，再施加轴向顶锻力而完成的一种电焊方法。

根据钢筋级别、直径和所用焊机的功率，闪光对焊工艺可分为连续闪光焊、预热闪光焊、闪光-预热-闪光焊三种。

（1）连续闪光焊　连续闪光焊的工艺过程包括连续闪光和顶锻过程。施焊时闭合电源使两钢筋端面轻微接触，此时端面接触点很快熔化并产生金属蒸汽飞溅，形成闪光现象；然后施加轴向压力迅速进行顶锻，使两根钢筋焊牢。

连续闪光焊宜用于焊接直径25mm以内的HPB300、HRB335和HRB400钢筋。焊接直径较小的钢筋最适宜。

（2）预热闪光焊　预热闪光焊的工艺过程包括预热、连续闪光及顶锻过程，即在连续闪光焊前增加了一次预热过程，使钢筋预热后再连续闪光烧化进行加压顶锻。

预热闪光焊适宜焊接直径大于25mm且端部较平坦的钢筋。

（3）闪光-预热-闪光焊　闪光-预热-闪光焊即在预热闪光焊前面增加了一次闪光过程，

使不平整的钢筋端面烧化平整,预热均匀,接着连续闪光,最后进行加压顶锻。

闪光-预热-闪光焊适宜焊接直径大于 25mm,且端部不平整的钢筋。

2. 电弧焊

电弧焊是利用弧焊机使焊条与焊件之间产生高温电弧,使焊条和电弧燃烧范围内的焊件熔化,待其凝固便形成焊缝或接头。

电弧焊广泛用于钢筋接头与钢筋笼焊接、装配式结构接头焊接、钢筋与钢板焊接及各种钢结构焊接。弧焊机有直流与交流之分,常用的是交流弧焊机。

焊条的种类根据被焊接钢材等级选择,强度应略高于被焊钢筋。一般用 E×× 表示,如 E43 型(熔敷金属抗拉强度 420)适用于焊接 HPB300 钢筋,E50 型(抗拉强度 490)适用于焊接 HRB335、HRB400 钢筋。

钢筋电弧焊的接头形式主要有搭接接头、帮条接头及坡口接头。

3. 电渣压力焊

电渣压力焊是将两根钢筋安放成竖向对接形式,利用电流通过钢筋端面、焊剂产生的电弧热和电阻热将钢筋端部熔化,然后施加压力使钢筋焊合。

焊接时先将钢筋端部的铁锈除尽,将夹具夹在下部钢筋上,并将上部钢筋扶直夹牢于活动电极中,再装上药盒,装满焊药,接通电路,用手柄使电弧引燃,稳定一定时间,使之形成渣池并使钢筋熔化。随着钢筋的熔化,用手柄使上部钢筋缓缓下送,当稳弧达到规定时间后,在断电同时用手柄进行加压顶锻,以排除夹渣和气泡,形成接头。待冷却一定时间后,即可拆除药盒、回收焊药、拆除夹具和清除焊渣。引弧、稳弧、顶锻三个过程应连续进行。

电渣压力焊接头与电弧焊相比焊接效率高、费用低、质量易保证,适用于 $\phi 14 \sim \phi 22$mm 的竖向或斜向钢筋连接。电渣压力焊是粗钢筋焊接连接的一种常用方法,目前在工程中应用非常广泛。

电渣压力焊的焊接参数为焊接电流、渣池电压和通电时间等,可根据钢筋直径选择。

4. 气压焊

钢筋气压焊是利用乙炔、氧气混合气体燃烧的高温火焰加热钢筋结合端部,使钢筋端部产生塑性变形,并促使钢筋端面的金属原子互相扩散,当钢筋加热到约 1250~1350℃(相当于钢材熔点的 0.8~0.9 倍)时进行加压顶锻使钢筋焊接在一起。气压焊适用于焊接 $\phi 25$mm 以上钢筋。

气压焊的设备包括供气装置、加热器、加压器和压接器等。

气压焊操作工艺:

1)施焊前,钢筋端头用切割机切齐,压接面应与钢筋轴线垂直,若稍有偏斜,两钢筋间距不得大于 3mm。

2)钢筋切平后,端头周边用砂轮磨成小八字角,并将端头附近 50~100mm 范围内钢筋表面上的铁锈、油渍和水泥清除干净。

3)施焊时,先将钢筋固定于压接器上,并加以适当的压力使钢筋接触,然后将火钳火口对准钢筋接缝处,加热钢筋端部至 1250~1350℃,表面发深红色时,当即加压油泵,对钢筋施以 40MPa 以上的压力。

4.6.3 钢筋机械连接

钢筋机械连接是指通过钢筋与连接件或其他介入材料的机械咬合作用或钢筋端面的承压作用，将一根钢筋中的力传递至另一根钢筋的连接方法。优点是接头质量可靠、操作简便、施工效率高、无火灾隐患。钢筋机械连接是近年来粗直径钢筋连接的主要方法之一。

接头应根据极限抗拉强度、残余变形、最大力下总伸长率以及高应力和大变形条件下反复拉压性能，分为Ⅰ级、Ⅱ级、Ⅲ级三个等级。

Ⅰ级接头：连接件极限抗拉强度不小于被连接钢筋抗拉强度标准值的1.10倍，残余变形小并具有高延性及反复拉压性能。

Ⅱ级接头：连接件极限抗拉强度不小于被连接钢筋极限抗拉强度标准值，残余变形小并具有高延性及反复拉压性能。

Ⅲ级接头：连接件极限抗拉强度不小于被连接钢筋屈服强度标准值的1.25倍，残余变形小并具有一定的延性及反复拉压性能。

钢筋机械连接曾有过挤压套筒连接、锥螺纹连接，如图4-9和图4-10所示。目前应用广泛、技术可靠的为直螺纹连接。

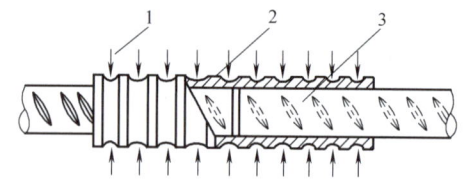

图4-9 钢筋挤压套筒接头
1—压痕 2—钢套筒 3—带肋钢筋

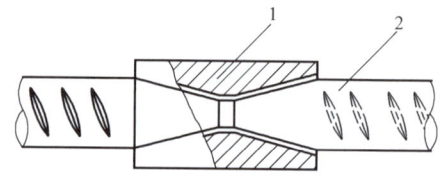

图4-10 锥螺纹套筒接头
1—连接套筒 2—带肋钢筋

直螺纹连接包括镦粗直螺纹和滚轧直螺纹两种。

由于钢筋的端头在套丝机上加工螺纹时截面有所削弱，为达到连接接头与钢筋等强，目前主要采用两种方法来处理：一种是镦粗直螺纹，即把钢筋端部镦粗，然后再切削直螺纹，最后用套筒将被连接钢筋拧紧完成连接；另一种是滚轧直螺纹，即采用冷轧的方法轧制螺纹，接头处经冷轧后强度有所提高，再用套筒将被连接钢筋拧紧完成连接，如图4-11所示。

直螺纹连接操作简便、连接速度快、强度高、质量稳定、应用范围广，适用于中等或较粗直径的钢筋水平及竖向连接，是目前钢筋机械连接的主要形式。

结构构件中纵向受力钢筋的接头宜相互错开。钢筋机械连接的连接区段长度应按35d计算，当直径不同的钢筋连接时，按直径较小的钢筋计算。位于同一连接区段内的钢筋机械连接头的面积百分比应符合下列规定：

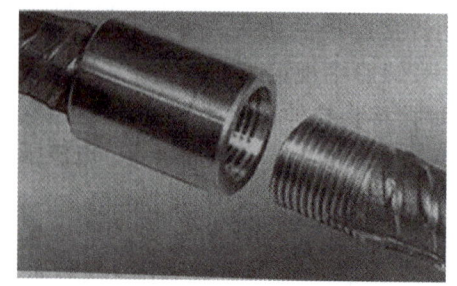

图4-11 直螺纹套筒接头

1）接头宜设置在结构构件受拉钢筋应力较小部位，高应力部位设置接头时，同一连接区段内Ⅲ级接头的接头百分比不应大于25%，Ⅱ级接头的接头百分比不应大于50%。

2) 接头宜避开有抗震设防要求的框架的梁端、柱端箍筋加密区；当无法避开时，应采用Ⅱ级接头或Ⅰ级接头级；且接头百分比不应大于50%。

3) 受拉钢筋应力较小部位或纵向受压钢筋，接头百分比可不受限制。对直接承受动力荷载的结构构件，接头百分比不应大于50%。

4) 混凝土结构中要求充分发挥钢筋强度或对延性要求高的部位应优先选用Ⅱ级或Ⅰ级接头；当在同一连接区段内钢筋接头面积百分比为100%时，应采用Ⅰ级接头。混凝土结构中钢筋应力较高但对延性要求不高的部位可采用Ⅲ级接头。

4.6.4 钢筋接头质量检验

钢筋连接时应对钢筋接头进行外观质量检查和力学性能试验。

1. 焊接连接接头

钢筋焊接连接接头质量检查与验收应满足下列规定：钢筋焊接连接接头或焊接制品（焊接骨架、焊接网）应分批进行质量检查与验收；质量检查应包括外观检查和力学性能试验；外观检查首先应由焊工对所焊接头或制品进行自检，然后再由质量检查人员进行检验；力学性能试验应在外观检查合格后随机抽取试件进行试验。

（1）闪光对焊 闪光对焊接头的质量检验应分批进行外观检查和力学性能试验，并应按下列规定抽取试件：

1) 在同一台班内，由同一焊工完成的300个同级别、同直径钢筋焊接接头应作为一批。当同一台班内焊接的接头数量较少，可在一周之内累计计算；累计仍不足300个接头，应按一批计算。

2) 外观检查的接头数量，应从每批中抽查10%，且不得少于10个；应从每批接头中随机切取6个试件进行力学性能试验，其中3个做拉伸试验，3个做弯曲试验。

闪光对焊接头外观检查结果应符合下列要求：接头处不得有横向裂纹；与电接触处的钢筋表面，HPB300、HRB335和HRB400钢筋焊接时不得有明显烧伤；接头处的弯折角不得大于4°；接头处的轴线偏移，不得大于钢筋直径的0.1倍，且不得大于2mm。

闪光对焊接头拉伸试验结果应符合下列要求：3个热轧钢筋接头试件的抗拉强度均不得小于该级别钢筋规定的抗拉强度；应至少有2个试件断于焊缝之外，并呈延性断裂。

闪光对焊接头弯曲试验时应将受压面的金属毛刺和镦粗变形部分消除，且与母材的外表齐平。焊缝应处于弯曲的中性点，对于Ⅰ、Ⅱ、Ⅲ、Ⅳ级钢筋弯芯直径分别为$2d$、$4d$、$5d$、$7d$。弯曲至90°时，接头外侧不得出现宽度大于0.15mm的横向裂纹。

（2）电弧焊 电弧焊接头的质量检验应分批进行外观检查和力学性能试验，并应按下列规定抽取试件：在现浇混凝土结构中应以300个同牌号、同形式钢筋接头为一批，不足300个接头，仍按一批计算；在房屋结构中应在不超过两个楼层中300个同牌号、同形式接头作为一批；电弧焊接头应逐个进行外观检查；应从每批接头中随机切取3个试件进行拉伸试验。

电弧焊接头外观检查时，应在清渣后逐个进行目测或量测。接头外观检查结果应符合下列要求：焊缝表面应平整，不得有凹陷或焊瘤；焊接接头区域不得有裂纹；咬边深度、气孔、夹渣等缺陷允许值及接头尺寸的允许偏差应符合规范规定；坡口焊、熔槽帮条焊和窄间隙焊接头的焊缝余高不得大于3mm；搭接接头的长度、帮条的长度、焊缝的宽度和高度均应符合规范的规定。

钢筋电弧焊接头拉伸试验结果应符合下列要求：3 个热轧钢筋接头试件的抗拉强度均不得小于该级别钢筋规定的抗拉强度；3 个接头试件均应断于焊缝之外，并应至少有 2 个试件呈延性断裂。

（3）电渣压力焊　电渣压力焊接头质量检验应进行外观检查和力学性能试验，并应按下列规定抽取试件：在现浇混凝土结构中应以 300 个同牌号钢筋接头为一批；在房屋结构中应在不超过两个楼层中 300 个同牌号接头作为一批；当不足 300 个接头时，仍按一批计算；电渣压力焊接头应逐个进行外观检查；应从每批接头中随机切取 3 个接头进行拉伸试验。

电渣压力焊接头外观检查结果应符合下列要求：四周焊包凸出钢筋表面的高度应大于或等于 4mm；钢筋与电极接触处，应无烧伤缺陷；接头处的弯折角不得大于 4°；接头处的轴线偏移不得大于钢筋直径的 0.1 倍，且不得大于 2mm。

电渣压力焊接头拉伸试验结果合格规定：3 个试件的抗拉强度均不得小于该级别钢筋规定的抗拉强度。

（4）气压焊　气压焊接头质量检验应进行外观检查和力学性能试验，并应按下列规定抽取试件：在现浇混凝土结构中应以 300 个同牌号钢筋接头为一批；在房屋结构中应在不超过两个楼层中 300 个同牌号接头作为一批；当不足 300 个接头时，仍按一批计算；气压焊接头应逐个进行外观检查；应从每批接头中随机切取 3 个接头进行拉伸试验，在梁、板的水平钢筋连接接头中应另切取 3 个接头做弯曲试验。

气压焊接头外观检查结果应符合下列要求：焊接区表面不得有严重烧伤；纵向裂纹不得大于 3mm，不允许出现横向裂纹；接头处钢筋轴线的弯折角不得大于 4°。

气压焊接头拉伸试验结果应符合下列规定：3 个试件的抗拉强度均不得小于该级别钢筋规定的抗拉强度；全部试件断于压焊面之外，并呈延性断裂。当需要做弯曲试验时，试件受压面的凸起部分应除去，与钢筋外表面齐平，弯至 90°试件不得在压焊面发生断裂。

2. 机械连接接头

钢筋机械连接接头应对接头技术提供单位提交的接头相关技术资料进行审核与验收，包括：工程所用接头的有效形式检验报告；连接件产品设计、接头加工安装要求的相关技术文件；连接件产品合格证和连接件原材料质量证明书。

机械连接接头应分批进行外观检查和力学性能试验：

接头现场抽检项目应包括极限抗拉强度试验、加工和质量检验。抽检应按验收批进行，同钢筋生产厂、同强度等级、同规格、同类型和同形式接头，应以 500 个为一个验收批进行检验与验收，不足 500 个也应作为一个验收批。当以上同条件下现场检验连续 10 个验收批抽样试件抗拉强度试验一次合格率为 100%时，验收批接头数量可扩大为 1000 个；当验收批接头数量少于 200 个时，可随机抽取 2 个试件做极限抗拉强度试验，当 2 个试件的极限抗拉强度均满足要求时，该验收批应评为合格。当有 1 个试件的极限抗拉强度不满足要求，应再取 4 个试件进行复检，复检中仍有 1 个试件极限抗拉强度不满足要求，该验收批应评定为不合格。

对有效认证的接头产品，验收批数量可扩大至 1000 个；当现场抽检连续 10 个验收批抽样试件极限抗拉强度检验合格率为 100%时，验收批接头数量可扩大为 1500 个。当扩大后的各验收批中出现抽样试件极限抗拉强度检验不合格的评定结果时，应将随后的各验收批数量恢复为 500 个，且不得再次扩大验收批数量。

螺纹接头安装后应抽取其中 10%的接头进行拧紧扭矩校核，拧紧扭矩值不合格数超过被校核接头数的 5%时，应重新拧紧全部接头，直到合格为止。

对接头的每一验收批，应在工程结构中随机切取 3 个接头试件做极限抗拉强度试验，按设计要求的接头等级进行评定。当 3 个接头试件的极限抗拉强度均符合《钢筋机械连接技术规程》(JGJ 107—2016) 中相应等级的强度要求时，该验收批应评定为合格。当仅有 1 个试件的极限抗拉强度不符合要求，应再取 6 个进行复检。复检中仍有 1 个试件的极限抗拉强度不符合要求，该验收批应评为不合格。

对封闭环形钢筋接头、钢筋笼接头、地下连续墙预埋套筒接头、不锈钢钢筋接头、装配结构构件间的钢筋接头和有疲劳性能要求的接头，可见证取样，在已加工并检验合格的钢筋丝头成品中随机切取钢筋试件，与随机抽取的进场套筒组装成 3 个接头试件做极限抗拉强度试验，按设计要求的接头等级进行评定。

现场切取抽检试件后，原接头位置的钢筋可采用同等规格的钢筋进行绑扎搭接连接、焊接或机械连接方法补接。

4.7 钢筋安装与验收

钢筋安装质量应符合验收标准规定，安装时应满足设计及规范要求，并组织相关单位进行检查验收。

1. 钢筋绑扎规定

钢筋绑扎应符合下列规定：

1) 钢筋的绑扎搭接接头应在接头中心和两端用钢丝扎牢；墙、柱、梁钢筋骨架中各竖向面钢筋网交叉点应全数绑扎；板上部钢筋网的交叉点应全数绑扎，底部钢筋网除边缘部位外可间隔交错绑扎；梁及柱中箍筋、墙中水平分布钢筋、板中钢筋距构件边缘的起始距离宜为 50mm。

2) 柱、梁的箍筋应与受力钢筋垂直。箍筋转角与受力钢筋交叉点均应扎牢。箍筋弯钩叠合处应沿受力钢筋方向错开布置。

3) 框架柱、节点梁纵向受力钢筋宜放在柱纵向钢筋内侧。板、次梁与主梁交叉处板的钢筋在上，次梁的钢筋居中，主梁的钢筋在下（见图 4-12）。当有圈梁或垫梁时，主梁的钢筋应放在圈梁上。主筋两端的搁置长度应保持均匀一致。

4) 受力钢筋接头的位置应相互错开，设置在构件受力较小处。接头距钢筋弯折处不应小于钢筋直径的 10 倍，也不宜位于构件最大弯矩处。

5) 混凝土保护层的厚度要满足规范要求。水平构件双层钢筋网中的上层钢筋应设置马凳或专用定位件固定钢筋的位置，以保证钢筋位置正确。定位件应具有足够的承载力、刚度、稳定性和耐久性。定位件的数量、间距和固定方式应能保证钢筋位置偏差满足规范要求。

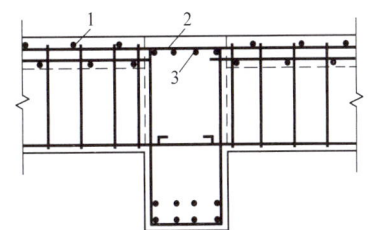

图 4-12 板、主梁、次梁交叉处钢筋安装示意图
1—板的钢筋 2—次梁钢筋
3—主梁钢筋

6）连接接头安装应符合下列规定：结构构件中纵向受力钢筋的接头宜相互错开，并设在受拉钢筋应力较小的部位。钢筋机械连接的连接区段长度应按 $35d$ 计算。在同一连接区段内接头数量应符合规范规定。直螺纹、锥螺纹钢筋接头安装时可用管钳扳手拧紧，应使钢筋丝头在套筒中央位置相互顶紧。安装后用扭力扳手校核拧紧扭矩。

钢筋安装完毕后应检查钢筋的级别、直径、数量、间距等是否正确，检查钢筋接头和保护层是否符合要求。

2. 钢筋工程检查验收

钢筋工程检查验收须重点检查以下内容：

1）钢筋规格、根数、间距、保护层等应符合设计要求。

2）钢筋位置特别是负弯矩筋位置要准确，负弯矩筋长度、主要受力钢筋锚固长度符合要求。

3）钢筋接头位置、接头数量与质量（检查外观并抽样试验）。

4）预埋件、预留孔洞位置及标高。

检查合格后，需做好隐蔽工程验收记录。

复习思考题

1. 钢筋进场检查验收的内容有哪些？
2. 钢筋代换的原则和注意事项有哪些？
3. 什么是混凝土的保护层？
4. 钢筋直螺纹连接包括哪两种？
5. 钢筋安装验收时重点检查内容有哪些？

应用训练

工程背景：建筑工程中的阳台与雨篷通常设计为悬挑构件（见图4-13），在施工技术及管理水平较低的情况下，经常会发生此类构件在承受荷载时根部开裂或坠落事故，分析原因发现多数情况是上部受力钢筋在施工过程中根部被踩弯，也有受力钢筋被放在板底部的情况。

分析：

1. 画出图中构件在均布荷载 q 作用下的弯矩图，分析构件受拉的部位。
2. 从设计角度考虑如何避免此类工程事故的发生？
3. 施工过程中应如何保证上部钢筋位置的准确性？

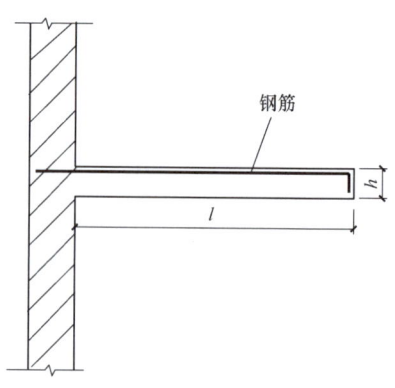

图 4-13 悬挑构件示意图

第 5 章 模板工程

问题引入：建筑工程中的模板选用主要考虑哪些因素？

5.1 模板工程概述

模板工程的基本要求

5.1.1 模板工程的基本要求

模板的作用：新搅拌混凝土呈流动状态，模板是使新拌混凝土在浇筑过程中保持设计要求的位置尺寸和几何形状，使之硬化成为钢筋混凝土结构或构件的模型。

模板系统一般由模板面板、支架和紧固件三个部分构成。模板面板又称为模型板，直接与混凝土构件接触，是新浇混凝土成型用的模型。支架起到支承模板的作用，承受模板上的荷载作用，包括支柱、内楞、外楞等。紧固件对模板起到拉结作用，防止浇筑混凝土过程中构件发生变形，包括扣件、对拉螺栓等。扣件用于扣紧楞木或模板。对拉螺栓又称为穿墙螺栓，用于连接墙、梁、柱等两侧模板，承受混凝土侧压力及水平荷载，使模板不致变形。

模板在施工中必须满足下列三项基本要求：

1）安全性。模板及支架应根据安装、使用和拆除工况进行设计，并应满足承载力、刚度和整体稳固性要求。

2）安装质量。模板应保证工程结构和构件各部位形状、尺寸和相互位置的正确。接缝严密，不得漏浆。

3）经济性。模板的构造应简单，装拆方便，便于钢筋的绑扎与安装、混凝土的浇筑与养护等工艺要求，能够多次周转使用。

模板及支架用材料的技术指标应符合国家现行标准和施工方案的规定。

5.1.2 模板的分类

模板的种类很多，可以按照所用材料、安装形式和部位等进行分类。

1. 按所用材料划分

按所用材料可将模板分为木模板、定型组合钢模板、胶合板模板、钢框胶合板模板、铝合金模板等。

（1）木模板　木模板是早期主要使用的模板。可以根据构件的尺寸、形状等进行现场制作及安装，尤其适用于弧形等不规则形状的构件。因木料价格越来越高，而且加工效率低等原因，现阶段木模板已逐渐被其他模板所替代。木模板在施工现场主要用作不规则形状构件的模板使用。

（2）定型组合钢模板　定型组合钢模板是一种工具式定型模板，由钢模板和配件组成，配件包括连接件和支承件。钢模板通过各种连接件和支承件可组合成多种尺寸、结构和几何形状的模板，以适应各种类型建筑物的梁、柱、板、墙、基础和设备等施工的需要，也可用其拼装成大模板、滑模、隧道模和台模等。施工时可在现场直接组装，也可预拼装成大块模板或构件模板用起重机吊运安装。

定型组合钢模板的优点是：组装灵活，通用性强，拆装方便；每套钢模可重复使用50~100次；加工精度高，浇筑混凝土的质量好，成型后的混凝土尺寸准确，棱角整齐。缺点是：模板易损坏变形，拼缝多。

自20世纪70年代末引入组合钢模板，其一度成为施工现场的主流模板。目前已基本被胶合板模板所替代。

（3）胶合板模板　胶合板模板是目前建设工程所使用的主要模板类型。根据其材料的不同又可将其分为木胶合板和竹胶合板，如图5-1所示。竹胶合板模板又分为素面板、涂膜板和复膜板等。素面板是表面未经处理的竹模板，涂膜板是表面敷有涂膜层的竹模板，复膜板是表面复有浸渍纸的竹模板。

常用木胶合板厚度为12mm（至少5层）、15mm（至少7层）、18mm（至少7层），规格尺寸有915mm×1830mm、1220mm×1830mm、915mm×2135mm、1220mm×2440mm等。常用竹胶合板模板的厚度为12mm、15mm，规格尺寸有915mm×1830mm、1000mm×2000mm、915mm×2135mm、1220mm×2440mm、1500mm×3000mm等。

胶合板模板的优点是：单张板块大，自重较轻，锯截方便，不易开裂变形，开洞容易。缺点是：相比组合钢模板重复使用次数少，木胶合板周转使用次数可达8~10次，竹胶合板模板周转使用次数可达到10~15次。

a) b)

图5-1　胶合板模板

a）新模板　b）已切割正在拼装的模板

（4）钢框胶合板模板　钢框胶合板模板是指钢框与木胶合板或竹胶合板结合使用的一种模板。钢框胶合板模板由钢框和防水木、竹胶合板平铺在钢框上，用螺栓固定在钢框上。

为使钢框竹胶合板板面光滑平整，便于脱模和增加周转次数，一般板面采用涂料覆面处理或浸胶纸覆面处理。

（5）铝合金模板　铝合金模板系统简称铝模板，由面板、支撑、紧固、附件四个系统构成，具有轻质高强、刚度好、精度高、装拆便捷、整体稳定、多次周转、绿色环保的优点，并融入了早拆模板技术。面板系统采用铝合金型材加工而成，分平面模板、转角模板、承接模板。模板侧边和端部开孔，采用标准板局部配非标准板方式，模板之间通过销钉和楔片连接，构成混凝土结构施工所需的封闭面。

模板全部采用定型设计，整体安装。在施工前，将工程所需的模板标准化、模数化、系统化，通过计算机辅助设计出图，列出模板和配件清单，对每个模板和配件进行编码。铝合金模板适用于各种形状的墙柱、梁、楼梯等混凝土现浇结构，拆模后混凝土表面平整光洁。

铝模板是继木模板、钢模板之后出现的新一代模板系统。

2. 按模板的施工方法划分

按模板的施工方法可将模板分为组合模板、整体式模板、滑升模板、爬升模板、台模、早拆模板等。

（1）组合模板　组合模板又称为工具式模板，是指按一定尺寸和模数加工模板，施工时能够根据结构形状和尺寸通过紧固件将模板组合成一个整体，并能重复使用的定型工具。如定型组合钢模板、钢框胶合板模板等都属于组合模板。

（2）整体式模板　整体式模板又称为大模板，其尺寸、规格一般比较大，施工时能够整体安装、拆除。整体式模板多为全钢大模板。其优点是刚度好，能实现多次重复使用，缺点是模板质量大，模板改造费用高。整体式模板适用于高层现浇混凝土剪力墙、电梯井壁、筒体结构等施工。

整体式模板由面板、次肋、主肋、支撑系统及附件等组成。也可用组合模板拼装成大模板，用后拆卸仍可用于其他构件。

（3）滑升模板　滑升模板是一种特殊的模板体系。模板一次组装完成，上面设置有施工作业人员的操作平台，并从下而上采用液压或其他提升装置沿现浇混凝土表面边浇筑混凝土边进行同步滑动提升和连续作业，直到现浇结构的作业部分或全部完成。滑升模板的优点是能够减少安、拆模板用工，施工速度快，结构整体性好，操作条件方便和工业化程度高。缺点是对结构断面变化有一定的限制，施工操作技术要求高。滑升模板主要应用于高层建筑剪力墙、筒体结构、烟囱、桥墩、筒仓、冷却塔等垂直构筑物施工。

滑升模板由模板、操作平台、提升系统等组成。滑升模板的高度取决于滑升速度和混凝土达到出模强度所需的时间，一般为1000~1200mm。当模板内的混凝土达到出模强度时可以滑升模板。

（4）爬升模板　爬升模板也称为跳模，是以钢筋混凝土竖向结构为支承点，利用自升式爬升设备使大模板自下而上完成提升、就位、校正和固定等工作的模板。爬升模板将大模板和滑升模板的工艺相结合，既保留了大模板施工墙面平整的优点，又保留了滑模利用自身设备使模板向上提升的优点，使墙体模板能自行爬升。爬升模板主要应用于高层建筑剪力墙、筒体结构、电梯井壁、管道间等混凝土墙体、烟囱、筒仓、冷却塔等结构的施工。

爬升模板由模板、爬架和爬升设备等组成。

（5）台模　台模是一种大型的工具式模板，可以整体安装、脱模和转运，借助起重机械从浇完的楼板下吊运飞出转移至上层重复使用，中途不再落地，故又称为"飞模"。台模自身整体性好，混凝土表面平整，施工进度快。台模适用于高层建筑大开间、大进深的现浇混凝土楼盖施工及无梁楼盖结构施工。一般是一个房间用一块台模。

台模由平台板、梁、支架和调节支腿等组成。面板可用胶合板、钢板等制作，表面应平整光滑，具有较高的强度和刚度。调节支腿可伸缩或折叠，底部一般带有轮子，便于台模的移动。

(6) 早拆模板　早拆模板是为实现提早拆除楼板模板而设计的一种支模装置和方法。其工作原理就是"拆板不拆柱"。早拆支撑利用柱头、立柱和可调支座组成竖向支撑系统，支撑于上下层楼板之间。拆模时使原设计的楼板处于短跨（立柱状态小于2m）的受力状态，只要当混凝土强度达到设计强度的50%时即可拆除楼板模板及部分支撑，而立柱仍保持支撑状态，待混凝土强度达到要求时再拆除支柱。早拆模板的优点是模板和支撑周转速度快，工期短。早拆模板适用于需加快模板周转的建筑工程。

早拆模板由模板、梁托、支撑系统等组成。在早拆模板支撑体系中关键的部件是早拆柱头。

3. 按模板安装的部位划分

按模板安装的部位可将模板分为基础模板、柱模板、墙模板、梁模板、板模板、楼梯模板等。

(1) 基础模板　基础的特点是高度不大而体积较大。独立基础、条形基础等有时会做成阶梯形。基础模板由模板、支撑、连接件等组成。阶梯形基础模板如图5-2所示。常用材料有胶合板模板、钢模板，有时也采用砖墙模板。砖墙模板一般是在砌筑的墙体内表面抹灰后作为模板。砖墙模板不需拆模，直接埋在基础内。

(2) 柱模板　柱子的特点是断面尺寸不大但高度高，混凝土浇筑速度快，侧模承受压力较大。因此柱模板应重点解决垂直度、施工时侧压力、混凝土浇筑及垃圾清理等需要。柱模板主要由侧模、柱箍、清理孔、浇筑孔等组成，如图5-3所示。对于矩形截面的混凝土柱，目前常采用胶合板面板做模板，50mm×100mm木枋做竖内楞，双钢管和钢筋拉杆做柱箍。对于圆形截面的混凝土柱，常采用整体式模板或木模板。

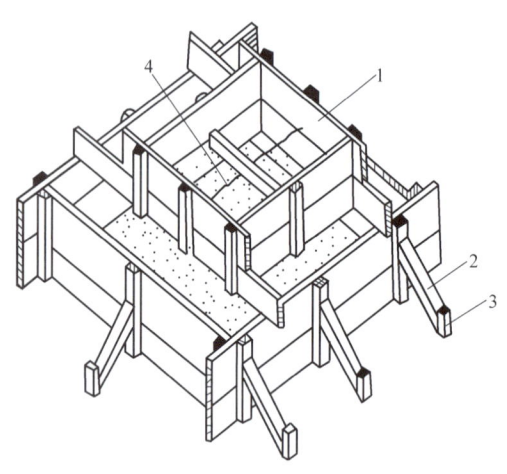

图5-2　阶梯形基础模板组成
1—拼板　2—斜撑　3—木桩　4—钢丝

图5-3　柱模板组成

(3) 墙模板　墙模板的特点是墙高度及长度尺寸较大，混凝土的浇筑速度快，模板侧压力大。墙模板由侧模、内楞、外楞、对拉螺栓等组成，如图5-4所示。在设计时应充分注意模板竖内楞、横外楞以及对拉螺栓的间距，防止胀模。目前常采用胶合板面板做模板，50mm×100mm木枋、槽钢、方钢等做竖内楞，双钢管做外楞。对于高层建筑剪力墙常采用整体式钢大模板。

（4）梁模板、板模板 梁的特点是跨度大而宽度不大，楼板的特点是面积大而厚度不大。梁、板均主要承受竖向荷载（混凝土自重、模板自重、钢筋自重、施工人员及设备荷载等）（混凝土自重、模板自重、施工荷载等），侧向压力小。梁模板、板模板主要由底模、侧模、支撑系统等组成，如图5-5、图5-6所示。

支撑系统包括垂直支撑、水平支撑、斜撑及连接件等。垂直支撑常用钢管制成，主要包括可调式钢支柱（钢管支架本身装有调节螺杆，使用方便，但成本略高）、扣件式钢管支架、碗扣式钢管支架、门式钢管支架（适用于荷载较大情况）等，如图5-7所示。其中扣件式钢管是建筑工程中采用较普遍的支模方式，其优点为搭设灵活，通用性强，缺点为扣件的传力不直接，受人为因素影响大。碗扣式钢管支架、门式钢管支架主要应用在高架路及桥梁工程中。水平支撑主要有钢或木楞、钢桁架等。

图5-4 墙模板组成

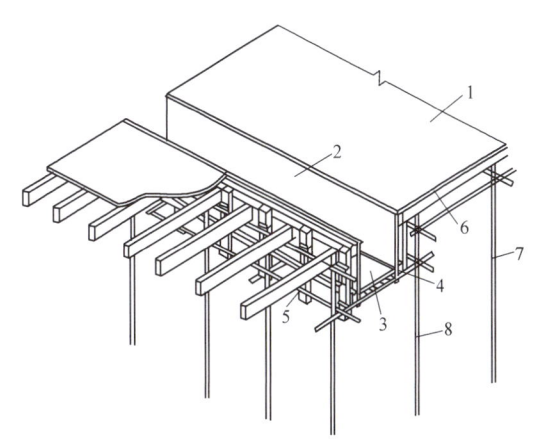

图5-5 梁、楼板胶合板模板系统组成

1—楼板模板 2—梁侧模 3—梁底模 4—夹条 5—短撑木
6—楼板模板内楞 7—楼板模板钢管排架支撑 8—梁模板支撑

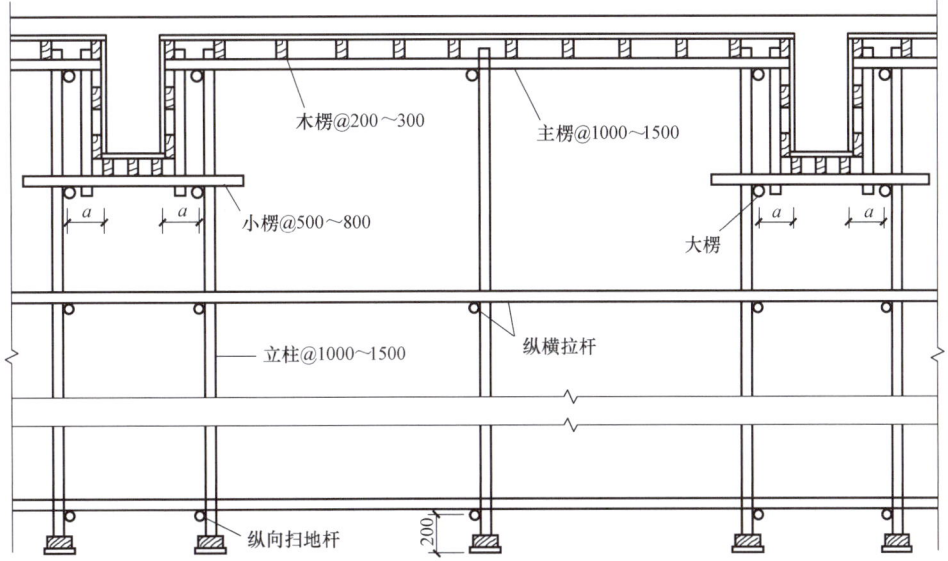

图5-6 梁、楼板胶合板模板剖面示意图

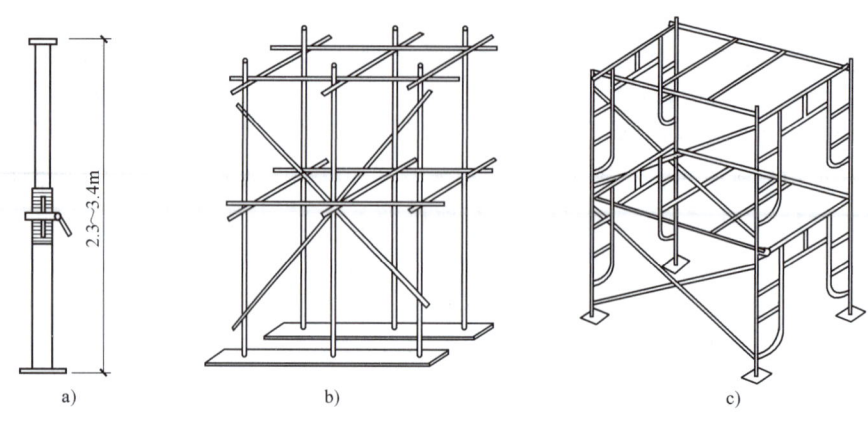

图 5-7 模板支撑类型
a) 可调式钢支柱 b) 扣件式钢管支架 c) 门式钢管支架

（5）楼梯模板　楼梯的特点是形状复杂，构件多样，包括踏步、平台、楼梯梁等。因此楼梯模板除了具有梁、板模板的特点外，又要解决斜向、阶梯状踏步的问题。楼梯模板主要承受的是竖向荷载，侧向压力较小。楼梯模板由底模、侧模和支撑系统等构成。

5.2 模板工程设计

5.2.1 模板工程施工准备

模板工程施工前应根据施工组织设计进行深化设计，对于下列特殊的模板工程及支撑体系需编制专项施工方案：

① 模板材料选择：包括大模板、滑升模板、爬升模板、台模等工程。

② 混凝土模板支撑体系：模板工程中属于危险性较大的分部分项工程范围需编制专项方案；搭设高度5m及以上，或搭设跨度10m及以上，或施工总荷载（荷载效应基本组合的设计值，以下简称设计值）10kN/m^2及以上，或集中线荷载（设计值）15kN/m及以上，或高度大于支撑水平投影宽度且相对独立无联系构件的混凝土模板支撑工程。

高大模板支撑系统是指建设工程施工现场混凝土构件模板支撑高度8m及以上，或施工总荷载（设计值）15kN/m^2及以上，或集中线荷载（设计值）20kN/m及以上的模板支撑系统。高大模板支撑系统属于超过一定规模的危险性较大的分部分项工程。

对于下列特殊的模板工程及支撑体系需编制专项施工方案并应进行专家论证：

① 工具式模板工程：包括滑模、爬模、飞模工程。

② 高大模板支撑系统。

5.2.2 模板工程设计依据

模板工程应根据工程结构形式、荷载大小、地基土类别、施工设备和材料供应等条件进行设计。模板工程设计应从工程实际情况出发，合理选择模板材料和构造措施，满足模板在安装和使用过程中有足够的承载能力、刚度和稳定性，能可靠地承受新浇混凝土的自重、侧压力和施工过程中所产生的荷载及风荷载。

模板工程应依据《建筑施工模板安全技术规范》（JGJ 162—2008）、《混凝土结构工程施工规范》（GB 50666—2011）等进行设计。

模板工程设计包括下列内容：

1) 根据混凝土的施工工艺和季节性施工措施，确定其构造和所承受的荷载。
2) 绘制配板设计图、支撑设计布置图、细部构造和异形模板大样图。
3) 按模板承受荷载的最不利组合对模板进行验算。
4) 编制模板及配件的规格、数量汇总表和周转使用计划等。

5.2.3 模板荷载

1. 荷载标准值计算

作用在模板及其支架系统上的荷载包括永久荷载和可变荷载。其中永久荷载主要包括模板及支架自重、新浇混凝土自重、钢筋自重、新浇混凝土对模板的侧压力。可变荷载主要包括施工人员及设备荷载、振捣混凝土时产生的荷载、倾倒混凝土对垂直面模板产生的水平荷载及风荷载等。

（1）模板及支架自重标准值 G_{1k}　模板及其支架自重标准值应根据模板设计图计算确定。肋形或无梁楼板自重标准值可参考表 5-1 确定。对于其他模板自重可参考所使用的模板及支架的材料种类确定。

表 5-1　肋形或无梁楼板自重标准值　　　　　　　　　　（单位：kN/m²）

模板构件的名称	木模板	组合钢模板
平板的模板及小梁	0.3	0.5
楼板模板（包括梁的模板）	0.5	0.75
楼板模板及其支架（楼层高度为4m以下）	0.75	1.1

（2）新浇混凝土自重标准值 G_{2k}　普通混凝土自重标准值一般按 24kN/m³ 计算，其他混凝土可根据实际重力密度确定。

（3）钢筋自重标准值 G_{3k}　钢筋自重标准值应根据工程设计图确定，对一般梁板结构的钢筋自重标准值可按下列数值确定：楼板可取 1.1kN/m³，梁可取 1.5kN/m³。

（4）新浇混凝土对模板的侧压力标准值 G_{4k}　新浇筑混凝土对模板侧压力的影响因素包括混凝土密度、混凝土初凝时间、混凝土浇筑速度、混凝土坍落度及有无外加剂等。

当采用内部振动器时新浇筑混凝土作用于模板的侧压力标准值可按下式计算，并取其中的较小值。

$$F = 0.22\gamma_c t_0 \beta_1 \beta_2 v^{\frac{1}{2}} \tag{5-1}$$

$$F = \gamma_c H \tag{5-2}$$

式中　F——新浇筑混凝土对模板的侧压力计算值（kN/m²）；

γ_c——混凝土重力密度（普通混凝土 24kN/m³）；

t_0——新浇混凝土的初凝时间（h），可按试验确定；当缺乏试验资料时可按 200/（T+15）计算（T 为混凝土的温度）；

β_1——外加剂影响修正系数,不掺加外加剂时取 1.0,掺加有缓凝作用的外加剂时取 1.2;

β_2——混凝土坍落度影响修正系数,当坍落度小于 30mm 时取 0.85,当坍落度为 50~90mm 时取 1.0,当坍落度为 110~150mm 时取 1.15;

v——混凝土浇筑速度(m/h),可按式 $v=V_m/(At)$ 进行计算[V_m 为浇筑混凝土的工程量(m³),A 为构件的横截面面积(m²),t 为浇筑混凝土 V_m 所消耗的时间];

H——混凝土侧压力计算位置处至新浇筑混凝土顶面的总高度(m);混凝土侧压力的计算分布图形如图 5-8 所示,图中 $h=F/\gamma_c$,h 为有效压头高度,即为混凝土浇筑面到最大侧压力处的高度。

(5)施工人员及设备荷载标准值 Q_{1k} 当计算模板和直接支承模板的小梁时,均布荷载可取 2.5kN/m²,再用集中荷载 2.5kN 进行验算,比较两者所得的弯矩值取其大值。当计算直接支承小梁的主梁时,均匀活荷载标准值可取 1.5kN/m²,当计算支架立柱及其他支承结构构件时均布活荷载标准值可取 1.0kN/m²。

(6)振捣混凝土时产生的荷载标准值 Q_{2k} 对水平面模板可取 2kN/m²,对垂直面模板可取 4kN/m²,且作用范围在新浇筑混凝土侧压力的有效压头高度之内。

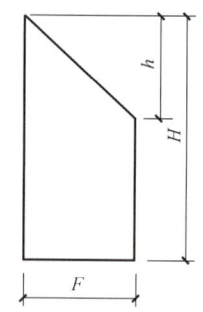

图 5-8 混凝土侧压力分布图

(7)倾倒混凝土对垂直模板产生的水平荷载标准值 Q_{3k} 用溜槽、串筒或泵管下料所产生的水平荷载标准值可取 2kN/m²,容量为 0.2~0.8m³ 的运输器具可取 4kN/m²,容量大于 0.8m³ 的运输器具可取 6kN/m²,且作用范围在新浇筑混凝土侧压力的有效压头高度之内。

(8)风荷载标准值 Q_{4k} 对风压较大地区及受风荷载作用易倾倒的模板尚需考虑风荷载作用下的抗倾覆稳定验算。风荷载标准值应按现行国家标准《建筑结构荷载规范》(GB 50009—2012)中的规定计算,其中基本风压可按 10 年一遇的风压采用。

2. 荷载设计值计算

计算模板及支架结构或构件的强度、稳定性和连接强度时,应采用荷载设计值(荷载标准值乘以荷载分项系数,荷载分项系数应按表 5-2 采用),计算正常使用极限状态的变形时,应采用荷载标准值。

表 5-2 荷载分项系数

荷载类别		分项系数
永久荷载	模板及支架自重	由可变荷载效应控制的组合应取 1.2;对由永久荷载效应控制的组合应取 1.35
	新浇混凝土自重	
	钢筋自重	
	新浇混凝土对模板的侧压力	

（续）

荷载类别		分项系数
可变荷载	施工人员及设备荷载	一般情况下应取 1.4
	振捣混凝土时产生的荷载	
	倾倒混凝土对垂直面模板产生的水平荷载	
	风荷载	

3. 荷载组合

参与计算模板及其支架荷载效应组合的各项荷载的标准值组合应按表 5-3 确定。

表 5-3 模板及支架荷载组合表

序号	项 目	参与组合的荷载类别	
		计算承载力	验算挠度
1	平板和薄壳的模板及支架	$G_{1k}+G_{2k}+G_{3k}+Q_{1k}$	$G_{1k}+G_{2k}+G_{3k}$
2	梁和拱模板的底板及支架	$G_{1k}+G_{2k}+G_{3k}+Q_{2k}$	$G_{1k}+G_{2k}+G_{3k}$
3	梁、拱、柱（边长不大于 300mm）、墙（厚度不大于 100mm）的侧面模板	$G_{4k}+Q_{2k}$	G_{4k}
4	大体积结构、柱（边长大于 300mm）、墙（厚度大于 100mm）的侧面模板	$G_{4k}+Q_{3k}$	G_{4k}

（1）计算承载力 计算承载力应采用荷载设计值。对于承载能力极限状态应按荷载效应的基本组合采用，并应采用下式进行模板设计

$$\gamma_0 S \leqslant R \tag{5-3}$$

式中 γ_0——结构重要性系数，一般模板取 $\geqslant 0.9$；

S——荷载效应组合的设计值（设计值=标准值×分项系数）；

R——结构构件抗力设计值（按设计规范确定）。

荷载效应组合的设计值 S 应从下列组合值中最不利值确定：

1）由可变荷载效应控制的组合为

$$S = 1.2\sum_{i=1}^{n} G_{ik} + 1.4\sum_{i=1}^{m} Q_{ik} \tag{5-4}$$

2）由永久荷载效应控制的组合为

$$S = 1.35\sum_{i=1}^{n} G_{ik} + 1.4\sum_{i=1}^{m} Q_{ik} \tag{5-5}$$

（2）验算挠度 对于正常使用极限状态应采用荷载标准值组合，并应按下式进行设计

$$a_f \leqslant a_{f,\lim} \tag{5-6}$$

式中 a_f——按荷载组合标准值计算产生的变形值；

$a_{f,\lim}$——结构或构件正常使用时所允许的变形限值。

4. 荷载作用下内力及变形计算

模板在荷载作用下所产生的内力及变形计算应适当简化：

1）可将模板、内楞、外楞视为等跨梁构件进行内力及变形计算。

2）可将梁简化成简支梁，悬臂梁，两跨、三跨或四跨连续梁（对柱、梁的模板可简化

成两跨、三跨或四跨连续梁，对于墙、板的模板可简化成三跨或四跨连续梁）。

3）可假定梁上承受均布荷载或集中荷载。模板在荷载作用下产生的弯矩、剪力和挠度可按结构力学中的相应公式计算。在均布荷载作用下，构件的弯矩、剪力及挠度可按下列公式计算。

$$M = K_M q l^2 \tag{5-7}$$

$$V = K_V q l \tag{5-8}$$

$$\omega = K_\omega q l^4 / (100EI) \tag{5-9}$$

式中　K_M——均布荷载作用下等跨连续梁的弯矩系数；
　　　K_V——均布荷载作用下等跨连续梁的剪力系数；
　　　K_ω——均布荷载作用下等跨连续梁的挠度系数；
　　　q——等跨连续梁所承受的均布荷载；
　　　l——连续梁支座跨度；
　　　E——材料弹性模量（可查表确定）；
　　　I——截面惯性矩（矩形截面惯性矩$I = bh^3/12$，钢管可查表）。

以三跨等跨连续梁为例，其弯矩系数、剪力系数和挠度系数见表5-4。

表5-4　均布荷载作用下三跨等跨连续梁弯矩系数、剪力系数和挠度系数

弯矩系数 K_M			剪力系数 K_V		挠度系数 K_ω	
$M_{1中}$	$M_{2中}$	$M_{B支}$	V_A	$V_{B左}$、$V_{B右}$	$\omega_{1中}$	$\omega_{2中}$
0.080	0.025	-0.100	0.400	-0.600、0.500	0.677	0.052

结合表5-4及式（5-7）~式（5-9）可确定三跨连续梁的最大弯矩$M_{max} = 0.1ql^2$，最大剪力$V_{max} = 0.6ql$，最大挠度$\omega_{max} = 0.677ql^4/(100EI)$。其他跨数及荷载作用下的弯矩、剪力和挠度可按结构力学中的相应公式计算。

5.2.4　模板工程计算

模板工程计算时有两种方法：一种是根据已经初步选定的模板材料和构造尺寸验算模板构件承载力以及刚度是否满足要求；另一种是根据承载力及刚度要求选择合适的模板，确定内楞、外楞、螺栓间距。

第一种方法一般用于常见构件模板工程的设计，充分利用施工单位现有的材料及以往的施工经验进行设计。第二种方法一般用于高度、跨度等尺寸比较特殊的构件模板工程的设计。两种方法均要求模板等构件满足其正截面、斜截面等力学性能指标要求，包括进行抗弯承载力、抗剪承载力及刚度计算。

1. 面板、内楞、外楞抗弯承载力计算

抗弯强度应按下式计算

$$\sigma_{max} = M_{max}/W \leq [\sigma] = f_W \tag{5-10}$$

整理后变为

$$M_{max} \leq f_W W \tag{5-11}$$

式中　W——截面抵抗矩（矩形截面$W = bh^2/6$，b为截面宽度，h为截面高度；钢管可直接查表）；

$[\sigma]$——截面弯曲许用正应力；

f_W——抗弯强度设计值（可查规范确定）。

对于均布荷载作用下三跨连续梁按下式计算

$$M_{\max} = 0.1ql^2 \leqslant fW \tag{5-12}$$

2. 内、外楞抗剪承载力计算

木枋等楞木抗剪承载力应按下式计算

$$T_{\max} = 3V_{\max}/2bh \leqslant f_v \tag{5-13}$$

整理后为

$$V_{\max} \leqslant 2bhf_v/3 \tag{5-14}$$

式中 f_v——材料抗剪强度设计值（可查表确定）。

对于均布荷载作用下三跨连续梁有 $V_{\max} = 0.6ql \leqslant 2bhf_v/3$。

3. 面板、内楞、外楞刚度计算

刚度验算时，构件最大挠度 $\omega_{\max}$ 应小于允许挠度值，按下式计算

$$\omega_{\max} \leqslant [\omega] \tag{5-15}$$

式中 $[\omega]$——截面允许产生的最大变形值。

当计算模板及其支架刚度时，其最大变形值不得超过下列允许值：

（1）对结构表面外露的模板为模板构件计算跨度的 1/400；

（2）对结构表面隐蔽的模板为模板构件计算跨度的 1/250；

（3）支架的压缩变形或弹性挠度，为相应的结构计算跨度的 1/1000。

对于均布荷载作用下三跨连续梁有刚度验算，计算挠度小于允许变形值，按下式计算

$$\omega_{\max} = 0.677q'l^4/(100EI) \leqslant [\omega] \tag{5-16}$$

式中 q——计算挠度时的荷载。

4. 对拉螺栓抗拉承载力计算

对拉螺栓等抗拉承载力应按下式计算

$$N < N_t^b = Af \tag{5-17}$$

整理后为

$$\frac{N}{A} < f \tag{5-18}$$

式中 N——对拉螺栓最大轴力设计值；

N_t^b——对拉螺栓轴向拉力设计值；

A——对拉螺栓等杆件净截面面积；

f——螺栓的抗拉强度设计值（可查规范确定）。

【例 5-1】 某住宅为剪力墙结构，混凝土墙厚度为 200mm，标准层高为 2.8m。采用插入振捣器振捣。试对该剪力墙模板进行设计。

【解】 本题计算思路：选择模板及配件材料、规格→计算荷载标准值→计算荷载设计值→面板承载力及刚度计算（确定内楞间距）→内楞承载力及刚度计算（确定外楞间距）→外楞承载力及刚度计算（确定对拉螺栓间距）→对拉螺栓规格确定。

模板工程设计所需各项数据可由《建筑施工模板安全技术规范》（JGJ 162—2008）确定，本设计例题中所需查表内容均为本规范。

① 选择模板及配件材料、规格。根据施工单位现有模板面板及内楞、外楞材料情况确定：模板采用厚度为18mm的木胶合板，内竖楞采用50mm×100mm落叶松木枋，外横楞采用ϕ48mm×3.5mm双脚手钢管。

② 计算荷载标准值。墙模板为侧模板，进行承载力计算时考虑的荷载有新浇筑混凝土作用于模板上的最大侧压力标准值 G_{4k} 和振捣混凝土时产生的水平荷载标准值 Q_{2k}。进行变形验算时考虑的荷载是新浇筑混凝土作用于模板上的最大侧压力标准值 G_{4k}。

新浇筑混凝土作用于模板上的最大侧压力标准值 G_{4k}：侧压力计算式（5-1）、式（5-2）二者计算结果取小值。

混凝土为普通混凝土，故 $\gamma_c = 24\text{kN}/\text{m}^3$。

混凝土浇筑速度根据测算为 $v = 1.2\text{m/h}$。

混凝土浇筑时温度 $T = 15℃$，故 $t_0 = 200/(T+15) = 200/(15+15) = 6.67\text{h}$。

混凝土未掺加外加剂，故 β_1 取 1.0。

混凝土坍落度为 150mm，故 β_2 取 1.15。

应用式（5-1）计算

$$F = 0.22 \times 24\text{kN}/\text{m}^3 \times 6.67\text{h} \times 1.0 \times 1.15 \times 1.2^{1/2}\text{m/h} = 44.37\text{kN}/\text{m}^2$$

应用式（5-2）计算

$$F = 24\text{kN}/\text{m}^3 \times 2.8\text{m} = 67.2\text{kN}/\text{m}^2$$

比较上述两个计算结果，按照取小值的原则，最大侧压力标准值 $G_{4k} = 44.37\text{kN}/\text{m}^2$

振捣混凝土时产生的荷载标准值 Q_{3k}：对垂直面模板可取 $2\text{kN}/\text{m}^2$，且作用范围在新浇筑混凝土侧压力的有效压头高度之内。

③ 计算荷载设计值。进行承载力计算时需采用荷载基本组合的效应设计值，即考虑荷载分项系数及重要性系数。永久荷载分项系数为1.35，可变荷载分项系数为1.4，重要性系数为0.9。

则承载力计算时荷载设计值

$$S = 0.9 \times (1.35 \times 44.37 + 1.4 \times 2)\text{kN}/\text{m}^2 = 56.42\text{kN}/\text{m}^2$$

有效压头高度

$$h = 56.42\text{kN}/\text{m}^2 / 24\text{kN}/\text{m}^3 = 2.36\text{m}$$

进行刚度验算时需采用永久荷载标准值，即刚度验算时的荷载为 $44.37\text{kN}/\text{m}^2$。

④ 面板承载力及刚度计算（求内竖楞间距 L_1）。荷载均匀作用在模板面板上，再由面板将压力传递到内竖楞上。此时可以将荷载视为均布荷载作用于模板面板上，取一定宽度（模板宽度取值大小不影响计算结果，一般为便于计算可取 200~1000mm）模板为一个单元计算出均布荷载，并将其视为三跨连续梁，将内竖楞视为模板的支座。

本题中取模板的宽度 200mm 为计算单元，则根据上述侧压力的设计值可确定作用于模板上的均布线荷载：

承载力验算时

$$q = 56.42\text{kN}/\text{m}^2 \times 0.2\text{m} = 11.28\text{kN/m}$$

变形验算时

$$q' = 44.37\text{kN}/\text{m}^2 \times 0.2\text{m} = 8.87\text{kN/m}$$

本例中模板面板的材料为已知，但内楞间距为未知，可根据模板抗弯承载力及刚度条件计算内竖楞间距，从而保证模板的抗弯承载力及允许变形值满足要求。

抗弯承载力要求 $M_{max}=0.1ql^2 \leqslant f_w W$

根据二者平衡条件可推导出

$$0.1qL_1^2 \leqslant f_w bh^2/6$$

木胶合板的抗弯强度设计值取 $11.5N/mm^2$，则

$$L_1=(10f_w bh^2/6q)^{1/2}=(1.67\times11.5\times200\times18^2/11.28)^{1/2}mm=332mm$$

按允许变形要求

$$\omega_{max}=0.677q'l^4/(100EI) \leqslant l/250$$

根据二者平衡条件可推导出：$0.677q'L_1^4/(100EI) \leqslant L_1/250$

木胶合板的弹性模量 E 为 $4\times10^3 N/mm^2$。

矩形截面惯性矩 $I=bh^3/12$，则

$$L_1=[100EI/(250\times0.677q')]^{1/3}$$
$$=[0.59\times4\times10^3\times200\times18^3/(12\times8.87)]^{1/3}mm=296mm$$

对比以上两个计算结果，内楞间距取 290mm。

⑤ 内楞承载力及刚度计算（确定外楞间距 L_2）。荷载通过模板面板传递到内竖楞上，此时可以将荷载视为均布荷载作用于内竖楞上，取两个内竖楞间距范围作为一个单元计算出均布线荷载，并将内楞视为连续梁，将外横楞视为内竖楞的支座。

因内竖楞间距为 300mm，则根据上述侧压力的设计值可确定内竖楞上的均布线荷载：

承载力验算时

$$q=56.42kN/m^2 \times 0.3m=16.93kN/m$$

变形验算时

$$q'=44.37kN/m^2 \times 0.3m=13.31kN/m$$

外横楞间距计算需根据内竖楞的抗弯承载力及允许变形值计算，同时因内竖楞材料为落叶松，该种材料抗剪强度低，另需进行抗剪承载力计算。

抗弯承载力要求

$$M_{max}=0.1ql^2 \leqslant f_w W$$

根据二者平衡条件可推导出

$$0.1ql_2^2=f_w bh^2/6$$

落叶松木枋的抗弯强度设计值 f_w 可查表确定为 $17N/mm^2$。

木材在露天环境中使用，其强度设计值应乘以 0.9 的修正系数，施工时应乘以 1.2 的修正系数，故

$$修正后的抗弯强度设计值=17N/mm^2\times0.9\times1.2=18.36N/mm^2$$

则

$$L_2=(10f_w bh^2/6q)^{1/2}=(1.67\times18.36\times50\times100^2/16.93)^{1/2}mm=952mm$$

按允许变形要求

$$\omega_{max}=0.677q'l^4/(100EI) \leqslant l/250$$

根据二者平衡条件可推导出

$$0.677q'l_2^4/(100EI) \leqslant L_2/250$$

落叶松木枋的弹性模量可查表确定为 $10000N/mm^2$。

木材在露天环境中使用，其弹性模量应乘以 0.85 的修正系数，则

$$修正后的弹性模量 = 0.85 \times 10 \times 10^3 \text{N/mm}^2 = 8.5 \times 10^3 \text{N/mm}^2$$

矩形截面惯性矩

$$I = bh^3/12$$

则

$$L_2 = [100EI/(250 \times 0.677q')]^{1/3}$$
$$= [0.59 \times 8.5 \times 10^3 \times 50 \times 100^3/(12 \times 13.31)]^{1/3} \text{mm} = 1162\text{mm}$$

按抗剪承载力要求

$$V_{max} = 0.6ql \leqslant 2bhf_v/3$$

根据二者平衡条件可推导出

$$0.6qL_2 = 2bhf_v/3$$

落叶松木枋顺纹抗剪强度设计值 f_v 可查表确定为 1.7N/mm^2。

木材在露天环境中使用，其强度设计值应乘以 0.9 的修正系数，施工时应乘以 1.2 的修正系数，则

$$修正后的抗剪强度设计值 = 1.7\text{N/mm}^2 \times 0.9 \times 1.2 = 1.84\text{N/mm}^2$$
$$L_2 = 2bhf_v/(3 \times 0.6 \times q) = [1.11 \times 50 \times 100 \times 1.84/16.93]\text{mm} = 603\text{mm}$$

对比以上三项取小值，外横楞间距为 600mm。

⑥ 外楞承载力及刚度计算（确定对拉螺栓间距 L_3）。荷载通过内竖楞传递到外横楞上，此时可以将荷载视为均布荷载作用于外横楞上，取两个外横楞间距范围作为一个单元计算出均布线荷载，并将其视为梁，将对拉螺栓视为外横楞的支座。

因外横楞间距为 600mm，则根据上述侧压力的设计值可确定外横楞上的均布线荷载：

承载力验算时：$q = 56.42\text{kN/m}^2 \times 0.6\text{m} = 39.49\text{kN/m}$

变形验算时：$q' = 44.37\text{kN/m}^2 \times 0.6\text{m} = 26.62\text{kN/m}$

对拉螺栓间距计算需根据外楞的抗弯承载力及允许变形值计算。

抗弯承载力要求

$$M_{max} = 0.1ql^2 \leqslant f_w W$$

根据二者平衡条件可推导出

$$0.1qL_3^2 = f_w bh^2/6$$

外楞为双钢管，钢管的抗弯强度设计值和截面抵抗矩可直接查表确定，分别为 200N/mm^2 和 5080mm^3，则

$$L_3 = (10f_w W/q)^{1/2} = (10 \times 200 \times 5080 \times 2/39.49)^{1/2} \text{mm} = 717\text{mm}$$

按允许变形要求

$$\omega_{max} = 0.677q'l^4/(100EI) \leqslant l/250$$

根据二者平衡条件可推导出

$$0.677q'L_3^4/(100EI) \leqslant L_3/250$$

钢管的弹性模量 E 和截面惯性矩可直接查表确定，分别为 $2.06 \times 10^5 \text{N/mm}^2$ 和 121900mm^4，则

$$L_3 = [100EI/(250 \times 0.677q')]^{1/3}$$
$$= (0.59 \times 2.06 \times 10^5 \times 121900 \times 2/26.62)^{1/3} \text{mm} = 1036 \text{mm}$$

对比以上二项取小值，则对拉螺栓间距为 700mm。

⑦ 对拉螺栓规格确定。每个对拉螺栓承受的混凝土侧压力可根据对拉螺栓的间距及外横楞的间距围成的面积确定。

$$N = 0.7 \text{m} \times 0.6 \text{m} \times 56.42 \text{kN/m}^2 = 23.70 \text{kN}$$

选用由 HPB300 钢制作的 M14 对拉螺栓，螺栓内径为 11.55mm，抗拉强度设计值 N_l^b = 28.4kN，故螺栓间距满足抗拉需要，即对拉螺栓间距为 700mm，直径为 14mm。

5.3 模板工程安装与拆除

5.3.1 模板工程安装

模板工程安装的主要内容是根据施工方案及模板设计施工图进行模板的选材、选型、制作和安装。要保证构件的垂直度及水平度，且支撑牢固，防止"胀模"。

1. 基础模板安装

基础模板施工工艺流程为：弹线→安装侧模板→安装斜撑或水平支撑→浇筑混凝土→混凝土养护至规定强度后拆模→模板清理。

阶梯形基础模板每级阶梯均由四块侧拼板构成，两块内拼板与阶梯尺寸相同，另两块外拼板长于阶梯尺寸 150~200mm，四块侧板用木档拼成方块。拼板宽度与阶梯高度相同。上面台阶模板的其中两块拼板的最下一块板条要加长，以便搁置在下台阶梯模板上。模板的四周设斜撑和水平支撑牢固。安装时先把下阶模板放在底部，中线互相对准，在模板周围钉上木桩，用平撑与斜撑顶牢。然后把上阶模板放在下阶模板上，并用斜撑与平撑加以钉牢。

条形基础模板由侧板、平撑、斜撑等组成。侧板用长条板加钉竖向木档，或由短板加钉横向木档拼制而成。安装时先把侧板对准边线垂直竖立，再用斜撑和平撑钉牢。为防止在浇筑混凝土时模板变形，保证基础宽度，在侧板上口每隔一定距离钉上搭头木。

基础及地下工程模板安装时，应先检查基坑土壁边坡的稳定情况，发现有塌方危险时必须采取安全加固措施后方能作业。模板支撑支在土壁上或回填土上时，应加垫板，以防支撑不牢或造成土壁坍塌。

2. 柱模板安装

柱模板施工工艺流程为：安装钢筋→安装模板面板→安装柱箍→安装拉杆或斜撑→浇筑混凝土→混凝土养护至规定强度后拆模→模板清理。

柱模板主要由四块拼板构成，在拼板外面加柱箍或对拉螺栓。柱箍应上疏下密，间距由计算确定。两块内拼板宽度与柱截面相同，两块外拼板宽度应比柱截面面宽度大两个拼板的厚度。若与梁相接，应留出梁的缺口。沿柱高度每 2m 设浇筑孔，以便混凝土浇筑。对于独立柱模板，其四周应加支撑，以免浇筑混凝土时产生倾斜。柱模板安装时先将柱子第一层四面模板就位组拼好，然后安装柱箍，再依次安装下一层模板。

3. 墙模板安装

墙模板施工工艺流程为：安装钢筋→安装一侧模板面板→穿套管、对拉螺栓→安装另一侧模板面板→安装楞木和斜撑→浇筑混凝土→混凝土养护至规定强度后拆模→模板清理。

墙模板安装时需加临时支撑,将内楞用3型扣件和钩头螺栓固定在模板上,对拉螺栓由内楞中间插入,用3型扣件和内楞固定。模板和内楞安装到顶以后再安装外楞。内外楞用紧固螺栓和3型扣件固定为一体。最后与梁或板模板连接并增加必要的支撑。

4. 梁模板、板模板安装

框架或剪力墙结构的每层梁、板通常整体安装。梁模板、板模板施工工艺流程为:搭设模板支架及楞木→安装梁底模板→安装梁钢筋→安装梁侧模板→安装板底模板→安装板钢筋→浇筑混凝土→混凝土养护至规定强度后拆模→模板清理。

梁模板由一块底模板、两块侧模板构成,长度为梁长减去两端柱模板的厚度。底模板的宽度同梁宽。在梁底模板下每隔一定间距支设立柱,两侧模板下方设夹条将侧模板与底模板夹紧,并钉牢在支柱的顶板上。在主梁与次梁交接处,应于主梁侧模板上留缺口,以便于次梁侧模板和底模板的安装。梁较高或跨度较大时,可留一面侧模板,待钢筋绑扎安装完成后再安装。若梁、板的跨度等于或大于4m,应使梁底模板中部略起拱,防止由于混凝土的重力使跨中下垂。若设计无规定时,起拱高度宜为全跨长度的1/1000~3/1000。

板模板主要由底模板和外围的侧模板构成。板模板安装时首先搭设支架,然后用阴角模板从四周与梁模板连接再向中央铺设。为方便拆模,模板宜在两端及接头处钉牢,中间尽量少钉或不钉。

5. 楼梯模板安装

楼梯模板施工工艺流程为:搭设支架→安装平台梁及基础模板→安装梯段斜梁或楼梯段底模板→安装楼梯段侧模板→安装楼梯踏步侧模板→浇筑混凝土→混凝土养护至规定强度后拆除模板→模板清理。

楼梯模板施工前应根据设计放样、弹线,再依次安装支架、平台梁、楼梯斜梁或楼梯底模板、楼梯外帮侧模板。外帮侧模板应先在其内侧弹出楼梯底板厚度线,用套板画出踏步侧模板位置线,固定好踏步侧模板的档木,再安装侧模板。梯步高度要均匀一致,特别要注意每层楼梯最下一步及最上一步的高度。

6. 模板安装注意事项

1)安装现浇结构的上层模板及支架时,下层楼板应具有承受上层荷载的承载能力,或加设支架。

2)上、下层支架的立柱应对准,立柱下应铺设垫板。

3)模板与混凝土的接触面应清理干净并涂刷隔离剂。在涂刷模板隔离剂时,不得玷污钢筋和混凝土接槎处。

4)对于模板接缝处较宽的缝隙应采用纸条等粘贴,防止模板接缝处漏浆。

5.3.2 模板拆除

1. 模板拆除时间要求

混凝土成型后,经过一段时间养护,混凝土强度达到一定要求时即可拆除模板。模板拆除的时间取决于混凝土硬化的快慢、模板的用途、结

模板拆除

的跨度等因素。拆除模板时间过早容易造成混凝土强度不足而变形，甚至出现裂缝。拆除模板时间过晚导致模板周转使用次数降低，增加措施费用。

1) 不承受荷载的侧模板拆除时间要求：侧模板拆除时的混凝土强度应能保证其表面及棱角不因拆除模板而受损坏。

2) 承重的底模板及支架拆除时间要求：底模板及支架拆除时的混凝土强度应符合设计要求；当设计无具体要求时，混凝土强度应符合相关规范规定，见表5-5。

表5-5 现浇结构底模板拆除条件

构件类型	构件跨度/m	达到设计混凝土强度标准值的百分比（%）
板	≤2	≥50
	>2，≤8	≥75
	>8	≥100
梁、拱、壳	≤8	≥75
	>8	≥100
悬臂构件	—	≥100

重要和特殊混凝土构件拆除模板需要有可靠的依据，并有一定的安全储备，以免发生重大安全事故。混凝土强度可以依据当地气温、混凝土配合比、养护条件及龄期进行初步判断；进一步准确确定需要根据预留的混凝土标准养护试块、同条件试块或抽芯取样的试验结果确定。

2. 模板拆除顺序

拆除模板顺序一般是：先支后拆，后支先拆；先拆除侧模板，后拆除底模板；先拆除非承重部分，后拆除承重部分。

（1）单层肋形楼板的拆除　首先拆除柱模板、墙模板，然后拆除梁模板、板模板。柱模板应先拆除对拉螺栓（在混凝土内加埋塑料套管的，对拉螺栓可直接从套管中抽出，没有加埋塑料套管的，应在混凝土表面切断）、柱箍，再由上而下逐步拆除模板。墙模板先拆除对拉螺栓、木楞或钢楞，再从上而下逐步水平拆除。梁模板、板模板先拆除梁侧模板，再拆除板底模板，最后拆除梁底模板。

（2）多层、高层楼板模板的拆除　多层、高层楼板模板拆除应按下列要求进行：上层楼板正在浇筑混凝土时，下一层楼板的模板支架不得拆除，再下一层楼板模板的支架仅可拆除一部分；跨度≥4m的梁均应保留支架，其间距不得大于3m。

3. 模板拆除注意事项

模板拆除不当会引起安全事故，施工时应高度重视以下几方面：

1) 模板拆除需经技术负责人同意，按照技术交底进行拆除，以免发生事故。

2) 拆除模板时严禁用力过大、乱扔，拆除的模板和支架宜分散堆放并及时清运。

3) 已拆除模板及支架的结构，应在混凝土达到设计的混凝土强度标准后，才允许承受全部使用荷载。

4) 高空拆除模板时，应有安全员进行监督，并标示出警戒线，警戒范围严禁人员通行。

复习思考题

1. 模板的作用是什么？
2. 模板工程的基本要求是什么？
3. 模板设计时考虑哪些荷载？
4. 模板拆除有哪些规定？

应用训练

总结分析近 20 年建筑工程模板变化的特点，讨论钢模板、胶合板模板和大模板的优缺点。

第6章 混凝土工程

问题引入：试分析使用商品混凝土替代现场搅拌的混凝土对建筑施工的影响。

6.1 混凝土工程概述

混凝土工程在混凝土结构中占有重要地位，混凝土工程质量好坏直接影响混凝土结构的承载力、耐久性与整体性。混凝土可分为预拌混凝土和现场搅拌混凝土两种。预拌混凝土在生产厂集中搅拌后运到现场使用。

混凝土施工的工艺流程包括混凝土制备、混凝土运输、混凝土浇筑与振捣、混凝土养护四个主要过程。

6.2 混凝土制备

6.2.1 混凝土配制

1. 混凝土制备主要材料

普通混凝土由胶凝材料（水泥）、粗细骨料和水组成，通常在混凝土中加入外加剂或矿物掺合料来提高混凝土的性能，如提高强度、改善流动性能、抗渗、抗冻等性能。

（1）胶凝材料　胶凝材料主要指水泥。水泥是一种无机粉状水硬性胶凝材料，加水搅拌后成浆体，一段时间后逐渐硬化并产生强度，和砂、石等粗骨料一起使用时，三者可牢固粘结在一起。水泥主要有硅酸盐水泥、普通硅酸盐水泥、矿渣硅酸盐水泥、粉煤灰硅酸盐水泥、火山灰硅酸盐水泥以及复合硅酸盐水泥六大类。

水泥进场时必须有出厂合格证或进场试验报告。水泥进场时，应对其品种、代号、强度等级、包装或散装仓号、出厂日期等进行检查，并应对水泥的强度、安定性和凝结时间进行检验。检查数量：按同一厂家、同一品种、同一代号、同一强度等级、同一批号且连续进场的水泥，袋装不超过200t为一批，散装不超过500t为一批，每批抽样数量不应少于一次。使用过程中应遵循先到先用的原则，避免水泥在现场存储时间过长。对水泥质量有怀疑或水泥出厂超过3个月（快硬硅酸盐水泥超过1个月）时，应进行取样复验，并依据复验结果使用。

（2）骨料　混凝土使用材料中的骨料包括粗、细骨料两种，粗骨料指的是碎石或卵石，细骨料指的是砂。普通混凝土所用的粗、细骨料的质量应符合《普通混凝土用砂、石质量及检验方法标准》（JGJ 52—2006）的规定。

石子的级配和最大粒径对混凝土质量影响较大。级配越好，其空隙率及总表面积越小，不仅可以节约水泥用量，还可以提高混凝土的和易性、密实性和强度。其最大粒径不得大于结构截面最小尺寸的1/4，且不得超过钢筋最小净距的3/4。因此必须根据混凝土强度等级、浇捣方法等选择石子的级配和最大粒径。

砂又可分为粗砂、中砂、细砂和特细砂。混凝土用砂一般为中砂或粗砂，孔隙率不宜超过45%。对于强度等级低于C30的混凝土，砂的含泥量不大于5%，对于强度等级≥C30的混凝土，含泥量不应大于3%。

（3）水　水中的杂质会影响混凝土的强度和耐久性。拌制混凝土通常采用饮用水。当采用其他水源时，水质应符合国家标准《混凝土用水标准》（JGJ 63—2006）的规定。

（4）外加剂　外加剂能够改善混凝土的凝结时间、强度等性能，其种类繁多。按外加剂的作用可将其分为减水剂、引气剂、早强剂、缓凝剂、防水剂、防冻剂等。混凝土中掺外加剂的质量应符合现行国家标准《混凝土外加剂应用技术规程》（GB 50119—2013）等和有关环境保护的规定。

减水剂加入混凝土中，能够定向吸附于水泥颗粒表面，增加水泥颗粒之间的静电斥力，对水泥颗粒起扩散作用，把水泥凝聚体中所包含的游离水释放出来，在不影响混凝土和易性条件下，可以降低用水量，减小水灰比，改善混凝土的和易性，增加流动性，节约水泥。

引气剂经搅拌后能在混凝土中引入大量分布均匀的微小气泡，增加水泥浆体积，减小砂石之间的摩擦力，切断与外界相通的毛细孔道，改善混凝土的和易性。在混凝土硬化后，仍能保持微小气泡，改善混凝土的和易性、抗冻性和耐久性。

早强剂可加速水泥硬化速度，提高混凝土的早期强度，对后期强度无显著影响，对加速模板周转和工程进度有显著作用。

缓凝剂可以延长混凝土从塑性状态转化至固性状态所需的时间，并对其后期强度发展无明显影响。

防水剂能够随着水泥凝结硬化而体积膨胀，充分填充混凝土孔隙率，降低混凝土的水灰比，增加混凝土的和易性和密实度，减少混凝土的收缩率，提高混凝土抗渗等级。

防冻剂能在一定负温条件下，显著降低混凝土中液相的冰点，使其游离态的水不冻结，保证混凝土不遭受冻害。

（5）矿物掺合料　矿物掺合料一般为价格低廉的工业废料，如粉煤灰、炉渣、火山灰等。矿物掺合料可以替代部分水泥或石子，降低水泥或骨料的用量，同时可以改善混凝土的和易性等性能。

混凝土中使用的矿物掺合料的质量应符合现行国家标准《用于水泥和混凝土中的粉煤灰》（GB/T 1596—2017）等的规定。

2. 混凝土配合比设计

混凝土应按国家现行标准《普通混凝土配合比设计规程》（JGJ 55—2011）的有关规定，根据混凝土强度等级、耐久性、工作性和经济性等要求进行配合比设计。

混凝土配合比应由具备相应资质的试验部门出具混凝土配合比通知单。施工单位应根据施工过程中实际使用的水泥、砂子、石子、外加剂等进行现场取样，并送至实验室进行提前试配。

为了保证混凝土的实际施工强度不低于设计强度标准值,混凝土的施工配制强度 $f_{cu,0}$ 应比设计强度标准值提高一个数值,并有95%的强度保证率。当混凝土的设计强度等级小于C60时,配制强度应按下式计算。

$$f_{cu,0} \geq f_{cu,k} + 1.645\sigma \tag{6-1}$$

式中　$f_{cu,k}$——混凝土立方体抗压强度标准值（N/mm^2）;

σ——施工单位混凝土强度标准差（可通过计算或经验取值,N/mm^2）。

当设计强度等级不小于C60时,配制强度应按下式计算

$$f_{cu,0} \geq 1.15 f_{cu,k} \tag{6-2}$$

当具有近1个月到3个月的同一品种、同一强度等级混凝土的强度资料,且试件组数不小于30时,σ 可按下式计算

$$\sigma = \sqrt{\frac{\sum_{i=1}^{n} f_{cu,i}^2 - n m_{f_{cu}}^2}{n-1}} \tag{6-3}$$

式中　$f_{cu,i}$——统计周期内同一强度等级混凝土第 i 组试件的强度标准值（N/mm^2）;

$m_{f_{cu}}$——n 组试件的混凝土强度平均值（N/mm^2）;

n——试件组数,n 不应小于30。

当混凝土强度等级不大于C30时,用式(6-1)计算得到的 $\sigma < 3.0$N/mm^2,取 $\sigma = 3.0$N/mm^2;当混凝土强度等级高于C30且小于C60时,用式(6-1)计算得到的 $\sigma < 4.0$N/mm^2,取 $\sigma = 4.0$N/mm^2;

当没有近期的同一品种混凝土强度资料时,当混凝土强度等级≤C20时,取 $\sigma = 4.0$N/mm^2;当混凝土强度等级为C25~C45时,取 $\sigma = 5.0$N/mm^2;当混凝土强度等级为C50~C55时,取 $\sigma = 6.0$N/mm^2。

混凝土配合比设计步骤：水灰比计算→用水量选择→水泥用量计算→砂率选择→粗、细骨料计算。

3. 混凝土施工配合比调整

施工现场进行混凝土配制时所使用的砂子、石子含水率与试验室试配时的情况不同。为保证混凝土强度符合设计要求,在配制混凝土时应及时测定砂子、石子等粗细骨料的含水率,并将实验室出具的混凝土配合比换算成在实际含水率情况下的施工配合比。

假设实验室出具的混凝土配合比为：水泥：砂子：石子：水 $= 1 : x : y : \omega$,实际测得的砂子的含水率为 ω_x,石子的含水率为 ω_y,则施工配合比应调整为：$1 : x(1+\omega_x) : y(1+\omega_y) : (\omega - x\omega_x - y\omega_y)$。

【例6-1】　已知C20混凝土的试验室配合比为水泥：砂：石子：水 $= 1 : 2.55 : 5.12 : 0.65$,即水灰比为0.65,经测定砂的含水率为3%,石子的含水率为1%,每1m^3 混凝土的水泥用量310kg。试确定其施工配合比。

【解】　根据公式,其施工配合比应为

$1 : 2.55 \times (1+3\%) : 5.12 \times (1+1\%) : (0.65 - 2.55 \times 3\% - 5.12 \times 1\%) = 1 : 2.63 : 5.17 : 0.52$

则每1m^3 混凝土材料用量为：

水泥：310kg

砂子：310kg×2.63 = 815.3kg

石子：310kg×5.17 = 1602.7kg

水：310kg×0.52 = 161.2kg

4. 施工配料

施工中如果采用袋装水泥进行现场搅拌，在求出每 $1m^3$ 混凝土材料用量后，还必须根据工地现有搅拌机出料容量确定每次搅拌需用几袋水泥，然后按水泥用量算出砂、石子的每盘用量。

【例 6-2】 如例 6-1 中采用 JZ250 型搅拌机进行现场搅拌混凝土，其出料容量为 $0.25m^3$，试计算其施工配料。

【解】 每搅拌一次的装料数量为：

水泥：$310kg/m^3 \times 0.25m^3 = 77.5kg$（可取一袋半水泥，即 75kg）

砂子：$815.3kg/m^3 \times 75kg/(310kg/m^3) = 197.25kg$

石子：$1602.7kg/m^3 \times 75kg/(310kg/m^3) = 387.75kg$

水：$161.2kg/m^3 \times 75kg/(310kg/m^3) = 39kg$

6.2.2 混凝土的搅拌

混凝土搅拌是将水、水泥、粗细骨料和外加剂等原材料进行混合以及均匀拌和的过程。搅拌后的混凝土要达到一定的和易性和强度。混凝土的搅拌方式可分为人工搅拌和机械搅拌。目前施工中除了个别的零星混凝土采用人工搅拌的方法外，绝大多数混凝土均采用机械搅拌的方式。

1. 混凝土搅拌机

混凝土搅拌机按搅拌原理分为自落式和强制式两类。自落式搅拌机的搅拌鼓筒内壁装有叶片，随着鼓筒转动，叶片不断将混凝土拌合料提高，然后利用物料的重力自由下落，达到均匀拌和的目的。自落式搅拌机筒体和叶片磨损较小，易于清理，但搅拌力量小，效率低，多用于搅拌塑性混凝土和低流动性混凝土。自落式搅拌机目前应用较少。

强制式搅拌机的搅拌筒固定不变，依靠装在筒体内部转轴上的叶片强制搅拌混凝土拌合料。强制式搅拌机具有搅拌质量好、速度快、生产效率高、操作简便及安全等优点，多用于搅拌干硬性混凝土、轻骨料混凝土和低流动性混凝土。强制式搅拌机是目前混凝土搅拌应用的主要设备。

2. 混凝土搅拌

（1）投料顺序 投料顺序应从提高搅拌质量，减少叶片、衬板的磨损，减少拌合物与搅拌筒的黏结，减少水泥飞扬，改善工作环境，提高混凝土强度及节约水泥等方面综合考虑确定。常用投料顺序有一次投料法和二次投料法。

1）一次投料法。一次投料法是在上料斗中先加部分水，再装石子、水泥和砂，然后再陆续加入水进行搅拌。优点是水泥位于砂石之间，进入拌筒时可减少水泥飞扬。对于强制式搅拌机，由于其出口在下面，不能先加水，应在加入干料的同时缓慢均匀地加水。

2）二次投料法。二次投料法则将投料过程分成两个主要阶段。与一次投料法相比，二次投料法可使混凝土强度提高 10%~15%，节约水泥 15%~20%。二次投料法常用的方法有预拌水泥砂浆法、预拌水泥净浆法和水泥裹砂石法。

预拌水泥砂浆法是指先将水泥、砂和水加入搅拌筒内进行充分搅拌成为均匀的水泥砂浆后,再加入石子搅拌成均匀的混凝土。预拌水泥净浆法是先将水泥和水充分搅拌成均匀的水泥净浆后,再加入砂和石子搅拌成混凝土。水泥裹砂石法(简称 SEC 混凝土,又称为造壳混凝)是先将全部砂、石子和部分水(约 70%)倒入搅拌机拌和 10~20s 使骨料湿润,再倒入全部水泥搅拌 20s(称为造壳搅拌),最后加剩余的水搅拌 80s(称为糊化搅拌)。水泥裹砂石法使水泥和砂、石的接触面增大,水泥的潜力得到充分发挥,提高混凝土的强度。

(2)搅拌时间　混凝土的搅拌时间是指从砂、石、水泥和水等全部材料投入搅拌筒起,到开始卸料为止所经历的时间。搅拌时间与混凝土的搅拌质量密切相关,随搅拌机类型和混凝土的和易性不同而变化。

在一定范围内,随搅拌时间的延长,混凝土强度有所提高。但过长时间的搅拌既不经济,混凝土的和易性也可能会降低,影响混凝土的质量。加气混凝土还会因搅拌时间过长而使含气量下降。采用强制式搅拌机搅拌混凝土时搅拌的最短时间见表 6-1,采用自落式搅拌机时搅拌时间宜延长 30s。

表 6-1　混凝土搅拌的最短时间　　　　　　　　　　(单位:min)

混凝土坍落度/mm	搅拌机机型	搅拌机容积/L		
		<250	250~500	>500
≤40	强制式	60	90	120
>40,且<100	强制式	60	60	90
≥100	强制式	60		

(3)进料容量　进料容量是将搅拌前各种材料的体积累积起来的容量,又称为干料容量。

进料容量与搅拌机搅拌筒的几何容量有一定比例关系。进料容量约为出料容量的 1.4~1.8 倍(通常取 1.5 倍),若任意超载(超载 10%),就会使材料在搅拌筒内无充分的空间进行拌和,影响混凝土的和易性。反之,装料过少,又不能充分发挥搅拌机的效能。

6.2.3　预拌混凝土

预拌混凝土是在搅拌站(楼)生产的,通过运输设备送至使用地点的,交货时为拌合物的混凝土。

在混凝土进场时检测质量证明文件,包括混凝土配合比通知单、混凝土质量合格证、强度检验报告、混凝土运输单以及合同规定的其他资料。

预拌混凝土所用的水泥、骨料、外加剂、矿物掺合料等均应符合规范规定及相关标准和设计要求。混凝土中氯离子含量和碱总含量应符合现行国家标准,混凝土拌合物不应有泌水和分层离析。

对于连续生产量为 2000m³ 以上的统一配合比混凝土,混凝土制备生产方应提供基本性能试验报告,包括:稠度、凝结时间、坍落度经时损失、泌水、表观密度等基本性能,还需符合设计要求。

6.3 混凝土运输

混凝土自搅拌完成至浇筑地点需要选择合适的设备及方式进行运输，以保证混凝土的浇筑及强度不因运输不当而降低。

6.3.1 混凝土运输的要求

混凝土运输应以最少的运转次数、最短的时间从搅拌地点运至浇筑地点，运输中的全部时间不应超过混凝土的初凝时间。运至浇筑地点应具有规定的坍落度，并保证混凝土在初凝前有充分的时间进行浇筑。从搅拌机中出料至输送入模的延续时间不宜超过表 6-2 中的时间规定。

表 6-2 混凝土从搅拌机中出料至输送入模的延续时间　　　　　（单位：s）

条件	气温 ≤25℃	气温 >25℃
不掺外加剂	90	60
掺外加剂	150	120

混凝土的运输工具要严密不吸水，混凝土运输过程不漏浆。装料前应先用水湿润。高温及寒冷天气运输应采取合适的保温隔热措施。

运输过程不应产生太大的颠簸，防止混凝土产生分层离析现象。

6.3.2 混凝土运输工具

混凝土运输工具种类繁多，可分为水平运输工具和垂直运输工具。水平运输工具主要有手推车、机动翻斗车、混凝土搅拌运输车，垂直运输主要有井架、塔式起重机和混凝土输送泵等。

（1）手推车　手推车主要用于地面及楼面的短距离水平运输，具有灵活、方便的特点，但效率低，劳动强度大，目前仅用于不具备其他运输工具或零星混凝土的运输。

（2）机动翻斗车　机动翻斗车主要用于地面的短距离水平运输，具有速度快、效率高、操作简便等特点。机动翻斗车除了可以运输混凝土外，还可以进行砂、石等材料的运输。

（3）混凝土搅拌运输车　混凝土搅拌运输车主要用于长距离水平运输。它是将运输混凝土的搅拌筒安装在汽车底盘上，把在预拌混凝土搅拌站生产的混凝土成品装入拌筒内，然后运至浇筑现场。在运输过程中，混凝土搅拌筒始终保持低速运转，对混凝土不停地进行扰动，从而保证混凝土在长距离运输后不发生分层离析现象而影响混凝土的浇筑及质量。

（4）井架　井架主要用于混凝土的垂直运输，具有构造简单、安拆方便、成本低的优点，但其起重高度有一定限制。井架由架身、卷扬机等组成。井架工作时，将装有混凝土的手推车放入井架的提升平台上，平台提升到浇筑层后，沿楼层上的通道推送到浇筑地点完成浇筑。

（5）塔式起重机　塔式起重机是施工过程中的主要运输机械，既能完成垂直运输又能完成水平运输。塔式起重机进行混凝土运输时应配备专用的混凝土吊斗。吊斗装满混凝土后要将斗门关严，防止在运输过程中漏浆。

（6）混凝土输送泵　混凝土输送泵是利用泵的压力将混凝土通过管道直接输送到浇筑地点，可以同时完成混凝土的水平运输和垂直运输。混凝土输送泵是目前施工中应用非常普遍的运输工具，具有施工速度快、效率高、施工方便、节省人力、能够连续作业的优点。

混凝土输送泵可分为固定式（又称为地泵）及移动式（又称为泵车）两种。固定式混凝土输送泵需要通过其他运输车辆将其运送至施工现场，再连接运输管道进行混凝土运输。固定式混凝土输送泵具有输送能力大、输送高度高等特点，适用于高层建筑的混凝土工程施工。移动式混凝土输送泵是将混凝土泵安装在汽车底盘上，可以非常方便地行驶至浇筑地点进行作业。移动式混凝土输送泵一般附带有全回转三段折叠臂架式布料杆，它既可以利用工地配置的管道输送到较远较高的浇筑地点，也可利用随车的布料杆在其回转范围内进行浇筑。

混凝土输送管有直管、弯管、锥形管和浇筑软管等，一般由合金钢、橡胶、塑料等材料制成，常用混凝土输送管的管径为 100～150mm。管道布置应符合"路线短、弯道少、接头密"的原则。

6.3.3 泵送混凝土

采用混凝土泵运输浇筑的混凝土通常称为泵送混凝土。

1. 泵送混凝土对原材料的要求

1）粗骨料：泵送混凝土粗骨料若采用碎石，因其棱角多，在水泥浆数量相同的情况下，其泵送能力比卵石要差，管内阻力大，因此泵送混凝土粗骨料采用卵石最合适。泵送混凝土粗骨料最大粒径与输送管径应在合理范围之内，见表6-3。粗骨料的最大公称粒径与输送管径之比见表6-4。

表 6-3　泵送混凝土粗骨料最大料径与输送管最小内径

粗骨料最大料径/mm	输送管最小内径/mm
25	125
40	150

表 6-4　粗骨料的最大公称粒径与输送管径之比

粗骨料品种	泵送高度/m	粗骨料的最大公称粒径与输送管径之比
碎石	<50	≤1:3.0
	50～100	≤1:4.0
	>100	≤1:5.0
卵石	<50	≤1:2.5
	50～100	≤1:3.0
	>100	≤1:4.0

2）细骨料：泵送混凝土细骨料宜采用中砂，以天然砂为宜。砂率应根据水灰比、粗骨料的种类及最大公称粒径确定，宜控制在 35%～45%。

3）水泥：因水泥在管内起润滑作用，为保证混凝土泵送的顺利，泵送混凝土中水泥最少用量为 300kg/m³。

4）坍落度：混凝土坍落度的大小影响混凝土的流动性，坍落度太大容易出现漏浆及骨料离析情况，坍落度太小泵送阻力太大。泵送混凝土的坍落度不宜小于 100mm，当混凝土强度等级超过 C60 时，其坍落度不宜小于 180mm。

5）外加剂、掺合料：混凝土内宜适量掺入外加剂提高混凝土的流动性，减少输送阻力，延缓混凝土凝结时间。掺加粉煤灰等掺合料减少混凝土对管壁的摩擦力，提高混凝土的可泵性能。

2. 泵送混凝土施工中应注意的问题

1）混凝土输送管道布置宜短且直，尽量减少弯管数量。当管道必须转弯时弯曲弧度宜缓。管段接头要严密，防止漏浆。且要少用锥形管，防止混凝土堵塞及压力损失。泵送过程中，泵的受料斗内应充满混凝土，防止吸入空气形成阻塞；泵送结束后，要及时清洗泵体和管道。

2）为减少泵送阻力，泵送前应先用与混凝土内成分相同的水泥浆或水泥砂浆润滑输送管内壁，并应回收或再利用这部分水泥砂浆。

3）混凝土的供料应保证混凝土泵能连续工作，若停歇时间过长，应立即用压力或其他方法冲洗管内残留的混凝土。

4）泵送混凝土浇筑后要加强养护，防止龟裂。

6.4 混凝土浇筑与振捣

6.4.1 混凝土的浇筑

混凝土浇筑前，应对模板、钢筋、支架和预埋件进行检查。主要检查模板的位置、标高、尺寸、强度和刚度是否符合要求，接缝是否严密，预埋件位置和数量是否符合图样要求；检查钢筋的规格、数量、位置、接头和保护层厚度是否正确。模板上的垃圾和钢筋上的油污要清理干净。采用木模板时要事先进行浇水湿润。混凝土浇筑时应注意做好以下工作：

1. 防止发生离析现象

混凝土浇筑前不应发生离析或初凝现象，若已发生离析或初凝现象须重新搅拌混凝土。浇筑混凝土时也应防止发生离析现象。竖向结构混凝土浇筑时，混凝土自由倾落高度不宜超过表 6-5 中的规定，若混凝土自由下落高度超过表 6-5 的规定应设串筒、斜槽、溜管或振动溜管等。

表 6-5 柱、墙模板内混凝土浇筑倾落高度限值　　　　　　（单位：m）

条　件	浇筑倾落高度限值
粗骨料粒径>25mm	≤3
粗骨料粒径≤25mm	≤6

2. 混凝土浇筑应分层连续进行

混凝土浇筑应合理设置施工段，每个施工段分层连续进行。在下层混凝土初凝前将上层混凝土浇筑完毕，并随浇筑随振捣。

对于多层及高层建筑物,当建筑物单层面积较小或长度不大时可不划分施工段,当单层面积较大或长度较长时应根据其平面形状及尺寸划分两个或多个施工段,每个施工段的混凝土浇筑再分层完成。目前一般按建筑物的自然层将其划分为若干个大的施工层,再根据其构件形式、高度等特点分层浇筑混凝土。混凝土浇筑分层厚度应根据振捣方法合理确定,见表6-6。

表6-6 混凝土浇筑分层厚度

混凝土振捣方式	浇筑层厚度/mm
插入式振动器	振捣器作用部分长度的1.25倍
表面振动器	200
外部振动器	通过试验确定

各自然层混凝土构件的浇筑顺序一般是先浇筑柱子、墙混凝土,再浇筑梁和板的混凝土。梁和板的混凝土应同时浇筑,以便结合成整体。

3. 正确留设施工缝

混凝土施工缝:由于技术或施工组织上的原因不能对混凝土结构一次性连续浇筑完毕,而必须停歇较长的时间,其停歇时间已超过混凝土的初凝时间致使混凝土已初凝,当继续浇混凝土时,先后浇筑的混凝土之间形成的接缝即为施工缝。混凝土浇筑应尽可能连续进行,当由于技术或组织等原因不能连续进行时应正确留设施工缝。

施工缝一般宜留在结构剪力较小且便于施工的部位。水平施工缝的留设位置应符合下列规定:柱、墙施工缝可留在基础、楼层结构顶面,柱施工缝与结构上表面的距离宜为0~100mm,墙施工缝与结构上表面的距离宜为0~300mm;柱、墙的施工缝也可留在楼层结构底面,施工缝与结构下表面的距离宜为0~50mm。

竖向施工缝的留设应符合下列规定:单向板施工缝应留在与跨度方向平行的任何位置;对于有主次梁的楼板结构,宜顺着次梁方向浇筑,施工缝应留在次梁跨度的中间1/3范围内(见图6-1);墙的施工缝宜设置在门洞口过梁跨中1/3范围内,也可留设在纵横墙交接处。

当混凝土继续施工时,应对施工缝处的混凝土进行特殊处理后才能继续浇筑混凝土:

1)应待已浇筑混凝土的抗压强度不小于1.2MPa方可继续浇筑混凝土。

2)施工缝浇筑混凝土之前,应清除表面的浮浆、松动石子和软弱的混凝土层,并加以充分湿润和冲洗干净。施工缝处宜先铺与混凝土浆液成分相同的水泥砂浆层,厚度不应大于30mm,以保证接缝的质量。

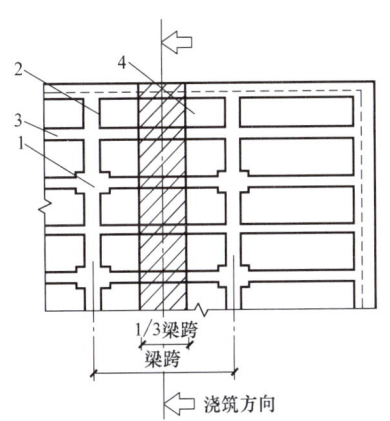

图6-1 有主次梁楼板的施工缝位置
1—柱 2—主梁 3—次梁 4—板

3)混凝土浇筑过程中应仔细捣实,使其新旧混凝土紧密结合。

6.4.2 后浇带的施工

与施工缝相近的是后浇带的施工。后浇带将结构暂时划分为若干部分，在一定时间后待结构构件内部收缩或沉降稳定后再浇捣该施工缝混凝土，将结构连成整体带。后浇带是解决建筑物不均匀沉降，减少收缩应力的有效措施。

后浇带是指在建筑施工中为适应环境温度变化、混凝土收缩、结构不均匀沉降等因素影响，在梁、板（包括基础底板）、墙等结构中预留的具有一定宽度且经过一定时间后再浇筑的混凝土带。后浇带两侧的接缝部位处理方法与施工缝处理方法相同。后浇带处的混凝土应采用微膨胀或低收缩混凝土，混凝土强度等级比原设计强度等级提高一级，防止新老混凝土之间出现裂缝，造成薄弱部位。

后浇带主要在三种情况下设置：为防止建筑物高低层连接处的沉降不均而设置；为防止混凝土因温度变化拉裂而设置；在超长混凝土结构中为防止混凝土收缩引起结构开裂而设置。施工时应根据设计要求的位置、宽度等设置后浇带。后浇带应设在受力和变形较小的部位。后浇带的留设宽度应便于施工，避免应力集中。

后浇带内的钢筋可采用全断开再搭接的方式，也可以采用不断开另设附加筋的方式。实际采用哪种方式应根据后浇带的类型决定。沉降后浇带的钢筋应贯通，伸缩后浇带的钢筋应断开。梁板结构的梁筋宜贯通，板筋宜断开，若钢筋不断开，钢筋附近的混凝土收缩将受到较大制约，产生拉应力引起混凝土开裂，从而降低结构抵抗温度应力的能力。

自后浇带两侧混凝土浇筑完成后至后浇带混凝土施工前应对后浇带部位采取设护栏、覆盖等措施进行保护，防止缝内掉物、污染钢筋或钢筋踩踏变形。在浇筑混凝土之前，对整个混凝土表面按施工缝进行处理。在结构施工中后浇带处钢筋较多、较密，可用快易收口网做临时模板，混凝土浇灌后埋入结构中，可保证接缝处的连接强度。

在有防水要求的部位（如地下室底板）设置后浇带，应设置止水带，提高混凝土防水能力。也可采用超前止水后浇带的工艺：预先在底板后浇带底部或地下室外墙后浇带外侧各增加一道300mm厚钢筋混凝土底板或导墙（同底板、外墙一块现浇）。然后在地板或导墙处设置一道30mm左右的伸缩缝，内部用挤塑板填充，外侧设置橡胶止水带。最后在基础工程完成后依次进行外墙防水、土方回填、后浇带浇筑等后续工作。

6.4.3 大体积混凝土施工

大体积混凝土是指混凝土结构物实体最小几何尺寸不小于1m的大体量混凝土，或预计会因混凝土中胶凝材料水化引起的温度变化和收缩而导致有害裂缝产生的混凝土。大体积钢筋混凝土结构多为工业建筑中的设备基础及高层建筑中厚大的桩基承台或基础底板等。

大体积混凝土施工

大体积混凝土浇筑面积和工程量大，整体性要求高，不能留设施工缝，浇筑后水泥的水化热量大且聚集在构件内部，形成较大的内外温差，易造成混凝土表面产生收缩裂缝。

减少大体积混凝土温差的措施有归纳以下几种：

1）从原材料上控制：水泥应尽量选用水化热低、凝结时间长的水泥，优先采用中热硅酸盐水泥、低热矿渣硅酸盐水泥、粉煤灰硅酸盐水泥、火山灰质硅酸盐水泥等；掺加粉煤灰、磨细矿渣粉等掺合料，减少水泥用量；掺加缓凝剂、减水剂等外加剂，降低用水量，延长水泥水化时间，减缓水泥放热速度。

2）施工工艺控制：合理分段分层，减少分层厚度，降低浇筑速度；采取人工降温措施，如采取降低原材料温度、减少混凝土运输时吸收外界热量等降温措施，或在混凝土内部预埋管道进行水冷散热；采取保温保湿养护等。混凝土中心温度与表面温度的差值不应大于25℃，混凝土表面温度与大气温度的差值不应大于25℃。养护时间不应少于14d。

3）从管理上控制：编制好施工方案，避开炎热季节，选择室外气温较低时进行浇筑。做好测温工作，重要部位或工程需要计算并通过专家论证。

6.4.4 混凝土振捣

除自密实混凝土外，混凝土入模后呈松散状态，其中含有占混凝土体积5%～20%的气泡和孔洞，只有通过振捣才能减少混凝土中的气泡和孔洞，并使混凝土充满构件的各个部位，使混凝土密实、表面平整。

混凝土振捣按方式可分为人工振捣和机械振捣两种。人工振捣是利用捣锤或插钎等工具的冲击力来使混凝土密实成型，其效率低、效果差。机械振捣是将振动器的振动力传给混凝土，使之发生强迫振动而密实成型，其效率高、质量好。按机械振捣的工作方式振动器又可分为内部振动器、表面振动器、外部振动器和振动台等。

（1）内部振动器　内部振动器又称为插入式振动器、振捣棒。振捣棒直径一般为50mm，振捣影响范围为500mm左右，如图6-2所示。内部振动器适用于振捣梁、柱、墙等构件和大体积混凝土。

内部振动器的振捣方法有两种：一种是垂直振捣，即振动棒与混凝土表面垂直；二是斜向振捣，即振动棒与混凝土表面成约为40°～45°。

内部振动器操作要点如下：

1）要"快插慢拔"。快插的目的是防止混凝土出现分层离析的现象，慢拔的目的是使混凝土能够填满振动棒拔出时所形成的空洞。

2）振动棒插入点要均匀，并逐点移动，不得遗漏。插入点的间距不宜大于其有效作用半径R的1.5倍，插入振动点的布置可采用行列式或交错式，如图6-3所示。

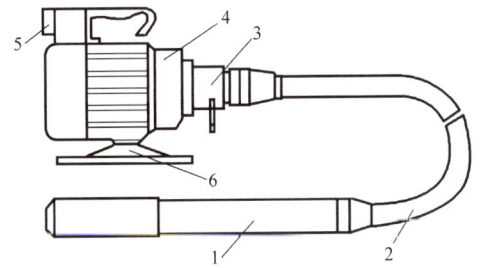

图6-2　内部振动器构造示意图
1—振捣棒　2—软管　3—防逆装置
4—电动机　5—开关　6—支座

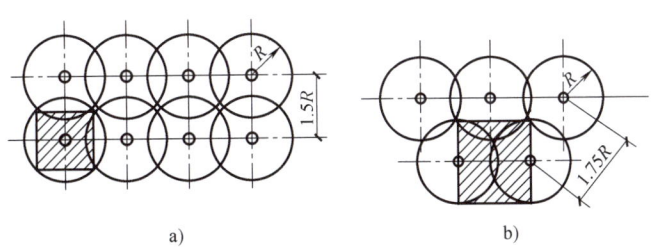

图6-3　振动棒插入点的布置示意图
a）行列式　b）交错式

3）混凝土分层浇筑时，振动棒应插入下层尚未初凝的混凝土层中 50~100mm，促进上下层更好地结合成一个整体，如图 6-4 所示。

4）每一振捣点的振捣时间一般为 20~30s，时间过短不易使混凝土密实，时间过长可能引起混凝土离析现象。

5）振动棒不允许支承在结构钢筋上或碰撞钢筋，同时不宜紧靠模板振捣。对于梁柱钢筋密集区可采用预留振动棒插入口等措施，便于振捣密实。

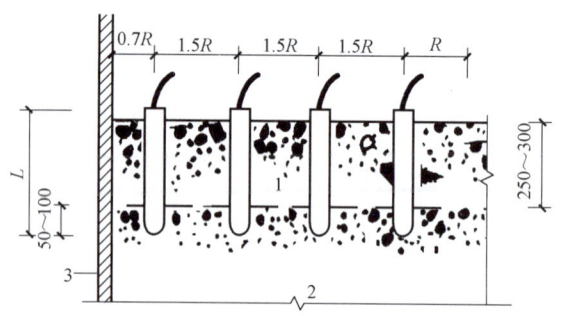

图 6-4　振动棒插入深度示意图
1—新浇筑的混凝土　2—下层尚未初凝的混凝土　3—模板
R—振动棒的有效作用长度　L—振动棒长度

（2）表面振动器　表面振动器又称为平板振动器，是将电动机轴上装有左右两个偏心块的振动器固定在一块平板上而成的。表面振动器的有效作用范围较小，一般不超过 200mm，适用于振捣楼板、地面和薄壳等薄壁结构。

表面振动器应覆盖振捣平面边角。当振捣倾斜表面时应由低处向高处进行振捣，表面振动器移动时应覆盖已振实部分混凝土的边缘，振捣两遍，两遍方向互相垂直。第一遍主要使混凝土密实，第二遍主要使混凝土表面平整。每一位置的振捣时间一般为 25~40s，以混凝土表面均匀出现浮浆为准。

（3）外部振动器　外部振动器又称为附着式振动器，直接安装在模板外侧，利用偏心块旋转时产生的振动力通过模板传给混凝土，达到振实混凝土的目的。外部振动器的有效作用范围为 1~1.5m，作用深度约 250mm。外部振动器适用于振捣断面较小或钢筋较密的柱子、梁、板等构件。

（4）振动台　振动台一般在预制厂用于振实干硬性混凝土和轻骨料混凝土。

6.5　混凝土养护

混凝土浇捣后能逐渐凝结硬化，主要是因为水泥逐渐与水起水化作用的结果。水泥的水化需要适当的温度和湿度条件。温度的高低主要影响水化的速度，而湿度条件则严重影响水化的能力。如果混凝土浇筑后水分过早过快蒸发而出现脱水现象，已经形成的凝胶状态的水泥颗粒不能充分水化，不能转化为稳定的结晶而失去黏结力，混凝土表面就出现片状或粉状脱落，降低混凝土的强度，同时混凝土还会出现干缩裂缝，影响其整体性和耐久性。所以在温度适宜的条件下混凝土养护的关键是为混凝土补充足够的水分，保证水化顺利进行。

混凝土养护一般可分为标准养护、加热养护和自然养护。

（1）标准养护　标准养护是指混凝土在温度为 20±3℃ 和相对湿度为 90% 以上的潮湿环境或水中的条件下进行的养护。标准养护一般用于对混凝土立方体试件进行养护。

（2）加热养护　加热养护是指采取通入蒸汽或其他方式对混凝土进行加热养护。加热养护一般适用于预制构件厂或冬期施工时对混凝土进行养护。

（3）自然养护　自然养护是指混凝土在平均气温高于 5℃ 的条件下，相应采取保湿措对混凝土所进行的养护。在混凝土浇筑完毕后，应在12h以内加以覆盖并浇水养护，干硬性混凝土应于浇筑完毕后立即进行养护。自然养护法是施工现场对混凝土进行养护时常用的养护方法。

自然养护法又可分为洒水养护和喷涂养护剂两种。

洒水养护是用吸水保温能力较强的材料，如彩条布、塑料薄膜、草帘、芦席、麻袋等，将混凝土表面覆盖，经常洒水使其保持湿润的养护方法。采用硅酸盐水泥、普通硅酸盐水泥或矿渣硅酸盐水泥的混凝土养护时间不得少于7d；采用掺有缓凝型外加剂、大掺量矿物掺合料配制的混凝土，抗渗混凝土，强度等级C60及以上的混凝土养护时间不应少于14d；后浇带混凝土养护时间不应少于14d。洒水养护法简便易行、费用少，是施工现场经常采用的养护方法。

喷涂养护剂法一般是将养护溶液用喷枪喷洒在混凝土表面上，溶液挥发后在混凝土表面形成一层薄膜，使混凝土与空气隔绝，阻止其中水分的蒸发，以保证水化作用的正常进行。养护剂的成分通常为过氯乙烯树脂塑料溶液，市场上也有其他类型的养护剂。喷涂养护剂法适用于不易洒水养护的高耸构筑物和大面积混凝土结构及缺水地区。

混凝土必须养护至其强度达到 1.2N/mm² 以上才准在上面行人和架设支架、安装模板，但不得对混凝土产生冲击力。

6.6 混凝土质量检查与验收

6.6.1 混凝土强度评定

1. 混凝土试件强度评定

混凝土浇筑过程中应在浇筑地点随机取样制作混凝土试件。混凝土试件为边长150mm的立方体试块。每拌制100盘且不超100m³的同配合比混凝土，取样不少于一次。一次连续浇筑超过1000m³时，同一配合比的混凝土每200m³取样不得少于一次。现浇楼层同一配合比的混凝土每层取样不得少于一组。混凝土立方体试块一组三块。每次取样至少两组，其中一组用于标准养护，一组留置在施工现场进行同条件养护。混凝土的抗压强度应以标准立方体试件在标准条件下养护28d后测得的具有95%保证率的抗压强度。

对混凝土强度是否合格进行评定时，应将强度等级相同的混凝土试件组成同一验收批进行评定。混凝土强度的合格性评定方法分为统计法和非统计法两种。统计法适用于混凝土量大，试件总组数≥10组的情况。非统计法适用于混凝土量不大，试件总组数<10组，且>3组的情况。

（1）统计法　采用统计法评定混凝土是否合格时，验收批混凝土强度平均值和最小值需同时满足下列式

$$m_{f_{cu}} - \lambda_1 \sigma_{f_{cu}} \geq f_{cu,k} \tag{6-4}$$

$$f_{cu,min} \geq \lambda_2 f_{cu,k} \tag{6-5}$$

式中　$m_{f_{cu}}$——同一验收批混凝土强度的平均值（N/mm²）；

　　　$f_{cu,k}$——设计的混凝土强度标准值（N/mm²）；

$f_{cu,min}$——同一验收批混凝土强度的最小值（N/mm²）；

λ_1、λ_2——合格评定系数（查表6-7）；

$\sigma_{f_{cu}}$——本验收批混凝土强度标准差（N/mm²），当$\sigma_{f_{cu}}$的计算值小于2.5N/mm²时，取$\sigma_{f_{cu}}=2.5$N/mm²。

验收批混凝土强度标准差应按下式计算

$$\sigma_{f_{cu}} = \sqrt{\frac{\sum_{i=1}^{n} f_{cu,i}^2 - nm_{f_{cu}}^2}{n-1}} \tag{6-6}$$

式中 $f_{cu,i}$——验收批内第i组混凝土试件的强度值（N/mm²）；

n——验收批内混凝土试件的总组数。

表6-7 合格评定系数

n	10~14	15~19	≥20
λ_1	1.15	1.05	0.95
λ_2	0.9	0.85	0.85

【例6-3】 某工程C30混凝土试块共18组，抗压强度检验结果如下：33.5、35.6、36.2、36.5、35.4、32.1、33.5、38.6、37.5、36.1、36.2、35.3、34.3、35.4、32.1、31.6、35.4、36.1，单位为N/mm²。试评定该验收批混凝土强度等级是否合格。

【解】

$$m_{f_{cu}} = 35.08 \text{N/mm}^2$$

试块共18组，查表6-7可知λ_1取1.05，λ_2取0.85，则

$$f_{cu,k} = 30 \text{N/mm}^2$$
$$f_{cu,min} = 31.6 \text{N/mm}^2$$

采用式（6-6）计算出$\sigma_{f_{cu}}=1.85$N/mm²<2.5N/mm²，取$\sigma_{f_{cu}}=2.5$N/mm²。

将上述各项带入式（6-4）、式（6-5），有

$$35.08\text{N/mm}^2 - 1.05 \times 2.5 \text{N/mm}^2 = 32.46 \text{N/mm}^2 > 30 \text{N/mm}^2$$
$$31.6 \text{N/mm}^2 > 0.85 \times 30 \text{N/mm}^2 = 25.5 \text{N/mm}^2$$

故本验收批混凝土强度合格。

（2）非统计法 采用非统计法评定混凝土是否合格时，验收批混凝土强度平均值和最小值需同时满足下列式

$$m_{f_{cu}} \geqslant \lambda_3 f_{cu,k} \tag{6-7}$$
$$f_{cu,min} \geqslant \lambda_4 f_{cu,k} \tag{6-8}$$

式中 λ_3、λ_4——合格评定系数（查表6-8）。

表6-8 合格评定系数

评定系数	混凝土强度等级<C60	混凝土强度等级≥C60
λ_3	1.15	1.10
λ_4	0.95	0.95

【例6-4】 某工程C20混凝土试块共9组，抗压强度检验结果如下：19.2、22.1、

22.3、20.5、21.9、21.6、22.8、23.7、24.6，单位为 N/mm²。试评定该验收批混凝土强度等级是否合格。

【解】
$$m_{f_{cu}} = 22.08 \text{N/mm}^2$$
$$f_{cu,k} = 20 \text{N/mm}^2$$
$$f_{cu,\min} = 19.2 \text{N/mm}^2$$

查表 6-8 可知 $\lambda_3 = 1.15$，$\lambda_4 = 0.95$

将上述各项数据带入式（6-7）、式（6-8），有
$$22.08 \text{N/mm}^2 < 1.15 \times 20 \text{N/mm}^2 = 23 \text{N/mm}^2$$
$$19.2 \text{ N/mm}^2 > 0.95 \times 20 \text{N/mm}^2 = 19 \text{N/mm}^2$$

故本验收批混凝土强度不合格。

当混凝土试件强度评定不合格时，可采用非破损或局部破损的检测方法对混凝土结构实体强度进行推定，并作为处理的依据。

2. 混凝土结构实体检验

对涉及混凝土结构安全的重要部位，在混凝土结构子分部工程验收前应进行结构实体检验。通常在混凝土分项工程验收合格、过程控制使质量得到保证的基础上对重要项目进行验证性检查，其目的是加强混凝土结构的施工质量，真实地反映混凝土强度及受力钢筋位置等质量指标，确保结构安全。

结构实体检验的范围主要包括安全的柱、墙、梁等重要结构构件。检验的内容应包括混凝土强度、混凝土构件缺陷检测、钢筋检测、混凝土耐久性能检测等。

（1）混凝土强度实体检验 对混凝土强度实体检验应以混凝土浇筑地点制备并与结构实体同条件养护的试件强度为依据。当同条件养护试件强度的检验结果符合规定时，混凝土强度应判为合格。

混凝土结构工程中的各混凝土强度等级均应留置同条件养护试件。同一强度等级的同条件养护试件留置数量应根据混凝土工程量和重要性确定，不宜少于 10 组（以满足按统计法对混凝土强度合格性进行评定），且不应少于 3 组（以满足按非统计法对混凝土强度合格性进行评定）。同条件养护试件拆模后应放置在靠近相应结构构件或结构部位的适当位置，并应采取相同的养护方法。

同条件养护试件应达到等效养护龄期时进行强度试验。等效养护龄期应根据同条件养护试件强度与在标准养护条件下 28d 龄期试件强度相等的原则确定。等效养护龄期可取按日平均气温逐日累计达到 600℃·d 时所对应的龄期，0℃ 及以下的龄期不计入。等效养护龄期不应小于 14d，也不宜大于 60d。

当未能取得同条件养护试件强度、同条件养护试件强度被判为不合格或混凝土保护层厚度不满足要求时，可采用回弹-取芯法进行检验，回弹区的布置应综合考虑后续取芯对结构安全影响及取芯操作方法等因素，绕开不宜钻样取芯的部位和无法钻取芯样的部位，检测完成后应及时修补，以免影响结构性能及使用功能。

当结构实体检验不合格时，应委托具有相应资质等级的检测机构进行检测，并按规范要求进行处理和验收。

三峡大坝混凝土芯样

（2）混凝土中钢筋检验　混凝土中钢筋检验包括钢筋数量、间距、直径、保护层厚度等检测项目。

混凝土中钢筋数量和间距可采用钢筋探测仪或雷达仪进行检测。混凝土保护层厚度宜采用钢筋探测仪进行检测，并应通过剔凿原位检测法进行验证。

钢筋的混凝土保护层厚度检验的范围主要是钢筋位置可能显著影响结构构件承载力和耐久性的构件和部位，如梁、板类构件的纵向受力钢筋及悬臂构件上部受力钢筋等。对梁、板类构件应各抽取构件数量的2%且不少于5个构件进行检验；对悬臂构件抽取的数量应占总构件数量的50%以上。对选定的梁类构件应对全部纵向受力钢筋的保护层厚度进行检验；对选定的板类构件，应抽取不少于6根纵向受力钢筋的保护层厚度进行检验。对每根钢筋应在有控制作用的部位测量1点。

当全部混凝土保护层厚度检验的合格点率为90%及以上时，混凝土保护层厚度的检验结果应判为合格。当全部混凝土保护层厚度检验的合格点率小于90%但不小于80%时，可再抽取相同数量的构件进行检验；当按两抽样总和计算的合格点率为90%及以上时，混凝土保护层厚度的检验结果仍应判为合格。

6.6.2　现浇混凝土结构质量检查与验收

1. 混凝土质量检查

混凝土质量检查包括施工过程中的质量检查和养护后的质量检查。

施工过程中的质量检查是指在混凝土制备和浇筑过程中对原材料的质量、配合比、坍落度等的检查，每一工作班至少检查两次，如遇特殊情况还应及时进行抽查。混凝土的搅拌时间应随时检查。

混凝土养护后的质量检查包括拆模后对混凝土构件的轴线、标高、外观（不应有蜂窝、麻面、孔洞、露筋、夹层、缺棱掉角和裂缝等）及混凝土强度等进行的检查。

2. 混凝土结构质量缺陷与防治

混凝土结构外观常见质量缺陷有胀模、露筋、蜂窝、孔洞、夹渣、裂缝等。胀模是指模板在混凝土浇筑过程中松动变形导致混凝土表面凸出。露筋是指构件内部分钢筋未被混凝土包裹而外露。蜂窝是指混凝土表面缺少水泥砂浆而形成石子外露。孔洞是指混凝土中孔穴深度和长度超过保护层厚度。夹渣是指混凝土中夹有杂物且深度超过保护层厚度。裂缝是指混凝土表面存在延伸至混凝土内部的缝隙。

除混凝土结构外观常见质量缺陷外，现浇混凝土结构的另一个常见质量缺陷是混凝土强度不足。

（1）混凝土结构质量缺陷产生的主要原因　产生露筋的主要原因有浇筑时垫块位移甚至漏放、钢筋紧贴模板、混凝土保护层处漏振或振捣不密实等。产生蜂窝的主要原因有混凝土配合比不准确，浆少而石子多，或搅拌不均造成砂浆与石子分离，或浇筑方法不当、振捣不足，以及模板严重漏浆等。产生孔洞的主要原因有混凝土结构内存在空隙、砂浆严重分离、石子成堆、砂与水泥分离、有泥块等杂物掺入等。产生夹渣的主要原因是混凝土浇筑前未对构件内部的杂物进行清理或清理不干净。产生裂缝的主要原因有构件制作时受到剧烈振动、混凝土浇筑后模板变形或沉陷、混凝土表面水分蒸发过快、养护不及时，以及构件堆放、运输、吊装时位置不当或受到碰撞等。

混凝土强度不足的主要原因有混凝土配合比设计、搅拌、现场浇捣和养护四个方面。配合比设计方面的原因主要表现在不能及时测定水泥的实际活性，影响了混凝土配合比设计的正确性，或外加剂用量控制不准。搅拌方面的原因主要表现在任意增加用水量，配合比称料不准，搅拌时颠倒加料顺序及搅拌时间过短等造成搅拌不均匀。现场浇捣方面的原因主要表现在施工中振捣不实，以及发现混凝土有离析现象时未能及时采取有效措施来纠正。养护方面的原因主要表现在不按规定的方法、时间对混凝土进行妥善的养护。

（2）混凝土质量缺陷的防治与处理　工程中常用的混凝土质量缺陷处理方法主要有以下几种：

1）表面抹浆修补。对数量不多的小蜂窝、麻面、露筋、露石的混凝土表面主要是保护钢筋和混凝土不受侵蚀，可用 1∶2~1∶2.5 水泥砂浆抹面修整。

2）细石混凝土填补。当蜂窝比较严重或露筋较深时，应凿掉不密实的混凝土，将缺陷处凿成外大内小的喇叭口形状，用清水冲洗干净并充分湿润后，再用比原强度等级高一级的细石混凝土填补并仔细捣实。

3）环氧树脂或结构胶处理。对于重要构件并且宽度较大的裂缝，清理干净后用环氧树脂或结构胶进行粘结处理。

3. 混凝土质量缺陷处理的验收

对已出现的严重缺陷，应由施工单位提出技术处理方案，并经监理单位认可后进行处理。对裂缝、连接部位出现的严重缺陷及其他影响结构安全的严重缺陷，技术处理方案尚应经设计单位认可。对经处理的部位，应重新检查验收。

6.7 混凝土工程冬期施工

1. 冬期施工含义

根据当地多年气温资料统计，当室外日平均气温连续 5d 稳定低于 5℃ 即进入冬期施工，当室外日平均气温连续 5d 高于 5℃ 时解除冬期施工。

新浇筑混凝土的组成材料颗粒空隙之间存在自由的"游离水"。当该部分水结冰后体积膨胀使混凝土内部产生很大的冰胀应力，足以使强度很低的混凝土裂开，同时在钢筋周围形成冰膜而减弱钢筋与混凝土之间的黏结力。

新浇筑混凝土如果在养护初期遭受冻结，当气温恢复到正温后，即使养护至一定龄期，混凝土强度也不能达到原设计强度。因此在寒冷季节进行混凝土施工时应采取合适措施防止混凝土受冻而影响强度。最常见的方式是保证混凝土受冻时其强度达到受冻临界强度，此时即使混凝土在低温状态下也不会影响其正常强度的发展。

混凝土受冻临界强度是指允许混凝土受冻而不致使其各项性能遭到损害的最低强度。受冻临界强度随水泥品种、冬期施工方法的不同而不同。

2. 混凝土工程冬期施工养护方法

在冬期施工中，保证混凝土受冻时达到其临界强度的常用方法有蓄热保温法、加热法和掺外加剂法。

（1）蓄热保温法　蓄热保温法是将混凝土的原材料（水、砂、石）预先加热，经过搅拌、运输、浇筑成型后的混凝土仍能保持一定的正温度，采用适当材料覆盖保温，防止热量散失过快,充分利用水泥的水化热,使混凝土在正温度条件下增长强度。

采用蓄热保温法宜优先采用加热水的方法。当只加热水仍达不到所需温度时,再对砂、石进行加热。为防止"水泥假凝"现象出现,超过80℃的水不能直接与水泥接触。"水泥假凝"是指水泥颗粒遇到温度较高的热水时颗粒表面很快形成薄而硬的壳,阻止水泥与水的水化作用的进行,使水泥水化不充分,导致新拌混凝土拌合物的和易性及混凝土后期强度下降。

蓄热保温法只需对原材料加热,施工简便,施工费用低,是最简单、最经济的冬期施工方法。

冬期施工中,混凝土拌合物的出机温度不宜低于10℃,入模温度不得低于5℃。因此采用蓄热保温法拌制的混凝土在运输至浇筑地点的过程中,应对运输容器采取保温措施,缩短装卸时间,减少混凝土热量损失,保证入模温度满足规范要求。

(2) 加热法 加热法主要包括蒸汽加热法、电加热法等。

1) 蒸汽加热法。蒸汽加热法是指利用低压饱和蒸汽对混凝土结构构件均匀加热,在适当温度和湿度条件下,促进其水化作用,使混凝土加快凝结硬化,在较短养护时间内获得较高强度或达到设计要求的强度。

由于蒸汽在冷凝时放热量大,具有较高的放热系数,它既能加热混凝土,使混凝土在较高温度下硬化,又能为混凝土供给一定的水分,避免混凝土表面水分过量蒸发而脱水。

采用蒸汽加热法应在建筑物内部或构件内部预留蒸汽孔道,让蒸汽通入孔道加热并养护混凝土。蒸汽加热时,混凝土温度宜控制在30~60℃范围内。蒸汽加热法效果好,但需具备产生蒸汽的锅炉等设备,费用较高。

2) 电加热法。电加热法是指在混凝土结构的内部或外表设置电极,通以低压电流,通过混凝土的电阻作用使电能变为热能加热养护混凝土,或用电热毯等对混凝土加热的方法。

电加热法一般在混凝土浇筑完毕覆盖好外露混凝土表面后进行,属于干热养护,要防止出现养护温度过高而使混凝土发生脱水现象。

(3) 掺外加剂法 掺外加剂法是指在配制混凝土时掺加早强剂、防冻剂等外加剂的方法。

常用外加剂包括早强剂、防冻剂、减水剂、引气剂等。早强剂能加速水泥硬化速度,提高早期强度,且对后期强度无显著影响。防冻剂能在一定负温条件下,显著降低混凝土中液相的冰点,使其游离态的水不冻结,保证混凝土不遭受冻害。减水剂能在不影响混凝土和易性条件下降低用水量,减小游离水的含量。引气剂能使经搅拌后的混凝土中引入大量分布均匀的微小气泡,改善混凝土的和易性,在混凝土硬化后,仍能保持微小气泡,改善混凝土的和易性、抗冻性和耐久性。

在施工中往往在混凝土中掺加两种或两种以上的外加剂,降低混凝土的冰点,使混凝土的水化作用在负温环境中正常进行。

复习思考题

1. 混凝土养护方法有哪些?
2. 什么是混凝土施工缝?施工缝处继续施工应如何处理?
3. 混凝土结构为什么需要设后浇带?

4. 混凝土浇筑应注意哪些事项？
5. 简述泵送混凝土的要求。
6. 混凝土质量缺陷的处理有哪几种？
7. 混凝土的实体检验包括哪些内容？
8. 什么是冬期施工？
9. 混凝土的冬期施工方法有哪些？

应用训练

某施工总承包单位承担一高层建筑施工，混凝土为商品混凝土。在施工过程中，监理工程师发现三层混凝土墙（剪力墙）拆除模板后强度有异常。经采用混凝土回弹仪进行检测，初步推断混凝土强度与设计不符，于是通知施工单位。

分析：

1. 为确定混凝土强度是否存在问题，监理方和施工方应如何做？
2. 如果确认混凝土强度不足，只有设计强度的70%，监理工程师应如何处理？
3. 施工总承包单位应如何控制商品混凝土质量？

第 7 章

预应力工程

问题引入：预应力钢筋混凝土有哪些优点？

7.1 预应力工程概述

1. 预应力混凝土的工作原理

预应力是通过张拉预应力筋给结构一个外荷载，用于调控结构的应力和变形。在混凝土结构或构件上施加预应力即为预应力混凝土。

预应力混凝土是在结构构件承受使用荷载之前，在构件的受拉区域张拉钢筋，利用钢筋张拉后的弹性回缩，对构件受拉区域的混凝土预先施加压力，产生预压应力，使混凝土结构在作用状态下充分发挥钢筋抗拉强度高和混凝土抗压能力强的特点，可以提高构件的承载能力。预应力混凝土能充分发挥高强度钢材的作用。

为了使混凝土达到较高的预应力值，应采用高性能混凝土。当采用冷拉 HRB335、HRB400 钢筋和冷轧带肋钢筋作为预应力钢筋时，其混凝土强度不宜低于 C30。当采用钢丝、钢绞线、热处理钢筋作为预应力钢筋时，混凝土强度等级不宜低于 C40。

2. 预应力混凝土分类

（1）按施加预应力方式分类　按施加预应力的方式可以将预应力混凝土分为先张法预应力混凝土和后张法预应力混凝土。

先张法是指先张拉预应力筋，并将张拉的预应力筋临时固定在台座（或钢模）上，然后浇筑混凝土，待混凝土达到一定强度（一般不低于设计强度的 75%），预应力筋和混凝土之间有足够的黏结力时放松预应力筋，借助黏结力对混凝土施加预应力的施工方法，如图 7-1 所示。

后张法是指先制作混凝土构件，并在预应力筋的位置预留出相应孔道，待混凝土强度达到设计规定的数值后穿入预应力筋，再进行张拉，并利用锚具把预应力筋锚固，最后进行孔道灌浆的施工方法，如图 7-2 所示。

（2）按预应力筋的黏结状态分类　按预应力筋的黏结状态可以将预应力混凝土分为有黏结预应力混凝土、无黏结预应力混凝土。

有黏结预应力混凝土是指在预应力混凝土构件非预应力钢筋安装的同时铺设预应力筋预留孔道后浇筑混凝土，待混凝土达到设计强度后，在孔道内穿入预应力筋进行张拉，并将孔道内灌入水泥浆使预应力钢筋与混凝土之间有黏结作用的混凝土。

无黏结预应力混凝土是指无须预留管道与灌浆，而是将无黏结预应力筋同普通钢筋一样

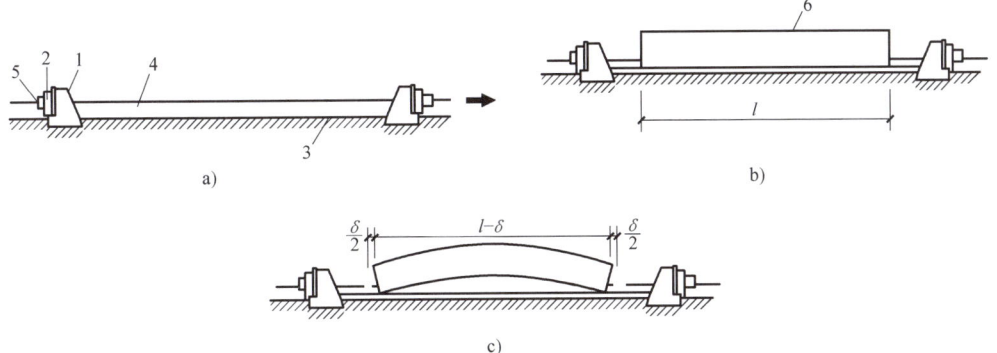

图 7-1　先张法预应力混凝土示意图

a) 预应力筋张拉　b) 混凝土浇筑和养护　c) 放松预应力筋

1—台座　2—横梁　3—台面　4—预应力筋　5—夹具　6—混凝土构件

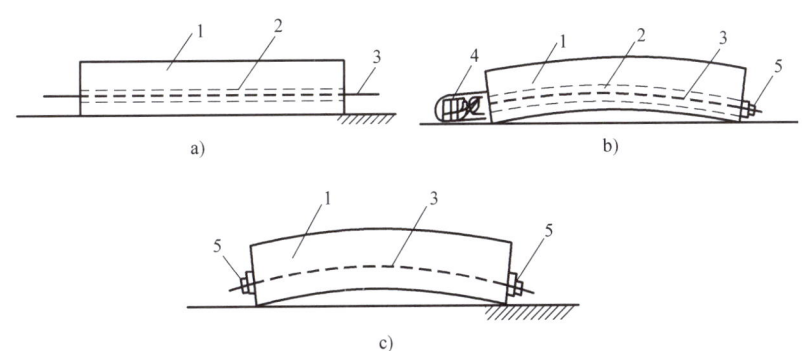

图 7-2　后张法预应力混凝土示意图

a) 混凝土浇筑和养护　b) 预应力筋张拉　c) 锚固和孔道灌浆

1—混凝土构件　2—预留孔道　3—预应力筋　4—千斤顶　5—锚具

铺设在结构模板设计位置上,用钢丝与非预应力钢丝绑扎牢靠后浇筑混凝土。无黏结预应力筋外包防腐油脂层,待混凝土达到设计强度后对无黏结预应力筋进行张拉和锚固,借助于构件两端锚具传递预压应力,预应力钢筋与混凝土之间没有黏结作用。

7.2　预应力钢材、用具及张拉设备

1. 预应力钢材

预应力钢材的发展趋势为高强度、低松弛、大直径与耐腐蚀。预应力钢材包括钢筋、钢丝与钢绞线三大类。

预应力用钢筋包括高强螺纹钢筋、钢棒等。高强螺纹钢筋直径有 18mm、25mm、32mm、40mm 和 50mm 等,常用直径为 25mm 和 32mm。钢棒直径为 6~16mm。预应力用钢丝也称为高强钢丝,具有强度高、综合性能好、用途广的特点。其直径为 4~14mm,常用直径为 5mm 和 7mm。预应力用钢绞线是用多根钢丝在绞线机上捻制成钢绞线,包括 1×2、1×3、1×7、1×19 等级别,如图 7-3 所示。其中 1×7 应用最普遍。

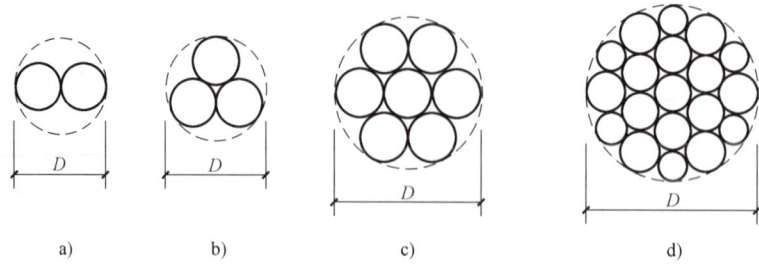

图 7-3 预应力钢绞线示意图

a）1×2 钢绞线　b）1×3 钢绞线　c）1×7 钢绞线　d）1×19 钢绞线

2. 预应力用具

预应力用具随预应力筋的类别及预应力筋张拉方法的不同而不同，主要包括锚具和夹具两种。

锚具是后张法中将拉力传递到构件上所用的永久性锚固装置，如钢丝束锥形锚具、钢丝束镦头锚具、钢绞线单/多孔锚具等。夹具是先张法中将预应力筋传递并固定在台座上的临时锚固装置，如单根钢丝锥形夹具、钢丝镦头夹具等。

处于三 a、三 b 类环境条件下的无黏结预应力筋用锚具系统，除检查质量证明文件外，应按现行行业标准《无粘结预应力混凝土结构技术规程》（JGJ 92—2016）的相关规定检验其防水性能，检验结果应符合该标准的规定。检查数量：同一品种、同一规格的锚具系统为一批，每批抽取 3 套。要求对全封闭体系进行不透水试验，要求安装后的张拉端、固定端及中间连接部位在不小于 10kPa 净水压下，保持 24h 不透水。当用于游泳池、水箱等结构时，可根据设计提出更高静水压力的要求。

3. 预应力张拉设备

施加预应力用的张拉设备可分为电动张拉机和液压张拉机两类。电动张拉机仅用于先张法单根钢丝张拉，液压张拉机广泛用于各类预应力筋张拉。

液压张拉机包括液压千斤顶、油泵和压力表等。采用千斤顶张拉预应力筋时，预应力筋的张拉力由压力表读数反映。压力表的读数表示千斤顶油缸活塞单位面积上的油压力，理论上等于张拉力除以活塞面积。但由于活塞与油缸之间存在摩擦力，使得实际张拉力比理论计算的张拉力要小。因此在施工前应采用标定方法直接测定千斤顶的实际张拉力与压力表读数之间的关系。

7.3　预应力混凝土施工

7.3.1　后张法施工

后张法预应力施工包括有黏结预应力、无黏结预应力。

1. 有黏结预应力施工

有黏结预应力施工的工艺流程主要包括：非预应力钢筋和模板安装→孔道留设→混凝土浇筑及养护→预应力筋制作及穿入→预应力筋张拉→孔道灌浆→切割封锚。

（1）孔道留设　有黏结预应力混凝土构件中留设的孔道主要为穿预应力筋及张拉锚固后灌浆用。孔道应按设计要求的位置、尺寸埋设准确、牢固，浇筑混凝土时不应出现移位和变形。孔道直径应保证预应力筋能顺利穿过。在设计规定位置上留设灌浆孔。在曲线孔道的曲线波峰部位应设置排气兼泌水管，必要时可在最低点设置排水管。灌浆孔及泌水管的孔径应能保证浆液畅通。预应力孔道应按设计要求起拱，设计无具体要求时起拱高度宜为跨度的1/1000，并随构件同时起拱。

预应力筋的孔道形状有直线、曲线和折线形。孔道留设主要采用预埋波纹管法。

预埋波纹管法是用钢筋井字架将金属波纹管或塑料波纹管固定在设计位置上，在混凝土构件中埋管成型的一种施工方法。预埋波纹管法适用于预应力筋密集或曲线预应力筋的孔道埋设。

金属波纹管是用薄钢带经压波后卷成，具有质量轻、刚度好、弯折方便、连接简单、摩擦系数小、与混凝土黏结良好等优点，可做成各种形状的孔道。金属波纹管的连接采用大一号同型波纹管，接头管长度可取其直径的3倍，且不宜小于200mm，两端旋入长度宜大致相等。两端用塑料热塑管或防水胶带封裹接口部位。波纹管的固定可采用直径不小于10mm的钢筋支架。钢筋支架应固定在箍筋上，并用钢丝将波纹管与钢筋支架扎牢，以防浇筑混凝土时波纹管上浮而移位。

塑料波纹管具有强度高、刚度大、摩擦系数小、不导电和防腐性能好等特点，宜用于曲率半径小、密封性能以及抗疲劳要求高的孔道，配合真空辅助灌浆效果更好。塑料波纹管的连接可采用塑料焊接机热熔焊接或采用专用连接管连接。

（2）预应力筋制作及穿入　预应力筋的制作应根据预应力钢材品种、锚具形式及生产工艺等因素确定。预应力筋的长度应包括孔道长度、锚固长度及张拉设备固定所需的长度等。

预应力筋的穿入根据穿入与混凝土浇筑之间的先后关系可分为后穿法和先穿法两种。后穿法是在浇筑混凝土后将预应力筋穿入孔道的方法。该方法可以在混凝土养护期间进行，不占工期，穿入后即进行张拉，预应力筋不易生锈，应优先采用。先穿法是在浇筑混凝土之前将预应力筋穿入孔道的方法。该种方法穿入预应力筋比较方便、省力，但占用工期。

（3）预应力筋张拉　预应力筋张拉时构件的混凝土强度应符合设计要求，设计无要求时，不应低于混凝土设计强度的75%。当工程所处环境温度低于-15℃时不宜进行张拉。

1）张拉力。预应力筋的张拉力 P_j 按下式计算

$$P_j = \sigma_{con} A_p \tag{7-1}$$

式中　σ_{con}——张拉控制应力（N/mm²），应根据设计图或预应力工程施工方案确定，并满足表7-1的要求；施工中为了部分抵消松弛、摩擦等需要超张拉，可将表中数值适当提高，最大不得超过 $0.05f_{ptk}$ 或 $0.05f_{pyk}$；

　　　f_{ptk}——预应力钢丝和钢绞线的抗拉强度标准值（N/mm²）；

　　　f_{pyk}——预应力螺纹钢筋的屈服强度标准值（N/mm²）；

　　　A_p——预应力筋的截面面积（mm²）。

表7-1　预应力筋张拉控制应力值　　　　　　　　　　（单位：N/mm²）

预应力钢材	张拉控制应力 σ_{con}	预应力钢材	张拉控制应力 σ_{con}
消除应力钢丝和钢绞线	≤$0.75f_{ptk}$	预应力螺纹钢筋	≤$0.85f_{pyk}$
中强度预应力钢丝	≤$0.70f_{ptk}$		

注：消除应力钢丝和钢绞线、中强度预应力钢丝的张拉控制应力不应小于 $0.4f_{ptk}$；预应力螺纹钢筋的张拉控制应力值不宜小于 $0.5f_{pyk}$。

预应力筋的张拉控制应力应符合设计要求，施工时预应力筋需超张拉，可比设计要求提高 3%～5%。

2) 预应力筋张拉程序。预应力筋的张拉程序主要根据构件类型、张锚体系、松弛损失取值等因素来确定。一般张拉程序可采用 $0 \rightarrow \sigma_{con}$。

如果预应力筋张拉吨位不大，根数很多，而设计中又要求采取超张拉以减少应力松弛损失时，其张拉程序可为 $0 \rightarrow 105\%\sigma_{con}$ 持荷 $2min \rightarrow \sigma_{con}$，或者 $0 \rightarrow 103\%\sigma_{con}$。

预应力筋张拉时宜分级加载，如下：$0 \rightarrow 0.2\sigma_{con}$（量伸长初读数）$\rightarrow 0.6\sigma_{con} \rightarrow 1.0\sigma_{con}$。

3) 预应力筋的张拉顺序及要求。预应力筋张拉顺序应按设计规定进行，使混凝土不产生超应力、构件不扭转与侧弯、结构不产生不利变位、预应力损失最小等。设计无规定时，应分批分阶段按均匀、对称原则进行张拉，如图 7-4 所示。

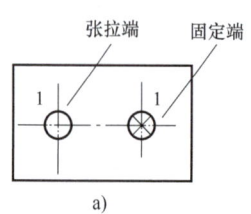
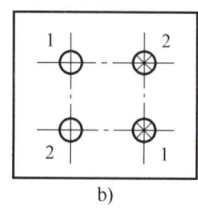
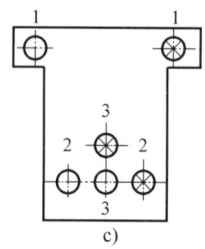

图 7-4 预应力筋对称张拉顺序示意图
a) 2 根预应力筋　b) 4 根预应力筋　c) 6 根预应力筋

4) 预应力筋的张拉方法。对于长度大于 20m 的预应力筋应采用两端同时张拉的方法，长度等于或小于 20m 时可采用一端张拉的方法。预应力筋为直线形时，一端张拉的长度可延长至 35m。对预埋波纹管孔道曲线预应力筋宜在两端张拉。安装张拉设备时，对于直线预应力筋，应使张拉力的作用线与孔道中心线重合；对于曲线预应力筋，应使张拉力的作用线与孔道中心线末端的切线方向重合。

（4）孔道灌浆　预应力筋张拉验收合格后利用灌浆机械将水泥浆灌入预应力筋孔道中即为孔道灌浆。预应力筋在高应力状态下极易生锈，张拉后孔道应尽快灌浆。其作用是保护预应力筋，防止其锈蚀，也使预应力筋与混凝土有效地黏结成一个整体，以控制使用阶段的裂缝间距和宽度，并减轻端部锚具的负荷。

孔道灌浆的材料一般为水泥浆。水泥浆应有足够的黏结力，且应有较大的流动性，较小的干缩性和泌水性。水泥浆水灰比不应大于 0.45，采用普通灌浆工艺时其稠度宜控制在 12～20s，采用真空灌浆工艺时宜控制在 18～25s。水泥浆内掺入适量灌浆专用外加剂能使水泥浆在整个水化硬化的不同阶段产生适度的微膨胀，以补偿水泥浆体的干燥收缩和自身体积收缩，并具有适度缓凝和保持良好流动性的能力。

孔道灌浆设备一般为灰浆泵，并采用真空泵辅助灌浆。真空泵辅助灌浆是在预应力孔道的一端采用真空泵抽吸孔道中的空气，使孔道内形成负压为 0.8～1.0 的真空度，然后在孔道另一端采用灌浆泵进行灌浆。采用真空辅助灌浆能使孔道内的空气、水分在负压作用下大部分被排除，增加了孔道内浆体的密实度，尤其对超长孔道、大曲率孔道等作用明显。

灌浆前用压力水冲洗和湿润孔道。灌浆顺序宜先下后上，以免上层孔道漏浆把下层孔道堵塞。灌浆应缓慢均匀连续进行，不得中断。

2. 无黏结预应力施工

无黏结预应力施工的工艺流程主要包括：预应力材料准备→非预应力钢筋安装→预应力筋安装→浇筑混凝土、养护→张拉预应力筋→切割封锚。

无黏结预应力筋由芯部的预应力钢材、润滑兼防腐的涂层以及外包层组成，如图 7-5 所示。施加预应力后预应力筋与周围混凝土不黏结。无黏结预应力筋一般是 7 根 $\phi 5mm$ 高强钢丝组成的钢丝束或扭结成的钢绞线。涂料层采用防腐润滑油脂或沥青。外包层采用高密度聚乙烯护套，其韧性、抗磨性与抗冲击性均非常好。

无黏结预应力筋应在绑扎完底筋以后进行铺放。铺设双向配筋的无黏结预应力筋时，应先铺设标高低的钢丝束，再铺设标高较高的钢丝束，以避免两个方向钢丝束相互穿插。

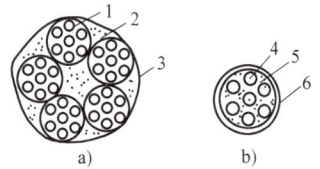

图 7-5 无黏结预应力筋截面示意图
a) 无黏结钢绞线束 b) 无黏结钢丝束
1—钢绞线 2—沥青涂料 3、6—外包塑料护套 4—钢丝 5—油脂涂料

无黏结预应力筋长度不大于 40m 时可一端张拉，大于 40m 时，宜两端张拉。

7.3.2 先张法施工

先张法一般用于预制构件厂生产定型的构件，如楼板、屋面板、檩条及吊车梁等。

先张法施工一般采用台座法，即预应力筋的张拉、锚固，混凝土的浇筑、养护及预应力筋放张等均在台座上进行。预应力筋放张前，其拉力由台座承受。

1. 台座

台座由台面、横梁和承力结构等组成，是先张法生产的主要设备。台座应有足够的强度、刚度和稳定性。台座可分为墩式台座和槽式台座。

（1）墩式台座　墩式台座由台墩、台面与横梁等组成。台墩和台面共同承受拉力。墩式台座用以生产各种形式的中小型构件。

1）台墩。台墩是承力结构，由钢筋混凝土浇筑而成。承力台墩设计时，应进行稳定性和强度验算。稳定性验算一般包括抗倾覆验算与抗滑移验算。

2）台面。台面是预应力构件成型的胎模，要求地基坚实平整，它是在厚 150mm 夯实碎石垫层上，浇筑 60~100mm 厚 C20 混凝土面层，原浆压实抹光而成的。台面要求坚硬、平整、光滑，沿其纵向有 3‰ 的排水坡度。

3）横梁。横梁以墩座牛腿为支承点安装其上，是锚固夹具临时固定预应力筋的支承点，也是张拉机械张拉预应力筋的支座。横梁常采用型钢或钢筋混凝土制作。

（2）槽式台座　槽式台座由端柱、传力柱、上下横梁和台面组成。槽式台座既可承受拉力，又可作蒸汽养护槽，适用于张拉吨位较高的大型构件，如屋架、吊车梁等。

槽式台座需进行强度和稳定性计算。端柱和传力柱的强度按钢筋混凝土结构偏心受压构件计算。槽式台座端柱抗倾覆力矩由端柱、横梁自重力矩及部分张拉力矩组成。

2. 夹具

先张法夹具分为两类：一类是锚固夹具，将预应力筋固定在台座上；另一类是张拉夹具，张拉时夹持预应力筋。先张法常采用的预应力筋有钢筋和钢丝，夹具也分为钢筋夹具和钢丝夹具。

3. 先张法张拉控制应力

张拉控制应力是指在张拉预应力筋时所达到的规定应力，应按设计规定采用。控制应力的数值直接影响预应力的效果。施工中采用超张拉工艺，使超张拉应力比控制应力提高3%~5%，但其最大张拉控制应力不得超过规定。

复习思考题

1. 预应力混凝土结构有什么优点？
2. 简述预应力混凝土的分类。
3. 简述有黏结预应力筋的张拉顺序及要求。
4. 简述预应力筋的张拉力及控制要求。
5. 简述无黏结预应力筋的组成及施工工艺流程。

应用训练

查阅文献及资料，根据我国预应力工程的发展，分析并总结无黏结预应力混凝土的应用的优点。

第 8 章 钢结构制作与安装

问题引入：土木工程施工采用钢结构与混凝土结构相比有何优缺点？

8.1 概述

钢结构工程概述

钢材基本上属各向同性材料，强度高，而且具有良好的延展性。钢结构还可以看作比较理想的弹塑性结构，可以通过结构的塑性变形吸收和消耗地震输入能量，从而具有较高的抵抗强烈地震的能力。钢结构相对于其他结构自重轻，这也大大减轻了地震作用的影响。

钢结构工程具有以下特点：

1）利于建筑工业化。钢结构可以产业化生产，形成由预制构件（框架片、网片等）及与之相配套的定型产品，因此满足了工厂化定型生产，现场拼装的特点。除基础施工外，构件全部由专业工厂标准化生产。

2）施工周期短。绿色施工，施工速度快，施工周期比传统建筑大为缩减。各构件运抵现场组装，现场安装方便，现场湿作业少，噪声粉尘和建筑垃圾也少，满足环境保护和绿色施工的要求。

3）结构自重降低，设计灵活。由于钢结构的自重较轻，基础荷载也相应地减少，且钢结构建筑的抗震性能非常好。以钢结构做支撑体系时，可建造开间、进深较大，使设计更加灵活、先进，它可以根据设计师的意愿来完成其建筑功能及建筑艺术特性。

4）钢结构工程施工要求高。钢结构防腐、防火要求较高。节点安装复杂，对安装的质量要求也较高，同时钢结构工程需要进行深化设计或对设计进行优化。

随着构筑结构高层、超高层和大跨度的发展，构筑钢结构用钢在向高强化发展。钢结构的综合性能越来越好，因此，大量使用高强度构筑用钢已成为当今世界构筑结构的趋势。

8.2 钢材的特性

1. 钢材的种类与规格

用于钢结构的钢材主要有两大类，碳素结构钢和低合金高强度结构钢。钢的牌号由代表屈服强度的字母 Q、屈服强度数值、质量等级符号（共分四个质量等级 A、B、C、D）、脱氧方法符号（沸腾钢 F、镇静钢 Z、特殊镇静钢 TZ）四部分按顺序组成。低合金高强度结构钢 Q355、Q390、Q420 是钢结构设计常采用的钢种。常见钢材的种类与规格如下：

1) 热轧钢板表示方法为厚度×宽×长度。分为厚板（厚度 4.5~60mm）和薄板（厚度 0.35~4mm）。扁钢的厚度 4~60mm，宽度 30~200mm。

2) 热轧型钢分为工字钢、槽钢、角钢、H 型钢和钢管。

其中工字钢根据截面高度 h 及厚度分为 a、b、c 类；槽钢根据截面高度 h 及厚度分类 a、b、c 类；角钢可分为等肢角钢、不等肢角钢；H 型钢的表示方法为 H 高度×宽度×腹板厚度×翼缘厚，如 $Hh×b×t_1×t_2$；钢管分为无缝管和焊接管，表示方法为 ϕ 外径×壁厚。

3) 冷弯薄壁型钢壁厚一般为 1.5~5mm，压型钢板壁厚为 0.4~1.5mm 等。

2. 影响钢结构材料性能的主要因素

（1）化学成分　钢结构材料中的有害元素及杂质有：硫（S）具有热脆性；磷（P）具有冷脆性，可提高抗腐蚀性，降低可焊性；氧（O）与 S 相似；氮（N）与 P 相似；另外铜（Cu）可提高抗锈蚀性，提高强度，对焊接性有影响；锰（Mn）为弱脱氧剂，可以消除一部分 S 的有害作用；硅（Si）为强脱氧剂；钒（V）提高强度，其碳化物具有高温稳定性，适用于受荷较大的焊接结构。

（2）材料缺陷　常见的冶金缺陷有：偏析，即化学成分分布的不均匀程度；非金属夹杂；气孔；裂纹等。

（3）温度对钢结构的影响　200℃以内对钢材性能无大影响，该范围内随温度升高总的趋势是强度、弹性模量降低，塑性增大。250℃左右抗拉强度略有提高，塑性降低，脆性增加。当温度低于常温时，钢材的脆性倾向随温度降低而增加，材料强度略有提高，但其塑性和韧性降低，该现象称为低温冷脆。260~320℃产生徐变现象。600℃左右弹性模量趋于零，承载能力几乎完全丧失。

（4）循环荷载　在循环荷载（连续反复荷载）作用下，经过有限次循环，钢材发生破坏的现象称为疲劳。疲劳属于脆性破坏，疲劳强度小于屈服点。

（5）应力集中　构件表面不平整，有刻槽、缺口、厚度突变时，应力不均匀，力线变曲折，缺陷处有高峰应力——应力集中，如图 8-1 所示。

由于钢材具有良好的塑性性能，当承受静力荷载且在常温下工作时，只要符合规范规定的设计要求，可以不考虑应力集中的影响。

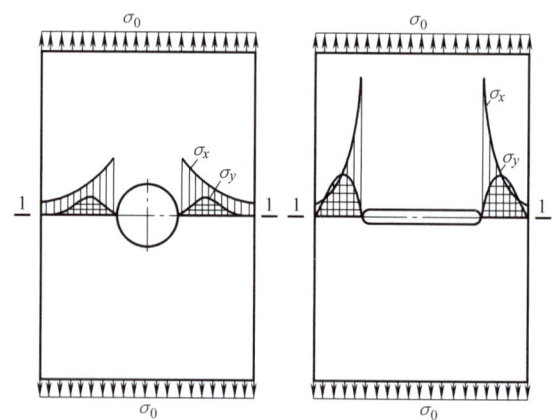

图 8-1　应力集中示意图

（6）钢材硬化　冷作硬化是指当荷载超过材料弹性极限卸载后，出现残余变形，再次加载则弹性极限（或屈服点）提高的现象，也称为"应变硬化"。自然时效是指随时间的增长，碳和氮的化合物从晶体中析出，使材料硬化的现象。人工时效是指钢材产生塑性变形后产生热量，碳、氮化合物更易析出。即冷作硬化的同时可以加速时效硬化，因此也称为"人工时效"。

（7）焊接残余应力　焊接残余应力主要有以下几个方面：纵向焊接残余应力——沿焊缝长度方向，横向焊接残余应力——垂直于焊缝长度方向，沿厚度方向的焊接残余应力。

焊接过程是一个不均匀的加热和冷却过程,焊件上产生不均匀的温度场,焊缝处可达1600℃,而邻近区域温度骤降。高温钢材膨胀大,但受到两侧温度低、膨胀小的钢材限制,产生热态塑性压缩,焊缝冷却时被塑性压缩的焊缝区趋向收缩,但受到两侧钢材的限制而产生拉应力。对于低碳钢和低合金钢,该拉应力可以使钢材达到屈服强度。焊接残余应力是无荷载的内应力,故在焊件内自相平衡,这必然在焊缝稍远区产生压应力。

焊接过程中,由于被连接构件局部受热和焊后不均匀冷却,将产生焊接残余应力和焊接变形,其大小与焊接构件的截面形状、焊缝位置和焊接工艺等有关。焊接残余应力高的可达到钢材屈服点,对构件的稳定和疲劳强度均有显著的影响。焊接变形可使构件产生初始缺陷。设计焊接结构以及施工过程都应采取措施,减少焊接应力和焊接变形。

焊接时应尽可能避免焊接残余应力的产生,焊接完成后,由专职的检查人员对焊缝进行焊接质量检查。

8.3 钢构件的制作与加工

钢结构工程图分为设计图和施工详图。施工详图(深化设计图)可由钢结构制造厂进行深化设计,细化分解为便于加工的详图。钢结构的制作与加工包括以下内容:

(1) 放样和号料 放样号料用工具及设备有划针、冲子、手锤、粉线、弯尺、直尺、钢卷尺、大钢卷尺、剪子、小型剪板机、折弯机。

1) 放样:核对图样的安装尺寸和孔距,以 1:1 的大样放出节点,核对各部分的尺寸,制作样板和样杆作为下料、弯制、铣、刨、制孔等加工的依据。

2) 号料:检查核对材料,在材料上划出切割、铣、刨、弯曲、钻孔等加工位置;打冲孔;标注出零件的编号等。

钢材若有较大弯曲、凸凹不平等问题时,应先进行矫正;根据配料表和样板进行套裁,尽可能节约材料。当工艺有规定时,应按规定的方向进行划线取料,以保证零件对材料轧制纹络所提出的要求,并有利于切割和保证零件的质量。

3) 放样号料时应注意的问题:熟悉工作图,检查样板、样杆是否符合图样要求;根据图样直接在板料和型钢上号料时,应检查号料尺寸是否正确,以防产生错误,造成废品;放样时,铣、刨的工作考虑加工余量,号料时要根据切割方法留出适当的切割余量。

(2) 切割 下料划线以后的钢材,按其所需的形状和尺寸进行下料切割。钢材的下料切割可以通过冲剪、切削、摩擦等机械力来实现,也可以利用高温热源来实现。常用的切割方法有:气割、机械切割、氧离子切割等。

(3) 成型加工 成型加工主要包括弯卷成型、边缘加工、折边、模具压制。

(4) 制孔

1) 制孔的方法有钻孔和冲孔。

2) 制孔的质量。精制螺栓孔:直径应与螺栓公称直径相等,其孔径允许偏差按钢结构有关验收规范执行。

普通螺栓孔:其孔直径应比螺栓杆、钉杆的公称直径大 1.0~3.0mm,孔径允许偏差按钢结构有关验收规范执行。

(5) 矫正　利用钢材的塑性、热胀冷缩的特性，以外力或内应力作用迫使钢材反变形，消除钢材的弯曲、翘曲、凹凸不平等缺陷，以达到矫正的目的。

(6) 组装　钢结构构件组装有地样法、仿形复制装配法、卧装、立装、胎模装配法等几种方法。

(7) 表面处理　成品表面处理就是除锈处理，通常采用自动抛丸清理机除锈。在下道工序涂层之前必须进行，钢结构的表面除锈处理直接影响底漆附着力和涂层质量。

8.4　钢结构防腐防火

在钢结构涂装前，必须对钢构件表面进行除锈。

除锈方法应符合设计要求或根据所用涂层类型的需要确定，并达到设计规定的除锈等级。常用的除锈方法有喷射除锈、抛射除锈、手工和动力工具除锈等。涂料的配置应按涂料使用说明书的规定执行，当天使用的涂料应当天配置，不得随意添加稀释剂。涂装施工可采用刷涂、滚涂、空气喷涂和高压无气喷涂等方法。宜在温度、湿度合适的封闭环境下，根据被涂物体的大小、涂料品种及设计要求，选择合适的涂装方法。构件在工厂加工涂装完毕，现场安装后，针对节点区域及损伤区域需进行二次涂装。

1. 防腐涂料涂装

近年来，水性无机富锌漆凭借优良的防腐性能，外加耐光耐热好、使用寿命长等特点，常用于对环境和条件要求苛刻的钢结构领域。

防腐涂料中环境污染物的含量应符合《民用建筑工程室内环境污染控制标准》（GB 50325—2020）的规定和要求。涂装之前钢材表面除锈等级应符合设计及规范要求。涂装施工环境的温度、湿度、基材温度要求，应根据产品使用说明确定，无明确要求的，宜按照环境温度5~38℃，空气湿度小于85%，基材表面温度高于露点3℃以上的要求控制，雨、雪、雾、大风等恶劣天气严禁户外涂装。涂装遍数、涂层厚度应符合设计要求，当设计对涂层厚度无要求时，涂层干漆膜总厚度：室外应为150μm，室内应为125μm，允许偏差为-25μm。每遍涂层干膜厚度的允许偏差为-5μm。

当钢结构处在有腐蚀介质或露天环境且设计有要求时，应进行涂层附着力测试，可按照现行国家标准执行。在检测范围内，涂层完整程度达到70%以上即为合格。

2. 防火涂料涂装

防火涂料分为薄涂型和厚涂型两种，薄涂型防火涂料通过遇火灾后涂料受热材料膨胀延缓钢材升温，厚涂型防火涂料通过防火材料吸热延缓钢材升温，根据工程情况选取使用。

薄涂型防火涂料的底涂层（或主涂层）宜采用重力式喷枪喷涂，其压力约为0.4MPa。局部修补和小面积施工，可用手工涂抹。面涂层装饰涂料可刷涂、喷涂或滚涂。双组分薄涂型涂料，现场应按说明书规定调配；单组分薄涂型涂料应充分搅拌。喷涂后，不应发生流淌和下坠。

厚涂型防火涂料宜采用压送式喷涂机喷涂，空气压力为0.4~0.6MPa，喷枪口直径宜为6~10mm。配料时应严格按配合比加料和稀释剂，并使稠度适宜，当班使用的涂料应当班配制。厚涂型防火涂料施工时应分遍喷涂，每遍喷涂厚度宜为5~10mm，必须在前一遍基本干燥或固化后，再喷涂下一遍，涂层保护方式、喷涂遍数与涂层厚度应根据施工方案确定。操作者应用测厚仪随时检测涂层厚度，80%及以上面积的涂层总厚度应符合有关耐火极限的设计要求，且最薄处厚度不应低于设计要求的85%。

钢结构防火涂层不应有误涂、漏涂，涂层应闭合，无脱层、空鼓、明显凹陷、粉化松散和浮浆等外观缺陷，乳突已剔出；保护裸露钢结构及露天钢结构的防火涂层的外观应平整，颜色装饰应符合设计要求。

钢结构防火材料的性能、涂层厚度及质量要求、防火材料中环境污染物的含量符合规范的规定和设计要求。钢结构防火涂料生产厂家必须有防火监督部门核发的生产许可证。防火涂料应通过国家检测机构检测合格。产品必须具有国家检测机构的耐火极限检测报告和理化性能检测报告，并应附有涂料品种、名称、技术性能、制造批量、存储期限和使用说明书。在施工前应复验防火涂料的黏结强度和抗压强度。防火涂料施工过程中和涂层干燥固化前，环境温度宜保持在5~38℃，相对湿度不宜大于90%，空气应流通。当风速大于5m/s，或雨天和构件表面有结露时，不宜作业。

8.5 钢结构的连接

钢结构的施工特点之一是可以采用工厂加工、现场装配。各种型钢之间的连接，主要有三种手段：铆接、焊接和栓接。钢结构建筑的早期多采用铆接，铆接施工简单，但因需要在构件上挖出洞口而降低了断面性能，容易在节点处产生集中应力，近来较少采用。采用焊接的节点，外观简洁而荷载传递效率连续，但施工作业要求较高。目前的高强度螺栓连接，可以达到强度要求，在现代钢结构中大量采用。

8.5.1 钢结构焊接

1. 传统的钢结构焊接技术

（1）焊条电弧焊　焊条电弧焊是利用电弧产生热量，熔化焊条和母材形成焊缝。焊条应与焊件钢材相适应：Q355钢选择E50型焊条（E5000—5048）；Q390、Q420钢选择E55型焊条（E5500—5518）。不同钢种的钢材焊接，宜采用与低强度钢材相适应的焊条。

焊条电弧焊施工方便，特别在高空和野外作业，适用于小型焊接，缺点是质量不稳定，要求焊工等级高，劳动强度大，效率低。

（2）埋弧焊（自动或半自动）　埋弧焊焊丝的选择应与焊件等强度。优点是自动化程度高，焊接速度快，劳动强度低，焊接质量好。缺点是需要专用设备，施工位置受限等。

（3）气体保护焊　气体保护焊是利用气体作为电弧介质并保护电弧和焊接区的电弧焊。气体保护电弧焊可以实现机械化和自动化，焊接速度快，焊接质量好。缺点是室外施工时需有防风措施。

2. 钢结构焊接新技术

（1）焊接机器人技术　焊接机器人技术克服手工焊接受劳动强度、焊接速度等因素的制约，可结合双（多）丝、免清根、免开坡口等技术，实现大电流、高速、低热输入的连续焊接，大幅提高焊接效率。

（2）双（多）丝埋弧焊技术　双（多）丝埋弧焊技术熔敷量大，热输入小，速度快，焊接效率及质量提升明显。

（3）免清根焊接技术　免清根焊接技术通过采用陶瓷衬垫和优化坡口形式（如 U 形坡口），省略掉碳弧气刨工序，缩短焊接时长，减少焊缝熔敷量，同时可避免渗碳对板材力学性能的影响。

（4）免开坡口熔透焊技术　免开坡口熔透焊技术采用单丝可实现 $t\leqslant 12mm$ 板厚熔透焊接，采用双（多）丝可实现 $t\leqslant 20mm$ 板厚熔透焊接，免除坡口加工工序。

（5）窄间隙焊接技术　窄间隙焊接技术剖口窄小，焊丝熔敷填充量小，相比常规坡口角度焊缝可减少 1/2~2/3 的焊丝熔敷量，焊接效率提高明显，焊材成本降低明显，效率提高和能源节省的效益明显。

焊接工艺参数满足焊接工艺评定试验要求；承载静荷载结构焊缝和需疲劳验算结构的焊缝，须进行焊缝外观质量检验和内部质量无损检测；焊缝超声波检测等级不低于 B 级，母材厚度超过 100mm 应进行双面双侧检验。

8.5.2　高强度螺栓连接

1. 高强度螺栓

高强度螺栓也称为高强度螺栓连接副。

高强度螺栓根据高强度螺栓的性能等级分为 8.8 级和 10.9 级。小数点前数字表示热处理后的抗拉强度；小数点后的数字表示屈强比即屈服强度实测值与极限抗拉强度实测值之比。8.8 级的意思就是螺栓杆的抗拉强度不小于 800MPa，屈强比为 0.8；10.9 级的意思就是螺栓杆的抗拉强度不小于 1000MPa，屈强比为 0.9。高强度螺栓直径一般有 M16、M20、M22、M24、M27、M30，正常情况下选用 M16、M20、M24、M30 为主。

高强度螺栓根据安装特点分为大六角头高强度螺栓和扭剪型高强度螺栓（见图 8-2）。其中 8.8 级仅有大六角头高强度螺栓，扭剪型只在 10.9 级中使用。大六角头高强度螺栓和扭剪型高强度螺栓在传力受力上并没有区别，所不同的是在施工的方法和施工工具上以及检查方式的不同。大六角头高强度螺栓只需要普通扭矩扳手就能施工，检查时主要采用退螺母抽检，即将螺母松开，然后再次拧紧到原来的位置，检查其扭矩是否达到规定值。扭剪型高强度螺栓施工需要专用扭矩扳手，检查时只要看其梅花头是否拧掉就知道是否已达到规定扭矩了。

在钢结构设计时，根据高强度螺栓的抗剪承载力的极限状态不同，可分为承压型和摩擦型高强度螺栓。摩擦型高强度螺栓是通过板件间摩擦力传递内力的，而摩擦力的大小取决于板件间的挤压力和板件间的抗滑移系数 μ；板件间的抗滑移系数与接触面的处理方法和构件钢号有关，其大小随板件间的挤压力的减小而减小。摩擦型高强度螺栓在安装使用的时候绝对不可以有滑动，螺栓不承受剪力，如果出现滑移，便会达到破坏状态，也就是螺栓的最大摩擦力高于内外剪力。这样板件就不会出现滑动或变形。承压型高强度螺栓是允许滑移的，螺栓可以承受剪力，允许外剪力大于最大摩擦力。被螺栓固定着的钢板会相对滑移，直到与螺栓接触，这个时候板件和高强度螺栓杆相互作用，最后达到极限状态形成破坏。

对于最常用的扭剪型高强度螺栓，通常用以下几种扳手：带有刻度的手动扳手、电动初拧扳手、电动终拧扳手。以上三种扳手组成一套安装工具，一般情况下用电动扳手，带有刻度的手动扳手一般用在电动扳手无法操作的地方，电动初拧扳手的扭矩是在一定范围内可调的，以便满足不同规格螺栓的初拧扭矩，但它的最高扭矩不是很高，达不到终拧扭矩值。使

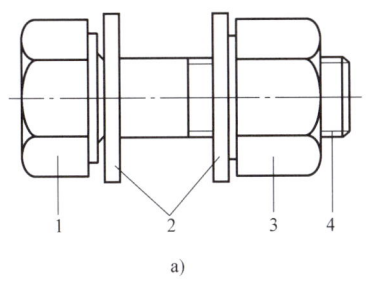 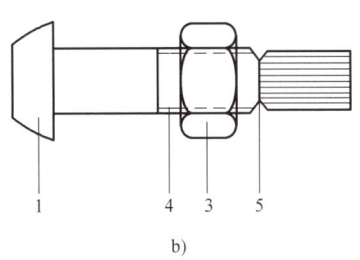

图 8-2 高强度螺栓类型

a) 大六角头高强度螺栓　b) 扭剪型高强度螺栓

1—螺栓　2—垫圈　3—螺母　4—螺钉　5—槽口

用时当扳手达到设定的扭矩时，扳手自动停止。电动终拧扳手与初拧差不多，仅是扭矩值达到螺栓的终拧值，最后拧断螺栓的梅花头。

2. 高强度螺栓与普通螺栓的区别

1) 普通螺栓可重复使用，高强度螺栓一般用于永久连接，且不可重复使用。

2) 高强度螺栓一般由高强度钢材制成，是预应力螺栓，摩擦型用扭矩扳手施加规定预应力，承压型拧掉梅花头。普通螺栓一般由普通钢材制成，只需拧紧即可。

3) 普通螺栓一般为 4.4 级、4.8 级、5.6 级和 8.8 级。高强度螺栓一般为 8.8 级和 10.9 级，其中 10.9 级居多。

4) 普通螺栓 A、B 级螺孔一般只比螺栓大 0.3~0.5mm。C 级螺孔一般比螺栓大 1.0~1.5mm。摩擦型高强度螺栓靠摩擦力传递荷载，所以螺杆与螺孔之差可达 1.5~2.0mm。

3. 高强度螺栓连接施工注意事项

(1) 成孔的要求　高强度螺栓孔不能用冲孔，因为冲孔会产生翻边，造成钢板贴合不紧密，造成板间摩擦力不够。高强度螺栓孔不应采用气割扩孔，如果采用气割扩孔，会很不规则，既削弱了构件的有效截面，减少了压力传力面积，还会使扩孔处钢材造成缺陷。

(2) 孔径偏差　高强度螺栓应自由穿入螺栓孔。出现螺栓孔错位只能采取铰刀扩张这个方法，扩孔数量应取得设计同意，扩孔后的孔径不应超过 $1.2d$。

(3) 摩擦面处理　承压型高强度螺栓连接可以不对摩擦面处理有特殊要求（与表面除锈同处理即可），不再进行摩擦面抗滑移系数试验，质量验收时，承压型高强度螺栓连接只比摩擦型高强度螺栓连接减少了摩擦面抗滑移系数检验一项内容，其余验收项目完全一致。

一般轻钢结构连接都采用承压型高强度螺栓连接，不考虑摩擦面的抗滑移系数，而且可以涂上油漆。摩擦面允许有较大的位移，破坏一般是由于螺栓受剪过大引起的。这样，可大大提高螺栓的承载力，从而达到减少螺栓数量的目的，也便于连接面螺栓的布置。

8.6　钢结构的安装

钢结构施工流程为：钢结构加工制作→编制钢结构安装方案→构件运输→进场吊装与安装→质量检查与验收。

钢结构的安装

钢结构构件在工厂加工制作完成后运到施工现场进行安装。

1. 高空散装法

高空散装法是指小拼单元或散件（单根杆件及单个节点）直接在设计位置进行总拼的方法。在钢结构安装区域搭设满堂脚手架，在脚手架上搭设工作平台，施工人员在平台上进行安装作业。高空散装法是传统施工常用的方法。

主要特点是：施工周转材料用量大，搭设脚手架作业量较大；施工作业较为安全；由于在整体平台上作业，操作方便，作业面较大。

高空散装法施工作业平台荷载需要计算，保证脚手架在施工中的整体稳定。

2. 分块安装法

分块安装法适用于网架工程的安装。在安装过程中划分分块单元，分块单元自身是不变体系，具有足够的刚度，必要时进行加固处理。分块安装时宜从中间向四周发展，在自由收缩端可以调整累计误差，施焊顺序一般从中间向四周进行，减少焊接变形和焊接应力。

分块安装减少了施工周转材料用量，提升设备要求较低。但拼装时的尺寸偏差较大，拼装质量较难控制。

3. 高空滑移法

高空滑移法是在建筑物的一侧搭设一条施工平台，在建筑物两边或跨中铺设滑道，所有构件都在施工平台上组装，分条组装后用牵引设备向前牵引滑移（可用分条滑移或整体累积滑移）。结构整体安装完毕并滑移到位后，拆除滑道实现就位。滑移可分为结构直接滑移、结构和胎架一起滑移、胎架滑移等多种方式。牵引系统有卷扬机牵引、液压千斤顶牵引与顶推系统等。结构滑移设计时要对滑移工况进行受力性能验算，保证结构的杆件内力与变形符合规范和设计要求。

高空滑移法对机械的要求较高，能够节约周转材料用量，但高空作业难度较大，需要做好安全防护工作。

高空滑移法适用于大跨度网架结构、立体桁架及钢结构屋盖的安装施工，特殊施工条件下的钢结构桥梁。滑移牵引力计算，当钢与钢面滑动摩擦时，摩擦系数取 0.12~0.15；当滚动摩擦时，滚动轴处摩擦系数取 0.1；当不锈钢与四氟聚乙烯板之间的滑靴摩擦时，摩擦系数取 0.08。

4. 整体顶（提）升法

整体顶（提）升法是将钢结构在地面或平台上拼装完成，利用起重设备提升（顶升）或吊装至安装部位，再进行调整和固定。整体顶（提）升法是机械、液压、计算机控制、传感器监测等技术的综合运用，解决了传统吊装工艺和大型起重机械在起重高度、起重质量、结构面积、作业场地等方面无法克服的难题。整体顶升法具有施工速度快、节省工期和周转材料和拼装质量易于保证的优点。缺点是施工场地受限，在地面拼装时需要足够的空间。

顶（提）升方案的确定必须同时考虑承载结构（永久的或临时的）和被顶（提）升钢结构或设备本身的强度、刚度和稳定性。要进行施工状态下结构整体受力性能验算，并计算各顶（提）点的作用力，配备顶升或提升千斤顶。对于施工支架或下部结构及地基基础应验算承载能力与整体稳定性，保证在最不利工况下足够的安全性。施工时各作用点的不同步值应通过计算合理选取。

顶（提）升方式选择的原则：一是力求降低承载结构的高度，保证其稳定性；二是确保被顶（提）升钢结构或设备在顶（提）升中的稳定性和就位安全性。确定顶（提）升点的数量与位置的基本原则是：首先保证被顶（提）升钢结构或设备在顶（提）升过程中的稳定性；在确保安全和质量的前提下，尽量减少顶（提）升点数量；顶（提）升设备本身承载能力符合设计要求。顶（提）升设备选择的原则是：能满足顶（提）升中的受力要求、结构紧凑、坚固耐用、维修方便、满足功能需要［如行程、顶（提）升速度、安全保护等］。

整体顶（提）升方案要做施工状态下结构整体受力性能验算，依据计算所得各顶（提）点的作用力配备千斤顶。提升用钢绞线安全系数：上拔式提升时，应大于 3.5；爬升式提升时，应大于 5.5。正式提升前的试提升需悬停静置 12h 以上并测量结构变形情况；相邻两提升点位移高差不超过 2cm。

复习思考题

1. 钢结构工程的优点有哪些？
2. 分析哪些因素对钢材的性能有影响？
3. 简述钢结构加工制作流程。
4. 分析焊接残余应力产生的原因及危害。
5. 钢结构的连接有哪几种形式？
6. 钢结构的焊接有几种？
7. 什么是高强度螺栓？简述其分类。
8. 高强度螺栓与普通螺栓的区别有哪些？
9. 高强度螺栓连接施工注意事项有哪些？
10. 钢结构安装有哪些方法？各有什么优缺点？

应用训练

在钢结构施工过程中，因为钢结构制作加工精度相对混凝土结构要高，在与钢筋混凝土结构连接时出现较大偏差。如果设计是通过螺栓连接，因出现偏差导致螺栓不能正常穿过原设计孔径，在现场采用简便的氧气乙炔火焰气割扩孔，以便使螺栓顺利穿过。分析此办法是否可行。工程中应如何处理此类情况？

第 9 章 结构安装工程

问题引入：分析发展装配式建筑的优点。

结构安装工程主要指在施工现场或预制厂事先将建筑物各混凝土构件单件施工完成，然后在现场用起重机械将其吊起并安装到设计位置的施工过程。用这种施工方法完成的结构称为装配式结构。

结构安装工程的主要特点有：
1）机械化作业，施工效率高，减少现场湿作业，减少污染。
2）高空作业多，需要较多的工作面。
3）对吊装机械、安全管理要求较高。
4）预制构件接头质量对工程质量有较大影响。

9.1 预制构件工厂化生产加工

预制构件工厂化生产加工

建筑工程中常用的梁、板、柱、墙板等构件工厂化生产加工，现场安装，可以加快工期，改善现场作业环境，提高构件质量。

预制构件工厂化生产加工的优点：工厂化管理、自动化智能生产带来质量保证；构件外观尺寸加工、预留预埋尺寸精度高，混凝土强度标准差小，构件承载力、起拱满足设计和规范要求。

非预应力混凝土预制构件生产技术涵盖混凝土工程、钢筋工程、模具工程、预留预埋、浇筑成型、构件养护，以及吊运、存储和运输技术等。预应力混凝土预制构件包括建筑工程中常用的预应力板、双 T 板、屋面梁、屋架、屋面板等，还包括市政和公路领域的预制桥梁构件等。

预制构件的几何加工精度控制、混凝土强度控制、预埋件的精度、构件承载力性能、保护层厚度控制、预应力构件的预应力要求等应符合设计（包括标准图集）及有关标准的规定，浇筑混凝土之前，应进行隐蔽工程验收。

对生产数量较少的预应力混凝土简支受弯构件可不进行结构性能检验，施工和监理单位应做过程检查和验收。工厂化生产的预制构件应进行结构性能检验。对大型预应力混凝土受弯构件可只进行抗裂和挠度检验。

预制构件生产达到设计或施工安装要求后运输至工地现场进行吊装安装。进场时应检查其质量证明文件。预制构件的质量应符合设计及国家现行相关标准的要求。当设计或合同有要求时，尚应按要求进行专项检验。

建筑工业化的基本特征是房屋设计标准化、构配件生产工厂化、施工机械化和组织管理科学化，并逐步采用现代科学技术的新成果，以提高劳动生产率，加快建设速度，降低工程成本，提高工程质量。建筑工业化的主要内容是将建筑构配件在预制构件厂进行生产，采用机械进行现场安装。装配式结构是指柱、梁、板等构件全部或部分现场组装的结构。

9.2 单层工业厂房结构安装工程

单层工业厂房结构的特点是平面尺寸大，柱距大，屋架、吊车梁等承重结构的跨度大，构件类型少，构件质量大等。单层工业厂房结构安装应着重解决起重机的选择、结构安装方法、起重机的开行路线和构件的平面布置等问题。

9.2.1 起重机的选择

结构安装时需要依靠起重机械将预制构件安装至设计位置。目前常用的起重机械主要包括履带式起重机、轮式起重机和塔式起重机。

履带式起重机是一种具有履带行走装置的全回转起重机，它利用两条面积较大的履带着地行走，由行走装置、回转机构、机身及起重臂等部分组成。履带式起重机的履带面积较大，对地面轮压较低，可以在较为坎坷不平的松软地面行驶和工作。轮式起重机是自行式全回转起重机，起重机构安装在汽车的通用或专用底盘上，其动力是利用汽车的发动机。轮式起重机转移迅速，对路面破坏性小。起吊时必须将支腿落地以保持稳定。塔式起重机由塔身、回转机构、悬壁架等组成。塔式起重机自身平衡性好，占用场地不大，起重高度及作业空间大，操作方便。塔式起重机包括行走式及固定式。行走式塔式起重机一般将塔式起重机安装在轨道上，其起重高度相对较小。固定式塔式起重机需要将塔身安装在其基础上，因此在塔式起重机安装前需事先根据其起吊高度、半径等进行基础方案设计，并根据设计方案开挖土方、绑扎钢筋、安设模板、浇筑混凝土等。待混凝土强度达到规范要求后方可安装塔身。固定式塔式起重机随着塔身高度的不断增加，需与建筑物相互连接固定，以保证塔式起重机的稳定。

起重机选择主要包括起重机的类型、型号及技术参数选择。起重机的主要技术性能包括三个参数，分别为起重量 Q、起升高度 H、起重半径 R。起重机的起重量必须大于所安装构件的质量与索具质量之和。起升高度必须满足所吊装构件的吊装高度要求。起重半径应覆盖吊装作业的范围，并且不能与已吊装好的构件相碰。

一般中小型厂房多选择履带式、轮式等自行式起重机，当起重机可以不受限制地开到构件吊装位置附近吊装构件时，对起重半径没有要求。当厂房的高度和跨度较大时，可选择塔式起重机。

9.2.2 结构安装方法

结构安装方法必须根据工程结构的特点、现场条件和起重机械的具体情况综合确定。结构安装方法应遵循的原则是：能快速、优质、安全地完成全吊装作业；尽量减少高空作业；采用成熟且先进的施工技术。

单层工业厂房安装的主要构件包括柱子、吊车梁、连系梁、屋架、屋面板及支撑等。其安装方法有分件安装法和综合安装法两种。分件安装法是指起重机在厂房内每开行一次仅安装一种或两种构件，然后再依次安装其他构件直至安装完所有构件。第一次开行时吊装柱子，第二次开行吊装吊车梁、连系梁及柱间支撑等，第三次开行吊装屋架、屋面板等。该种方法每次吊装构件类型相同，操作程序基本固定，吊装速度快。目前单层工业厂房多采用分件安装法。

综合安装法是指起重机在厂房开行时将一个柱距内所有类型的构件安装完毕后再行走至下一个柱距进行安装，直至所有构件安装完成。一般先吊装单跨内的柱子并加以固定，再吊装吊车梁、连系梁、屋架和屋面板等。总之，起重机在每一停机位置吊装尽可能多的构件，此方法起重机的开行路线短，停机位置较少，能为后续工序及早提供作业面，但起重机生产效率不高，目前采用相对较少。

各种类型构件的吊装工艺一般包括：绑扎→吊升→对位→临时固定→校正→最后固定。

1. 柱子吊装

（1）绑扎　柱的绑扎方法、绑扎位置和绑扎点数应根据柱的形状、长度、截面、配筋、起吊方法和起重机性能等确定。中小型柱可采用一点绑扎法，重型或长度较大的柱应采用两点绑扎法，如图 9-1 所示。

当柱子平放起吊的受弯承载力满足要求时，可采用斜吊绑扎法。柱起吊后柱身呈倾斜状态，由于吊索歪在柱的一侧边，起重钩可低于柱面，故起重臂可较短，一般高重型柱吊装时用此法绑扎。当柱平放

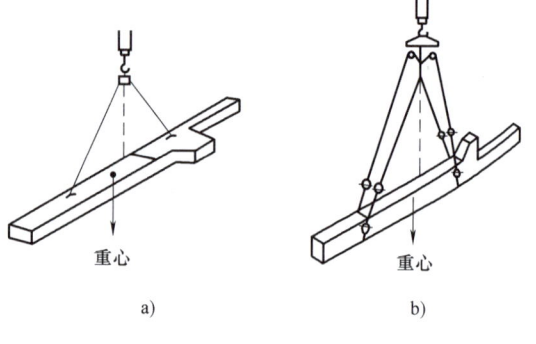

图 9-1　柱子两点绑扎示意图
a) 斜吊　b) 直吊

起吊的受弯承载力不足，需将柱由平放转为侧立后起吊，可采用直吊法。该法是用吊索围捆柱身，从柱面两侧分别扎住卡环，再与铁扁担相连。起吊后柱顶在吊钩之下，需要较大的起吊高度，但柱身呈直立状态，便于插入杯形基础内。

（2）柱的吊升　柱的吊升采用旋转法或滑行法。采用旋转法吊装柱子时，柱的平面布置宜使柱脚靠近基础，柱的绑扎点、柱脚中心与基础中心三点宜位于起重机的同一起重半径的圆弧上，如图 9-2 所示。起吊时起重机的起重臂边升钩、边回转，柱顶随起重机的运动边升起、边回转，而柱脚的位置在柱的旋转过程中是不移动的。当柱由水平转为直立后，起重机将柱吊离地面，旋转至基础上方，将柱插入杯形基础内。用旋转法吊装时，柱在吊装过程中所受振动较小，生产效率高。

采用滑行法吊装柱子时，柱的绑扎点宜靠近基础。起吊时起重机升钩，但起重臂不转动，使柱顶随起重钩的上升而上升，柱脚随柱顶的上升而向基础滑行，直至柱子直立后吊离地面，并旋转至杯形基础上方，插入杯口内，如图 9-3 所示。用滑行法吊装时，柱在滑行过程中受到振动，对构件不利，在柱脚处应采用措施减少柱脚与地面的摩擦。

（3）对位和临时固定　柱子对位即将柱子插入基础的杯口内，对准安装。然后用楔子等将已对位的柱子作临时性固定。

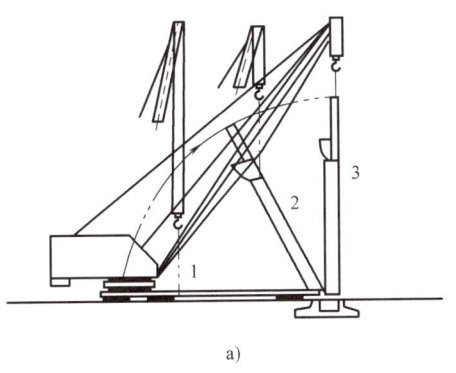 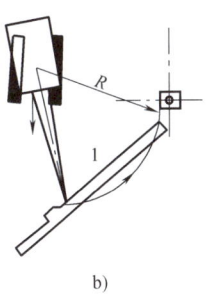

图 9-2 旋转法吊装柱示意图

a）旋转过程　b）平面布置

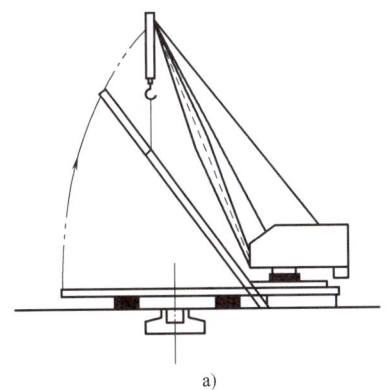 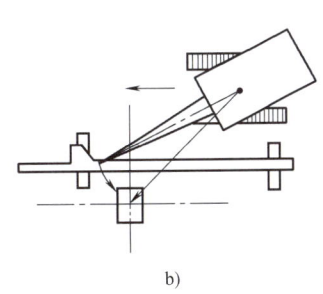

图 9-3 滑行法吊装柱示意图

a）滑行过程　b）平面布置

柱子底端插入杯口后并不立即降至杯底，而是停在杯底 30~50mm 处进行对位。对位的方法是用楔子从柱的四边放入杯口，使柱的吊装中心线对准杯口的吊装中心线，并使柱保持垂直状态。对位后将楔子略加打紧，放松吊钩，让柱靠自重沉至杯底，并将楔子打紧，将柱临时固定。柱临时固定后，起重机即可完全放钩，拆除绑扎索具。

（4）柱的校正　柱的校正非常重要，如果柱吊装就位不准确，就会影响吊车梁、屋架等吊装的准确性。柱子校正包括平面位置、标高和垂直度的校正。在柱对位时进行平面位置校正，在柱基础杯底抄平时进行标高校正，在最后固定柱前应进行垂直度校正。

柱的垂直度校正一般使用经纬仪或全站仪、线锤等进行校正。

（5）柱子最后固定　柱子校正后应立即进行最后固定。最后固定的方法是在柱脚与杯形基础之间浇筑细石混凝土，其强度等级应比原构件的混凝土强度等级提高一级。细石混凝土浇筑应分两次进行。第一次将混凝土浇筑至楔子下端，待第一次浇筑的混凝土强度达到设计强度的 25% 时，即可拔去楔子，并浇筑剩余混凝土。

2. 吊车梁吊装

柱子与杯口之间第二次浇筑的混凝土强度达到设计强度的 75% 之后即可进行吊车梁的吊装。

（1）绑扎、吊升、对位和临时固定　吊车梁绑扎时，两根吊索要等长，绑扎点对称设置，吊钩对准梁的重心，以使吊车梁起吊后能基本保持水平，如图 9-4 所示。吊车梁对位时应缓慢降钩，使吊车梁端与柱牛腿面的横轴线对准。在吊车梁安装过程中，应用经纬仪或线锤校正柱子的垂直度，若产生了竖向偏移，应将吊车梁吊起重新进行对位，以消除柱的竖向偏移。

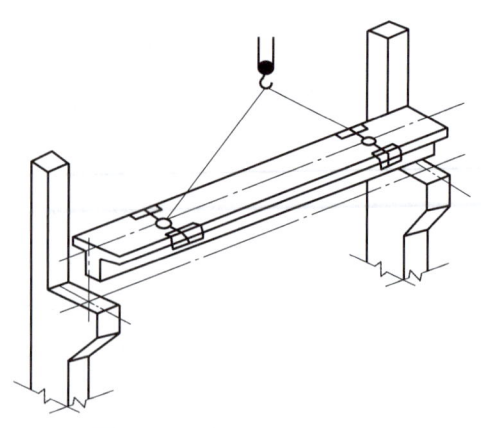

图 9-4　吊车梁的吊装示意图

（2）校正及最后固定　吊车梁的校正主要包括标高校正、垂直度校正和平面位置校正等。

吊车梁的标高主要取决于柱子牛腿的标高。平面位置的校正主要是检查吊车梁的纵轴线以及两列吊车梁之间的跨距是否符合要求。吊车梁的垂直度可用靠尺、线锤检查。

在吊车梁校正完毕后，应按设计要求将吊车梁固定。一般用连接钢板等预埋在柱及吊车梁上的预埋件相焊接，并在接头处浇筑细石混凝土填缝。

3. 屋架吊装

（1）屋架绑扎　屋架的绑扎点应选在上弦节点处，左右对称，绑扎中心（即各支吊索的合力作用点）必须高于屋架重心，使屋架起吊后基本保持水平，不晃动、不倾翻。吊索与水平线的夹角不宜小于 45°，以免屋架承受过大的横向压力，必要时可采用横吊梁。

（2）屋架的扶直与排放　钢筋混凝土屋架的侧向刚度较差，扶直时由于自重影响改变了自身的受力性质，特别是上弦杆极易扭曲造成屋架损伤。因此在屋架扶直时必须采取适当措施保证构件安全。

屋架扶直有正向扶直和反向扶直两种方法。正向扶直时起重机位于屋架下弦一侧，首先将吊钩对准屋架中心，收紧吊钩，接着起重机升钩并起臂，使屋架以下弦为轴缓缓转为直立状态。反向扶直时起重机位于屋架上弦一侧，首先将吊钩对准屋架中心，收紧吊钩，起重机升钩并降臂，使屋架以下弦为轴缓缓转为直立状态。正向扶直与反向扶直的主要不同点在于正向扶直为升臂，反向扶直为降臂。升臂比降臂易于操作且较安全，故应尽可能采用正向扶直。

屋架扶直之后，立即进行就位，一般靠柱边斜向排放，或以 3~5 榀为一组平行于柱边纵向排放。屋架就位后应将屋架与已安装好的柱互相拉牢撑紧，以保持稳定。

（3）屋架的吊升、对位与临时固定　屋架吊升时先将屋架吊离地面约 300mm，然后将屋架转至安装位置下方，再将屋架吊升至柱顶上方约 300mm 后，最后将屋架缓缓放至柱顶进行对位。

屋架对位应以建筑物的定位轴线为准。因此在屋架吊装前应用经纬仪等在柱顶放出建筑物的定位轴线。屋架对位后立即进行临时固定，临时固定稳妥后再将起重机吊钩摘去。

（4）屋架的校正及最后固定　屋架临时固定后应采用经纬仪等对其垂直度进行校正。屋架校正后应立即电焊固定。焊接时先焊接屋架两端成对角线的两侧边，再焊另外两边，避免两端同侧施焊而影响屋架的垂直度。

9.2.3 起重机的开行路线

起重机的开行路线与停机位置、起重机的性能、构件的尺寸、质量、平面布置等多种因素有关。

当吊装屋架、屋面板等屋面构件时,起重机宜跨中开行;吊装柱子时,则视跨度大小、构件尺寸、质量及起重机性能,可沿跨中开行,也可沿跨边开行,如图 9-5 所示。

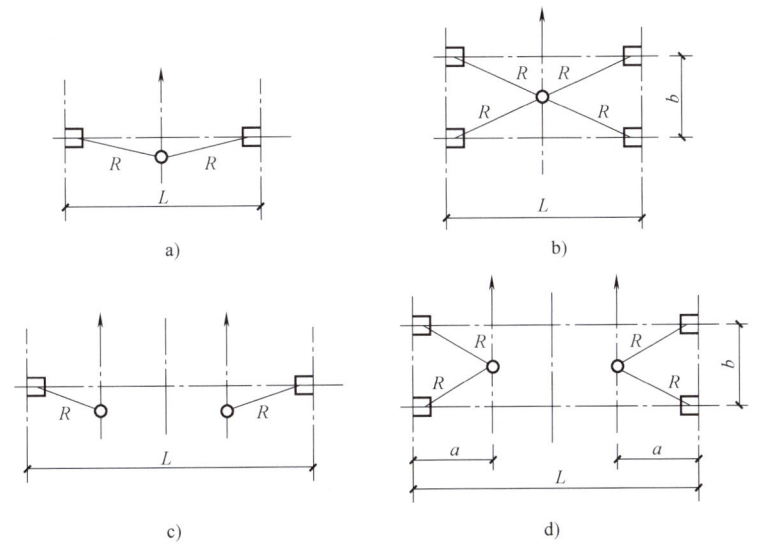

图 9-5 柱子吊装时的开行路线及停机位置
a)、b) 跨中开行 c)、d) 跨边开行
L—跨距 R—起重半径 b—柱距 a—开行路线到边跨的距离

9.2.4 构件的平面布置

构件的平面布置合理,可以减少构件在场地内的二次搬运,提高吊装效率,若布置不合理,则会影响吊装速度。构件的平面布置与吊装方法、起重机性能等有关。布置构件时应注意:

1) 每跨构件尽可能布置在本跨内,若确有困难也可布置在跨外且便于吊装的地方。

2) 构件布置方式应满足吊装工艺要求,尽可能布置在起重机的起重半径内,尽量减少起重机在吊装时的跑车、回转及起重臂的起伏次数。

3) 按"重近轻远"的原则,首先将重型构件布置在靠近其设计位置处,减少起重机行走的距离。

4) 所有构件均应布置在坚实的地基上,以免构件变形。

5) 构件的布置应考虑起重机的开行与回转,保证路线畅通,起重机回转时不与构件相碰。

柱的平面布置有斜向布置(见图 9-6)、纵向布置(见图 9-7)和横向布置三种。其中斜向布置占地少,起吊方便,应用最广。纵向布置虽占地少,但起吊不方便,只有当场地受限

制时才采用。横向布置占地多，起吊不便又妨碍交通，一般用于重型柱的双机抬吊法施工。

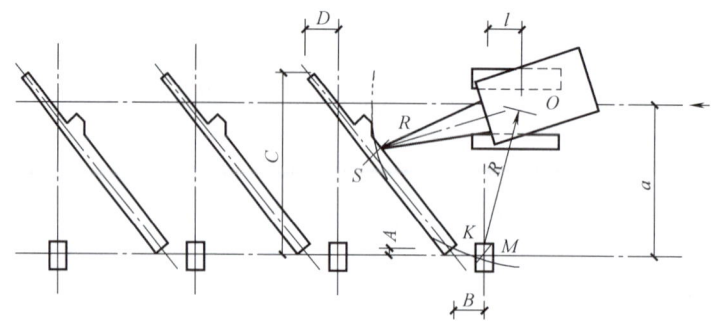

图 9-6　柱子斜向布置示意图

A—柱根部中心距安装点的垂直距离　B—柱根部中心距安装点的水平距离

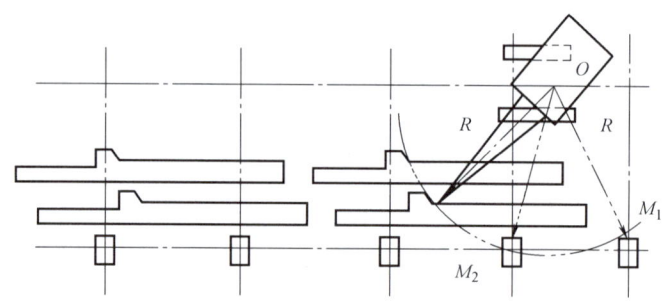

图 9-7　柱子纵向布置示意图

屋架可靠柱边斜向布置或成组纵向布置。屋架斜向布置便于屋架的扶直就位，应优先采用。采用屋架斜向布置时，首先确定起重机安装屋架时的开行路线及停机点，再确定屋架的布置范围及位置。采用成组纵向布置时，一般以 4~5 榀为一组靠柱边顺轴线纵向排放。

吊车梁、连系梁一般在其吊装位置的柱列附近，可纵向布置或斜向布置。

9.3 多层及高层结构安装工程

多层及高层结构安装工程的主要特点是建筑物高度大、柱距小、占地少、构件类型多、数量大、接头复杂、技术要求高等。因此在进行安装时应着重解决起重机械的选择、平面布置、吊装方法、接头等问题。

1. 起重机械的选择

多层及高层结构吊装时，起重机械的选择要根据建筑物的结构形式、建筑物的高度（构件最大安装高度）、平面形状及尺寸、构件质量及吊装工程量等条件综合确定。

采用较多的起重机械是塔式起重机，其次是履带式起重机及轮式起重机。多层结构可采用履带式起重机或轮式起重机吊装。高层结构宜采用塔式起重机。其技术参数选择与单层工业厂房相似。

2. 构件平面布置

起重机的平面布置方案主要根据房屋形状及平面尺寸、现场环境条件、选用的起重机性能及构件质量等因素来确定。一般情况下，起重机布置在建筑物外侧，有单侧布置及双侧（或环形）布置两种方案。房屋宽度较小，构件也较轻时，塔式起重机可单侧布置。房屋宽度较大或构件较重时，单侧布置起重力矩不能满足最远的构件的吊装要求，起重机可双侧布置或环形布置。

3. 构件吊装方案选择

在考虑结构吊装方案时应遵循以下原则：

1）尽快使已吊装好的结构具有足够的稳定性，以确保结构和施工人员的安全，以便进一步施工。

2）要满足结构构件先后安装的次序要求，以适应构件之间的构造连接。

3）尽量缩短起重机的开行路线，减少吊装过程中更换起重吊具和起重臂的变幅次数。

4）要满足必要的技术间歇（如校正、焊接、养护、灌浆等）。

分件吊装法是装配式结构最常用的方法，其优点是容易组织吊装、校正等工序，便于安排构件供应，提高工作效率等。

采用综合吊装法吊装构件时，一般以一个开间或几个开间为一个施工段，以房屋的全高为一个施工层来组织各工序的施工，起重机把一个施工段的所有构件按设计要求安装至房屋的全高后，再转入下一施工段施工。

多层及高层装配式结构的主要构件有柱、墙、主梁、次梁、楼板等。其吊装作业工序与单层工业厂房各构件类似。

9.4 装配式混凝土结构节点连接

装配式结构中构件接头质量直接影响到整个结构的稳定和刚度、施工进度等，尤其是柱与柱的接头以及柱与梁的接头处理。

1. 钢筋套筒灌浆连接

钢筋套筒灌浆连接技术是指带肋钢筋插入内腔为凹凸表面的灌浆套筒，通过向套筒与钢筋的间隙灌注专用高强水泥基灌浆料，灌浆料凝固后将钢筋锚固在套筒内的一种钢筋连接技术。

钢筋套筒灌浆连接将套筒预埋在混凝土构件内，在安装现场从预制构件外通过注浆管将灌浆料注入套筒，来完成预制构件钢筋的连接，是预制构件中受力钢筋连接的主要形式，主要用于各种装配整体式混凝土结构的受力钢筋连接。钢筋套筒灌浆连接接头由钢筋、灌浆套筒、灌浆料三种材料组成，其中灌浆套筒分为半灌浆套筒和全灌浆套筒，半灌浆套筒连接的接头一端为灌浆连接，另一端为机械连接。

钢筋套筒灌浆连接施工流程主要包括：预制构件在工厂完成套筒与钢筋的连接、套筒在模板上的安装固定和进出浆管道与套筒的连接，在建筑施工现场完成构件安装、灌浆腔密封、灌浆料加水拌和及套筒灌浆。

钢筋套筒灌浆连接适用于装配整体式混凝土结构中直径 12~40mm 的 HRB400、HRB500

钢筋的连接，包括：预制框架柱和预制梁的纵向受力钢筋、预制剪力墙竖向钢筋等的连接，也可用于既有结构改造现浇结构竖向及水平钢筋的连接。

竖向预制构件的受力钢筋连接可采用半灌浆套筒或全灌浆套筒。构件宜采用连通腔灌浆方式，并应合理划分连通腔区域。构件也可采用单个套筒独立灌浆，构件就位前水平缝处应设置坐浆层。套筒灌浆连接应采用由经接头型式检验确认的与套筒相匹配的灌浆料，使用与材料工艺配套的灌浆设备，以压力灌浆方式将灌浆料从套筒下方的进浆孔灌入，从套筒上方出浆孔流出，及时封堵进出浆孔，确保套筒内有效连接部位的灌浆料填充密实。

水平预制构件纵向受力钢筋在现浇带处连接可采用全灌浆套筒连接。套筒安装到位后，套筒进浆孔和出浆孔应位于套筒上方，使用单套筒灌浆专用工具或设备进行压力灌浆，灌浆料从套筒一端进浆孔注入，从另一端出浆口流出后，进浆、出浆孔接头内灌浆料浆面均应高于套筒外表面最高点。

套筒灌浆施工后，灌浆料同条件养护试件的抗压强度达到35MPa后，方可进行对接头有扰动的后续施工。灌浆料在满足流动度等指标要求的情况下，可采用抗压强度超过85MPa的材料，以便于连接大直径钢筋、高强钢筋和缩短灌浆套筒长度。灌浆料初始流动度不小于300mm，30min流动度不小于260mm，1d抗压强度不小于35MPa，28d抗压强度不小于85MPa。

采用套筒灌浆连接或浆锚搭接连接时，灌浆应饱满、密实。检查数量：以每层为一检验批；每工作班应制作一组且每层不应少于三组40mm×40mm×160mm的棱柱体试件，标准养护28d后按现行国家标准的规定进行抗压强度试验。

2. 混凝土预制构件的连接

柱与柱的接头首先应能够传递轴向压力，其次是剪力。要求接头及其附近区段的强度不低于构件的强度。柱接头的形式有榫式接头、插入式接头和浆锚式接头三种。

（1）榫式接头　榫式接头是将上柱和下柱外露的受力钢筋用剖口焊焊接，配置一定数量的箍筋，最后浇灌接头混凝土以形成整体。

（2）插入式接头　插入式接头是将上柱做成榫头，下柱顶部做成杯口，上柱插入杯口后用水泥砂浆灌注填实。

（3）浆锚式接头　浆锚式接头是将上柱伸出的钢筋插入下柱的预留孔中，然后用专用灌浆料灌缝，锚固上柱钢筋形成整体。钢筋套筒灌浆连接是浆锚式接头的一种。

梁与柱连接节点的抗震性能制约整个装配结构的抗震能力。为提高装配结构的抗震性能，梁与柱的连接通常采用刚性连接。除钢筋套筒灌浆连接外还可以用明牛腿式刚性接头、齿槽式梁柱接头、浇注整体式梁柱接头、型钢暗牛腿梁柱接头等。

装配式结构采用现浇混凝土连接构件时，构件连接处后浇混凝土的强度应符合设计要求。

复习思考题

1. 吊装工程的特点有哪些？
2. 结构安装遵循的原则有哪些？
3. 简述构件吊装方案选择时遵循的原则。
4. 单层工业厂房吊装的主要构件有哪些？

5. 什么是钢筋套筒灌浆连接技术?
6. 预制柱的接头形式有哪几种?

应用训练

在建筑施工过程中,经常会有埋在地下的构件需要人工挖出,有时施工员为节省人工或时间,构件未完全挖出就想利用起重机来吊装拨出构件。分析此方法是否可行。施工中应如何做?

第 10 章 砌体与脚手架工程

问题引入：建筑工程中的内墙、外墙的主要功能有哪些？

10.1 砌体工程

砌体工程是指采用水泥砂浆或混合砂浆将砖、中小型砌块或石材等材料砌筑成一个整体的工程。砌筑工程是一个综合的施工过程，它包括材料的准备、水平和垂直运输、砌体砌筑等。砌体工程的发展趋势是研发新型节能墙体材料取代原有耗能的黏土砖，改进砌体施工工艺。

10.1.1 施工准备

砌体工程所用的材料要求：应有产品合格证书、产品性能检测报告，砖、砌块、水泥等应有材料主要性能的进场复验报告。砌体工程施工所用的材料主要有砖、砌块和砂浆。

1. 砖

根据砖生产时所使用的材料及生产工艺不同，可将砖分为烧结普通砖、烧结多孔砖、蒸压灰砂砖、蒸压粉煤灰砖等。

（1）烧结普通砖　烧结普通砖是以黏土、页岩、煤矸石或粉煤灰等为主要原料，经过焙烧而成的实心或孔洞率不大于规定值且外形尺寸符合规定的砖。烧结普通砖通常尺寸为 240mm×115mm×53mm。

烧结普通砖按抗压强度分为五个等级，分别为 MU10、MU15、MU20、MU25、MU30。烧结普通砖是传统的墙体材料，具有较高的强度和耐久性，又因其多孔而具有保温绝热、隔声吸声等优点，因此适宜做建筑围护结构，被大量应用于砌筑建筑物的内墙、外墙。普通烧结砖的缺点是自重大、生产能耗高、施工效率低等。

（2）烧结多孔砖　烧结多孔砖是以黏土、页岩、煤矸石或粉煤灰等为主要原料，经焙烧而成、孔洞率不小于 25%，砖内孔洞内径不大于 22mm，孔的尺寸小而数量多的砖，简称多孔砖。烧结多孔砖通常尺寸分为 190mm×190mm×90mm 和 240mm×115mm×90mm。根据其抗压强度，烧结多孔砖分为 MU30、MU25、MU20、MU15、MU10 五个强度等级。

烧结多孔砖的孔洞单孔尺寸小，孔洞分布合理，非孔洞部分砖体较密实，具有较高的强度。烧结多孔砖使用时孔洞方向平行于受力方向，孔洞则垂直于承压面。多孔砖常用于地上结构的外围墙体砌筑。

用烧结多孔砖代替烧结普通砖可使建筑物自重减轻 30% 左右，节约黏土 20%~30%，节省燃料10%～20%，墙体施工工效提高40%，并改善墙体的隔热隔声性能。通常在相同的热工性能要求下，用空心砖砌筑的墙体厚度比用实心砖砌筑的墙体减薄半砖左右，所以推广使用多孔砖和空心砖是加快我国墙体材料改革，促进墙体材料发展的重要措施之一。

（3）蒸压灰砂砖、蒸压粉煤灰砖 蒸压灰砂砖是以砂、粉煤灰、石灰或水泥等为主要原料，经坯料制备，压制成型、蒸压养护而成的砖。蒸压灰砂砖、蒸压粉煤灰砖具有良好的耐久性能，又具有较高的强度，是替代烧结黏土砖的主要产品，可用于砖混结构的基础及地上部位。实心砖的尺寸规格与烧结普通砖一致，常见尺寸为 240mm×115mm×53mm，也有 190mm×90mm×53mm 规格的砖。空心砖常见尺寸为 240mm×190mm×115mm。

推广蒸压灰砂砖、蒸压粉煤灰砖取代烧结黏土砖对减少环境污染、保护耕地、改善建筑功能有积极作用。

2. 小型砌块

根据砌块生产时所使用的材料及生产工艺不同，可将砌块分为混凝土小型空心砌块、轻骨料混凝土小型空心砌块、蒸压加气混凝土砌块等。

（1）混凝土小型空心砌块 混凝土小型空心砌块是以水泥为胶凝材料，添加砂石等粗细骨料，加水搅拌，振动加压成型，经养护制成的具有一定空心率的砌块材料。其空心率为 25%～50%。混凝土小型空心砌块按孔洞排列方式可将其分为单排孔砌块、双排孔砌块、多排孔砌块，按孔洞的形状可将其分为方孔砌块和圆孔砌块。

混凝土小型空心砌块主规格尺寸为 390mm×190mm×190mm，辅助规格尺寸有 390mm×190mm×90mm、190mm×190mm×90mm 等。按砌块抗压强度可将其分为 MU3.5、MU5、MU7.5、MU10、MU15、MU20 六个强度等级。承重砌块强度等级一般在 MU7.5 以上，非承重砌块强度等级一般在 MU5.0 以下。砌筑砂浆的强度等级可采用 Mb5、Mb7.5、Mb10、Mb15、Mb20。混凝土小型空心砌块的优点是总体自重轻、热工性能好、砌筑方便、墙面平整度好、施工效率高。其缺点是单块砌块相对较重、易产生收缩变形、不便砍削加工等，处理不当砌体易出现开裂、漏水等质量问题。

（2）轻骨料混凝土小型空心砌块 轻骨料混凝土小型空心砌块是以陶粒、膨胀珍珠岩、火山灰、炉渣等各种轻质粗细骨料和水泥按一定比例混合，经搅拌成型、养护而成的空心率大于 25%、体积密度不大于 1400kg/m³ 的轻质混凝土小砌块。其尺寸规格与普通混凝土小型空心砌块相同。按其强度等级可将其分为 MU2.5、MU3.5、MU5.0、MU7.5、MU10.0 五级。

轻骨料混凝土小型空心砌块轻质高强、绝热性能和抗震性能好，可充分利用我国丰富的天然轻骨料资源和一些工业废渣为原料，对降低砌块生产成本和减少环境污染具有良好的社会效益和经济效益。

（3）蒸压加气混凝土砌块 蒸压加气混凝土砌块是用钙质材料（如水泥、石灰）和硅质材料（如砂子、粉煤灰、矿渣）的配料中加入铝粉作加气剂，经加水搅拌、浇筑成型、发气膨胀、预养切割，再经高压蒸汽养护而成的多孔硅酸盐砌块。蒸压加气混凝土砌块常用规格尺寸为：长度 600mm，宽度 100mm、120mm、125mm、150mm、180mm、200mm、240mm、250mm、300mm 等，高度 200mm、240mm、250mm、300mm 等。按砌块强度可将其分为 A1.0、A2.0、A2.5、A3.5、A5.0、A7.5、A10 七个强度等级。

蒸压加气混凝土砌块质量轻，保温隔热性能、防火性能和隔声性能好，并具有一定抗震能力，适用于各类建筑地面（±0.000）以上的内外填充墙和地面以下的内填充墙砌筑。

3. 砌筑砂浆

砌体砌筑时所使用的胶凝材料是砂浆。砂浆与砖粘结成一个整体后，二者共同工作，使砌体均匀受力，又减少砌体的透气性，增加砌体的密实性。砂浆采用水泥、砂、石灰膏等材料加水拌和而成。按其组成材料的不同又可将其分为水泥砂浆和混合砂浆。水泥砂浆是指仅使用水泥、砂和水拌和成的砂浆，混合砂浆是在水泥砂浆中掺入一定数量的石灰膏拌和成的砂浆。基础墙体砌筑时一般只用水泥砂浆而不能使用混合砂浆。

砌筑砂浆配制前应在有资质的试验室进行试配，施工时根据试验室出具的配合比通知单进行砂浆配制。砌筑砂浆常用强度等级为 M2.5、M5、M7.5 和 M10 四个等级。目前大多数砌体工程施工使用预拌砂浆，也称为商品砂浆。

预拌砂浆是指将水泥、砂、水和外加剂等材料按一定比例在搅拌站经计量、拌制后，运至使用地点，放入密闭容器储存，并在规定时间内使用完毕的砂浆拌合物。根据砂浆的生产方式又可将预拌砂浆分为湿拌砂浆和干混砂浆两大类。其中湿拌砂浆是指将水泥、砂及水等材料混合拌制均匀的砂浆。湿拌砂浆在储存及使用过程中不再加水，送至施工现场后应将其存放在储存容器中，储存容器应密闭、不吸水。其中干混砂浆是指将水泥、砂等干状材料混合拌制均匀的混合物。散装干混砂浆运送至施工现场后应储存在专门的筒仓中，袋装干混砂浆储存应采取防雨、防潮措施。干混砂浆在施工中需根据配合比通知单加水或配套组分搅拌均匀后再使用。预拌砌筑砂浆强度可分为 M5、M7.5、M10、M15、M20、M25、M30 七个等级。预拌砂浆产品质量高、性能稳定，可以适应不同的用途和功能要求，产品黏结性及施工性能良好，能够降低资源消耗，减少环境污染。

砌筑砂浆强度检验以标准养护龄期为 28d 的试块（70.7mm×70.7mm×70.7mm）抗压试验结果为准。抽检数量为每一检验批且不超过 $250m^3$ 砌体的各种类型及强度等级的砌筑砂浆每台搅拌机应至少抽检一次。

10.1.2　砖砌体施工

1. 砖砌体施工工艺

砖砌体施工工艺流程包括：抄平→放线→摆砖→立皮数杆→挂线→砌筑→勾缝、清理。

（1）抄平　砌墙前应在基础防潮层或楼面上定出各层标高，如果楼地面不平需用水泥砂浆或细石混凝土找平，使各段砖墙底部标高符合设计要求。

（2）放线　根据图样上标注的墙体宽度在基础顶面、楼地面或垫层上用墨线弹出墙的轴线和墙的宽度线以及控制线，并定出门窗洞口位置线。

（3）摆砖　砌筑前在放线的基础顶面、楼地面上按选定的组砌方式用干砖试摆，核对门窗洞口、附墙垛等处是否符合砖的模数，以尽可能减少砍砖的次数和数量。240mm 厚砖墙常用的组砌形式有一顺一丁、三顺一丁和梅花丁，如图 10-1 所示。一顺一丁是指一皮中全部顺砖与一皮中全部丁砖相互间隔砌成，上下皮间的竖缝相互错开 1/4 砖长；三顺一丁是指三皮中全部顺砖与一皮中全部丁砖间隔砌成，上下皮顺砖与丁砖间竖缝错开 1/4 砖长，上下皮顺砖间竖缝错开 1/2 砖长；梅花丁是指每皮中丁砖与顺砖相隔，上皮丁砖坐中于下皮顺砖，上下皮间竖缝相互错开 1/4 砖长。

（4）立皮数杆　皮数杆是指在其上画有每皮砖和砖缝厚度以及门窗洞口、过梁、楼板、梁底、预埋件等标高位置的一种木制标杆。皮数杆立于墙的转角处，若墙较长，可以每隔

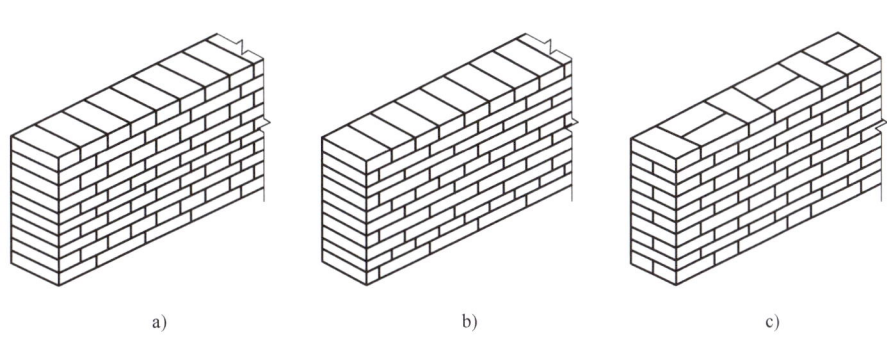

图 10-1 240mm 砖墙组砌方式示意图
a) 一顺一丁 b) 三顺一丁 c) 梅花丁

10~20m 立一根。皮数杆多用于砖混结构中,在框架结构及框剪结构中使用较少。

(5) 挂线 为保证砌体垂直度及平整度,砌筑时必须挂线,一般 240mm 厚墙可单面挂线,370mm 厚及以上的墙则应双面挂线,如图 10-2 所示。皮数杆立好后,根据每皮砖的高度及宽度位置进行挂线,先挂上通线,按所排的干砖位置把第一皮砖砌好,然后按照皮数杆盘角(指在砌墙时先砌墙角),然后从墙角处拉准线,再按准线砌中间的墙。

(6) 砌筑 砖墙砌筑常用"三一"砌砖法和挤浆法。"三一"砌砖法是一块砖、

图 10-2 砌体挂线

一铲灰、一揉压的砌筑方法,砌筑时随手将挤出的砂浆刮去。其优点是灰缝容易饱满,黏结性好,墙面整洁,常用丁实心砖砌体砌筑。

挤浆法是用灰勺、大铲在墙顶上铺一段砂浆,然后用砖挤入砂浆中一定厚度之后把砖放平的砌筑方法。其优点是可以连续挤砌几块砖,减少烦琐的动作,效率高,常用于加气混凝土砌块的砌筑。

砌筑过程中应三皮一吊、五皮一靠,保证墙面垂直度及平整度满足规范要求;灰缝饱满度要符合规范要求,其中水平灰缝砂浆饱满度不低于 80%;上下皮砖砌筑灰缝应交错布置,不能出现从上至下的通缝。且灰缝厚薄要均匀,水平灰缝和竖向灰缝厚度一般为 8~12mm。

砖砌体的转角处和内、外墙交接处应同时砌筑,提高砌体的整体性及刚度。内外墙不能同时砌筑时应留槎,接槎应牢固。施工留槎应留斜槎,斜槎长度不应小于墙体留槎高度的 2/3。当不能留斜槎时可留直槎(抗震设防地区及建筑物转角处除外),但必须做成凸槎,并按规范要求设置拉结筋,如图 10-3 所示。

墙体与构造柱的连接处应砌成马牙槎,马牙槎应先退后进,预留的拉结钢筋应位置正确,施工中不得任意弯折,如图 10-4 所示。

(7) 勾缝、清理 当墙体为清水墙时,砖墙砌完后要进行墙面修整及勾缝。勾缝使墙

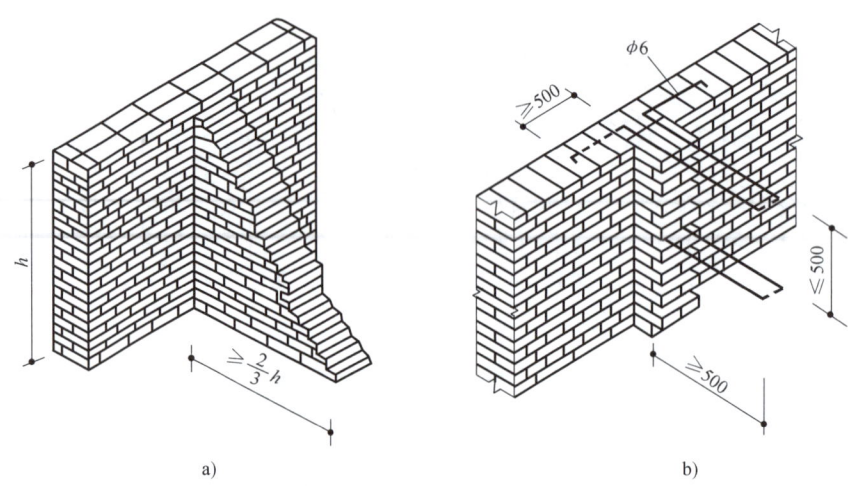

图 10-3 墙体砌筑留槎示意图

a) 斜槎 b) 凸槎

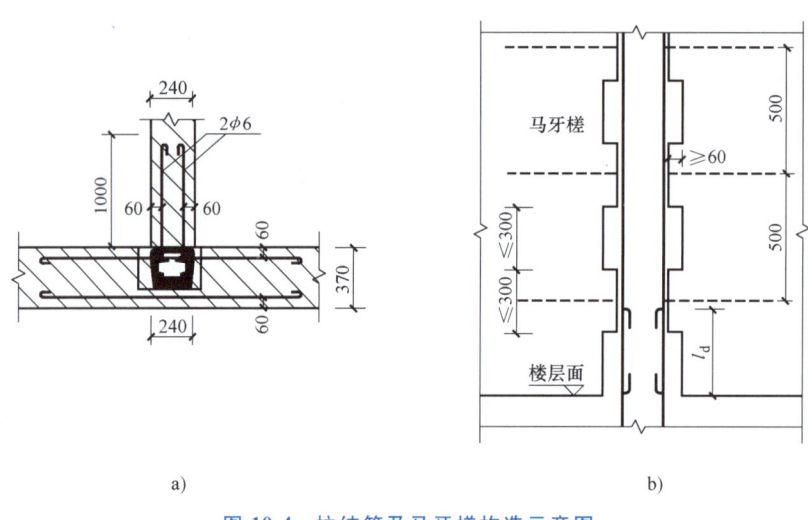

图 10-4 拉结筋及马牙槎构造示意图

a) 平面图 b) 立面图

面美观、牢固。勾缝应横平竖直，深浅一致，宜采用凹缝或平缝，凹缝深度一般为 4~5mm。勾缝完毕后，应及时清理落地灰，保持现场清洁。

2. 砖砌体施工质量要求及注意事项

1）浇水湿润：一般砖砌体砌筑时要求砖处于半干湿状态，应提前 1~2d 浇水湿润，使水浸入砖 15~20mm，含水率 5%~15% 为宜；有的新材料砌体极易吸水，并且在失水过程中会收缩，这样的砖应注意少浇水或不浇水。

2）砌体应横平竖直，砂浆饱满，上下错缝，内外搭砌，以保证砖砌体的整体性及强度。

3）框架及框剪结构中的砖墙与框架柱、剪力墙应用拉结筋进行可靠连接，防止砖墙与混凝土柱、墙之间出现通缝。

砖砌体施工质量要求及注意事项

砖墙与混凝土构件之间的拉结筋通常采用植筋法。植筋法即为化学法植筋，是指在混凝土等基材上钻孔，然后注入高强植筋胶，再插入钢筋，植筋胶固化后将钢筋与基材黏结为一体，如图10-5所示。

 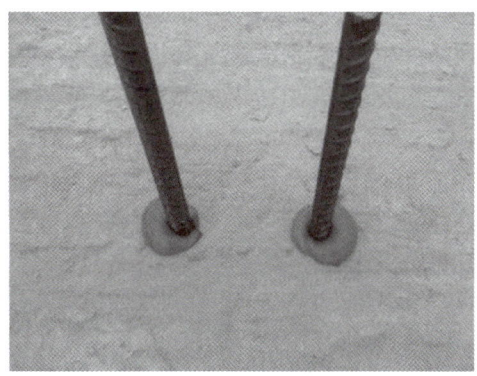

图 10-5　混凝土墙面植筋

植筋法除用于拉结筋施工外，还普遍用于对旧建筑物进行加固改造。

4）填充墙最上一皮砖应在下部墙体砌筑完成 7d 后，用实心砖斜砌并顶紧。

5）地下及潮湿环境中，应采用水泥砂浆和实心砖砌筑，或者采用混凝土来代替砖砌体。

10.1.3　小型砌块施工

小型砌块施工工艺流程与砖砌体施工相似，主要包括放线、立皮数杆、排列砌块、拉线、砌筑等。

有专用砂浆的砌块砌筑宜选用砌块生产厂家指定的专用砌筑砂浆或专用界面剂。采用专用砂浆砌筑时其灰缝厚度应均匀，且砂浆饱满。混凝土小型空心砌块、轻骨料混凝土小型空心砌块的灰缝厚度一般为10mm，正负误差不宜超过2mm，蒸压加气混凝土砌块的水平及竖向灰缝宽度宜为15mm和20mm。水平灰缝的砂浆饱满度应按扣除小型砌块孔洞后净面积计算，不低于90%；竖向灰缝的砂浆饱满度不低于90%。采用专用界面剂砌筑时接缝应均匀，且胶粘剂饱满。

空心砌块应对孔错缝搭砌砌筑。所谓对孔即上皮砌块的孔洞对准下皮砌块的孔洞，使上下皮砌块更好地传递竖向荷载，并提高墙体的保温、隔热、隔声性能。所谓错缝即上下皮砌块错开摆放，上下皮的竖向灰缝不应在一条直线上，以增强砌体的整体性。砌块与砌块间搭接长度不应小于90mm。墙体的个别部位不能满足上述要求时，应在灰缝中设置拉结钢筋或钢筋网片。

砌筑时采用"反砌"规则，即砌块的底面朝上反砌于墙上，以便于铺放砂浆和保证水平灰缝砂浆的饱满度。

墙体转角、接槎处理及与混凝土柱、墙之间的拉结处理要求与砖砌体相同。

小型砌块施工中应注意以下问题：

1）混凝土小型空心砌块吸水率很小，吸水速度慢，施工前一般不需进行浇水湿润，但在炎热天气下可提前洒水湿润。混凝土小型空心砌块表面有浮水时不得施工。蒸压加气混凝土砌块砌筑时应向砌筑面适量浇水。

2）砌块龄期达到 28d 之前自身收缩率高，其后收缩速度减慢，且强度趋于稳定，因此砌筑时其生产龄期不应小于 28d。

3）轻骨料混凝土小型空心砌块和蒸压加气混凝土砌块在厕浴间、露台、外阳台等经常受干湿交替作用的墙体根部，浇筑宽度同墙厚、高度不小于 200mm 的 C20 素混凝土坎台，对于其他墙体宜用普通砖、多孔砖或蒸压灰砂砖在其根部砌筑高度不小于 200mm 的坎台。

4）砌块墙体砌筑至梁、板底时，应留一定空隙，待墙体砌筑完并至少间隔 7d 后，再用普通砖、多孔砖或蒸压灰砂砖将其斜砌顶紧，并用砂浆填实，如图 10-6 所示。

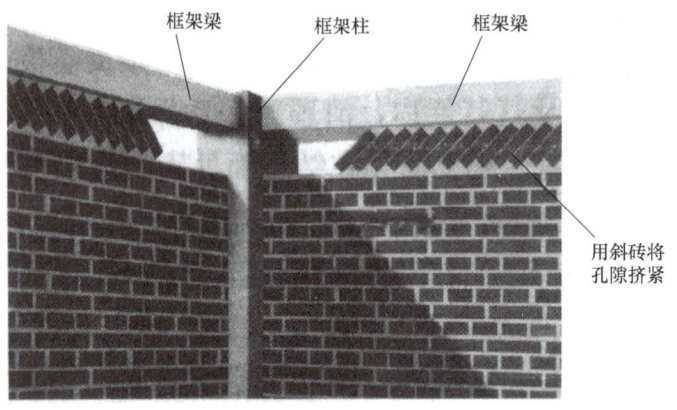

图 10-6 砌块墙顶部处理示意图

10.2 脚手架工程

10.2.1 脚手架工程概述

脚手架是土木工程施工过程中模板、钢筋、混凝土、砌体等工程施工的作业架，也是施工人员的安全防护架。

脚手架搭设的基本要求是工作面满足工人操作、材料堆放及运输的要求；构造合理，与结构拉结可靠，具有足够的强度和稳定性；装拆方便，能多次周转使用。

1. 脚手架分类

按脚手架所用材料的不同可将其分为木脚手架、竹脚手架和钢管脚手架等。

按脚手架搭设位置的不同可将其分为外脚手架和里脚手架。外脚手架是指搭设在外墙外面用于模板安装、钢筋绑扎、墙体砌筑、外墙装饰工程施工的脚手架。里脚手架是指搭设在室内用于墙体砌筑及室内装饰工程施工的脚手架。

2. 脚手架工程施工工艺

脚手架工程施工工艺流程为：编制脚手架施工方案→准备脚手架基础→脚手架搭设与使用→脚手架拆除。

（1）编制脚手架施工方案 施工单位应当在下列脚手架工程施工前编制专项方案：

1）搭设高度 24m 及以上的落地式钢管脚手架工程。

2）附着式整体和分片提升脚手架工程。

3）悬挑式脚手架工程。

4）吊篮脚手架工程。

5）新型及异型脚手架工程。

对于超过一定规模的危险性较大的下列脚手架工程，施工单位应当组织专家对专项方案进行论证：

1）搭设高度50m及以上落地式钢管脚手架工程。

2）提升高度150m及以上附着式整体和分片提升脚手架工程。

3）架体高度20m及以上悬挑式脚手架工程。

专家论证的主要内容有专项方案内容是否完整、可行，专项方案计算书和验算依据是否符合有关标准规范，安全施工的基本条件是否满足现场实际情况等。

（2）准备脚手架基础 应根据脚手架的安装方式进行脚手架基础准备。若脚手架为落地式，则应在安装前在其立杆下端支承位置浇筑混凝土垫层或铺设木板、钢板。若脚手架为悬挑式，则应根据其设计要求准备挑梁等支承构件。

（3）脚手架搭设与使用 脚手架搭设应根据其安装形式或连接形式确定搭设的工艺流程、方法，严格按规范要求进行搭设。使用过程中应派专职人员进行巡查，发现安全隐患及时处理。

（4）脚手架拆除 脚手架属周转性材料，根据脚手架材质及安装形式的不同其周转使用次数也存在差异。当脚手架使用完后应按规范进行拆除、堆放、修理，以便于后续工程周转使用。

10.2.2 外脚手架

1. 外脚手架的分类及构造

（1）按外搭设安装方式分类及其构造 按外脚手架搭设安装方式可将其分为落地式脚手架、悬挑式脚手架、附着升降式脚手架和吊挂式脚手架等。

1）落地式脚手架。落地式脚手架的立杆支设在建筑物外围的地面上或基础上，脚手架自重及施工荷载由地面或基础承担。因受立杆承载力限制，目前搭设高度一般控制在50m以内。落地式脚手架是20世纪80年代、90年代所采用的外脚手架的主要形式。

2）悬挑式脚手架。悬挑式脚手架的立杆支设在从建筑物内向外伸出的悬挑结构上，脚手架自重及施工荷载由悬挑结构承担。悬挑结构多采用工字钢制作，可直接锚固在混凝土楼板上，或下方用型钢斜撑，或在上方设置钢筋或钢丝绳斜吊拉。悬挑式脚手架一般分段搭设，每段高度一般控制在20m以内（6~7层），如图10-7所示。工字钢间距一般为1.6m左右。

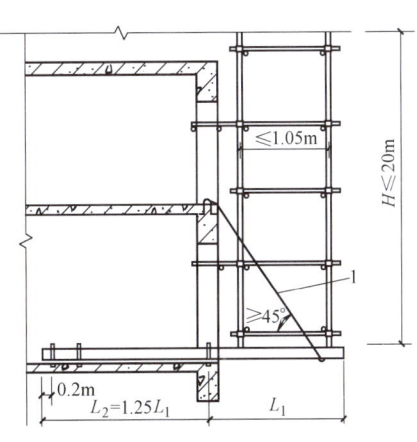

图10-7 型钢悬挑式脚手架构造示意图

1—钢丝绳或钢拉杆

3）附着升降式脚手架。附着升降式脚手架是指在地面上组装脚手架架体基本结构并附着于工程结构上，依靠自身的升降设备和装置随工程结构逐层爬升或下降的脚手架。附着升降式脚手架主要由脚手架架体结构、防倾装置、防坠落装置、升降机构及控制装置等构成。

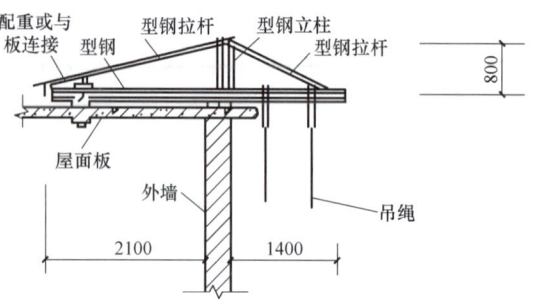

图 10-8 吊挂式脚手架吊架示意图

附着升降式脚手架又可分为整体式和分片式两种。其搭设高度一般为 3~4 个楼层。21 世纪初开始附着升降式脚手架在高层建筑中快速发展和推广应用。附着升降式脚手架具有良好的安全性和经济性，建筑高度越高其经济性越明显。

4）吊挂式脚手架。吊挂式脚手架是利用吊索、吊架等将吊篮吊挂在建筑物上部的结构上，使用时逐层下降进行砌筑、装饰工程施工或外墙维修、清洁的一种脚手架。吊挂式脚手架一般是在主体结构上设置支承点，以屋顶挑架或挑梁作为支承设施进行吊架安装，采用升降装置、钢丝绳、铁链等对吊篮进行升降作业，如图 10-8 所示。吊篮宽度一般为 5~6m，高度为一个楼层。

（2）按钢管连接方式分类及其构造　按外脚手架所用钢管连接方式可将其分为扣件式脚手架、碗扣式（盘扣式）脚手架、门式脚手架等。

1）扣件式脚手架。扣件式脚手架是通过不同类型的扣件将钢管连接成满足施工需要高度、宽度等尺寸的脚手架。

扣件是钢管与钢管之间的连接件，有直角扣件、旋转扣件、对接扣件三种形式。直角扣件用于两根垂直相交钢管的连接，它依靠的是扣件与钢管之间的摩擦力来传递荷载；旋转扣件用于两根任意角度相交钢管的连接；对接扣件用于两根钢管对接接长的连接。扣件采用螺栓紧固。

常用的脚手架钢管有 $\phi 48.3mm \times 3.6mm$、$\phi 51mm \times 3mm$ 焊接钢管或无缝钢管，根据工程需要钢管壁厚有时会稍有不同。每根钢管长度一般为 6m，施工时可根据需要进行锯截。

扣件式脚手架具有通用性强、搭设高度大、坚固耐用、经济、尺寸灵活等特点。扣件式脚手架由立杆、大横杆、小横杆、扫地杆、斜撑、脚手板、连墙件、底座和垫板等构件组成，如图 10-9 所示。

2）碗扣式脚手架。碗扣式脚手架是采用碗扣将钢管连接起来的脚手架，是一种新型承插式脚手架。即上、下两根钢立管采用承插方式进行连接，水平管与立管之间采用带齿碗扣进行连接。碗扣包括上碗扣和下碗扣，在横杆端部焊接有固定接头。下碗扣固定在立杆上，上碗扣对应地套在立杆上，安装时将横杆接头插入到下碗扣中，移动上碗扣的限位销并顶紧，完成横杆与立杆连接。每个下碗扣可同时插入 4 个方向的横杆接头，如图 10-10 所示。立杆长度有 1200mm、1800mm、2400mm、3000mm 等，横杆长度有 300mm、600mm、900mm、1200mm、1500mm、1800mm 等。

碗扣式脚手架具有安装方便、拆装迅速、受人为因素影响小、结构合理、安全可靠等特点，但横杆为几种固定尺寸，且立杆上碗扣节点按 0.6m 间距设置，使脚手架的尺寸受到限制。

3）门式脚手架。门式脚手架又称为多功能门式脚手架。门式脚手架由门式框架、剪刀

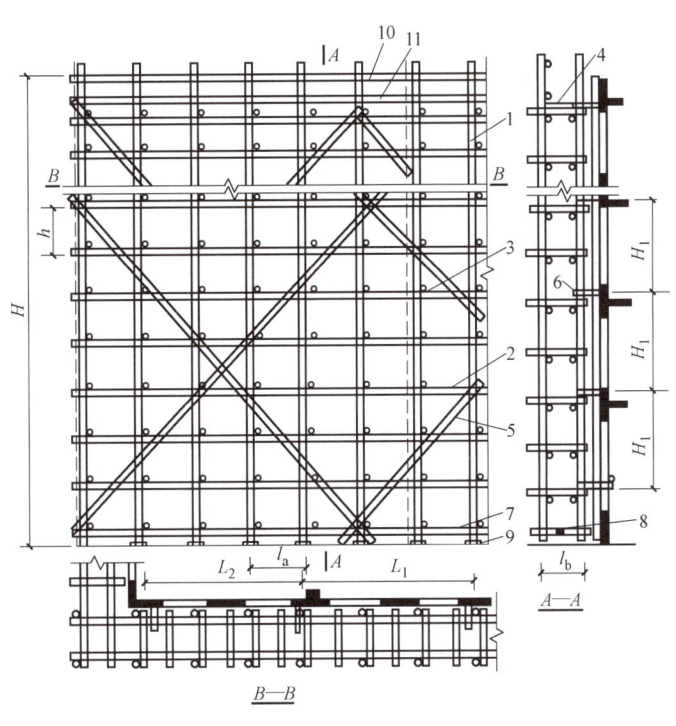

图 10-9 扣件式脚手架构造示意图

1—立杆 2—纵向水平杆 3—横向水平杆 4—脚手板 5—剪刀撑 6—连墙件
7—纵向扫地杆 8—横向扫地杆 9—垫板 10—扶手栏杆 11—挡脚板
H—脚手架总高度 h—步距 l_a—立杆纵距 l_b—立杆横距
H_1—连墙件纵距 L_1—中间距连墙件横距 L_2—边距连墙件横距

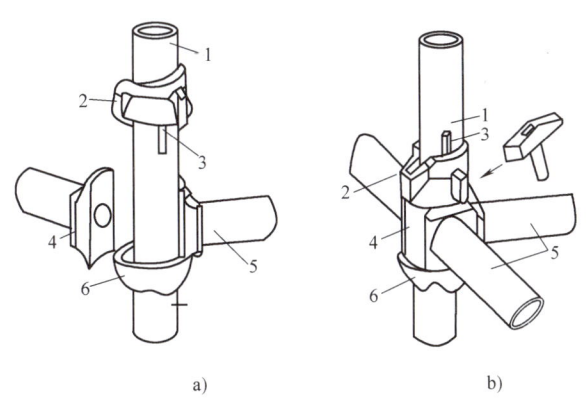

图 10-10 碗扣节点构造示意图

a) 安装前 b) 安装后

1—立杆 2—上碗扣 3—限位销 4—横杆接头 5—横杆 6—下碗扣

撑、水平梁架、连接器等组合而成。将各个基本门式单元连接起来即构成整片门式脚手架，如图 10-11 所示。

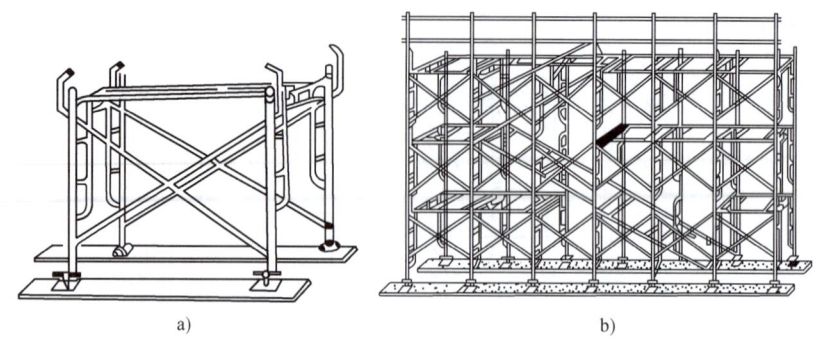

图 10-11 门式脚手架
a) 门式脚手架基本单元 b) 脚手架整体安装图

2. 脚手架的搭设和拆除

(1) 脚手架的搭设　脚手架搭设范围内的地基要夯实找平，在脚手架基础外侧设置排水沟。立杆与底座相连，底座下垫以木板或垫块，防止立杆出现不均匀沉降或变形。底座通常用厚 8mm，边长 150~200mm 钢板上焊 150mm 高钢管制成。垫板可以是木板也可以是钢板。杆件搭设时立杆应垂直，宜用对接扣件连接。扣件式脚手架搭设时贴近地面处应设置横、纵向扫地杆。脚手架的步距、横距、纵距等要根据搭设高度及脚手架形式合理确定。脚手架外侧面设置剪刀撑，剪刀撑与地面的倾角在 45°~60°。

应设置足够数量的连墙件将脚手架与结构拉结，保证脚手架的整体稳定性。每 3 步 5 跨设置一根，设置位置应靠近杆件节点处，其作用不仅防止架子外倾，同时增加立杆的纵向刚度。连墙件包括刚性和柔性两种。刚性连墙件既能承受拉力，又能承受压力，刚度较大。柔性连墙件只能承受拉力，刚度较差。

每个作业层应满铺脚手板供工人作业及堆放材料。脚手板表面应有防滑措施。脚手板根据其材料不同可分为钢制脚手板、竹制脚手板和木制脚手板等。脚手架应有可靠的安全防护设施。在作业面外侧设置安全网以防材料下落伤人和高空操作人员坠落，且随脚手架施工进度逐层上升。

施工场地周围比较空旷或建筑物比较高的脚手架必须设置防雷设施。

(2) 脚手架的拆除　脚手架拆除应按技术交底、安全交底进行作业，施工区设置警戒线并有专人指挥。拆除顺序为由上而下逐层向下的顺序进行；严禁上下同时作业，严禁将整层或数层固定件拆除后再拆脚手架，严禁抛扔。卸下的材料应集中堆放、储存。

10.2.3 里脚手架

里脚手架按其形式不同可分为马凳式脚手架、门架式脚手架等，如图 10-12 所示。马凳式脚手架可用钢

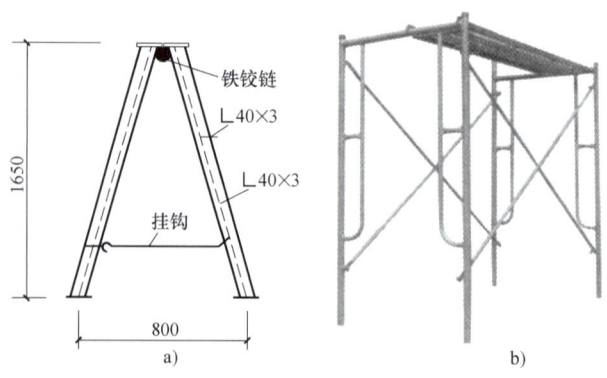

图 10-12 里脚手架
a) 马凳式脚手架 b) 门架式脚手架

筋或型钢制作，使用时在两榀马凳式之间搭设脚手板作为工人的操作板。门架式脚手架与外脚手架中介绍的门式脚手架相似。

里脚手架的特点是轻便灵活，装拆方便，能够根据需要短距离移动。

10.3 脚手架的设计与计算

在施工中复杂脚手架施工方案中需有设计计算，主要内容涉及以下几个方面：

1. 外脚手架搭设高度计算

外脚手架通常采用双排脚手架，在考虑较少的外荷载情况下，其搭设高度通常为40~45m。其荷载取值依据工程实际情况，主要计算依据是立杆受压的应力计算及考虑稳定条件下的临界应力计算。

同时考虑外架的整体稳定性，如剪刀撑和连墙件的设置，必须符合安全管理的有关规定和施工的构造要求。

2. 悬挑结构计算

为保证施工需要，通常楼层底部外脚手架需要拆除，在上层采用悬挑结构处理，一般采用型钢与楼板上预埋件连接的方式。此时计算主要是悬挑结构的抗弯、抗剪计算。

3. 作为高大模板支撑体系的计算

高大模板支撑设计主要考虑立杆的规格、间距，模杆的步距，也可采用组合钢结构进行专门设计。

本类计算主要是受压杆的应力及压杆稳定计算。

以扣件式脚手架为例，当计算高大模板支撑时，需计算脚手架立杆的稳定性。作用于模板支架的荷载包括恒荷载、可变荷载。

恒荷载标准值（N_G）包括以下内容：脚手架钢管的自重、模板的自重、钢筋混凝土楼板自重。

可变荷载标准值（N_Q）为施工荷载标准值与振捣混凝土时产生的荷载及风荷载。

立杆的轴向压力设计值计算见下式

$$N = 1.20N_G + 1.40N_Q \tag{10-1}$$

立杆的稳定性计算公式，不考虑风荷载时，计算见式。

$$\sigma = \frac{N}{\varphi A} \leqslant [f] \tag{10-2}$$

组合风荷载时，计算见式

$$\frac{N}{\varphi A} + \frac{M_W}{W} \leqslant [f] \tag{10-3}$$

式中　N——立杆的轴心压力设计值（N）；

　　　σ——钢管立杆抗压强度计算值（N/mm²）；

φ——轴心受压构件的稳定系数,根据长细比 λ 查表确定,$\lambda = \dfrac{l_0}{i}$;

l_0——计算长度(mm),根据下式计算

$$l_0 = k\mu h \tag{10-4}$$

i——计算立杆的截面回转半径(mm);

A——立杆净截面面积(mm^2);

M_W——计算立杆段由风荷载设计值产生的弯矩(N·mm);

W——立杆净截面模量(抵抗矩)(mm^3);

$[f]$——钢管立杆抗压强度设计值(N/mm^2);

k——计算长度附加系数;

μ——考虑整体稳定的计算长度系数;

h——步距(m)。

当计算结果 $\sigma<[f]$ 时,满足要求。

扣件抗滑移的计算:纵向或横向水平杆与立杆连接时,扣件的抗滑承载力按下式计算

$$R \leq R_c \tag{10-5}$$

式中 R_c——扣件抗滑承载力设计值(kN),取 8.00kN;

R——纵向或横向水平杆传给立杆的竖向作用力设计值(kN);

单扣件抗滑承载力的设计计算不满足要求,并小于 12.0kN 时可以考虑采用双扣件。

以上参数选取及详细计算参见《建筑施工扣件式钢管脚手架安全技术规范》(JGJ 130—2011)

复习思考题

1. 简述砖砌体的施工工艺。
2. 什么是"三一"砌砖法?和挤浆法相比有什么优点?
3. 砖砌体施工时质量要求及注意事项有哪些?
4. 简述小型砌块砌筑时的注意事项。
5. 脚手架的计算通常涉及哪几种情况?

应用训练

某发电厂三期扩建工程发生冷却塔施工平台坍塌特别重大事故,造成 73 人死亡、2 人受伤,直接经济损失 10197.2 万元。该发电厂三期扩建工程建设规模为 2×1000MW 发电机组,总投资额为 76.7 亿元。其中,事发 7 号冷却塔是双曲线自然通风冷却塔(见图 10-13),钢筋混凝土结构。设计塔高 165m,塔底直径 132.5m,喉部高度 132m,喉部直径 75.19m,筒壁厚度 0.23~1.1m。7 号冷却塔于 4 月 11 日开工建设,同年 4 月 12 日开始土方开挖,同年 8 月 18 日完成环形基础浇筑,同年 9 月 27 日开始浇筑筒壁混凝土,事故发生时,已浇筑

完成第52节筒壁混凝土，高度为76.7m（见图10-14）。

图10-13 冷却塔

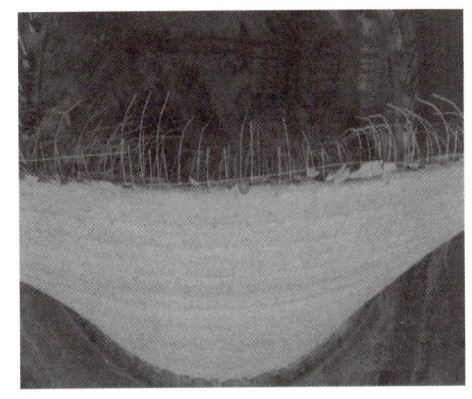

图10-14 冷却塔上部50~52节筒壁及平台塌落

试分析本次事故发生的原因，为避免这次事故应采取的预防措施。

第11章 防水与保温工程

问题引入：建筑工程屋面防水层可否设置在保温层下方？为什么？

11.1 防水工程

防水工程施工质量的好坏不仅关系到建筑工程的使用寿命，而且直接影响人们的生活和生产。因此必须依据有关施工规范和规程施工、验收，确保防水工程质量。

建筑工程需要防水的主要部位有屋面、卫生间地面和墙面、厨房地面、阳台地面和墙面、外墙面、地下室底板及外围墙体等。本章内容主要介绍屋面防水及地下防水的主要材料及施工方法，其他防水部位的材料及施工方法参照屋面防水工程中的施工方法，本章不做详细介绍。

11.1.1 防水材料

工程防水等级依据工程类别和工程防水使用环境类别分为一级、二级、三级。主体结构防水做法见表11-1。屋面工程应根据建筑物的性质、重要程度、使用功能要求等进行设防。屋面常用防水做法有防水卷材层、涂料防水层和复合防水层（由彼此相容的卷材和涂料组合而成的防水层）平屋面的防水做法见表11-2，室内楼地面防水做法见表11-3。

表11-1 主体结构防水做法

防水等级	防水做法	防水混凝土	外防水		
			防水卷材	防水涂料	水泥基防水材料
一级	≥3道	1道	≥2道；防水卷材或防水涂料≥1道		
二级	≥2道	1道	≥1道/任选		
三级	≥1道	1道	—		

注：水泥基材料指防水砂浆，外涂型水泥基渗透结晶防水材料。

1. 防水卷材

防水卷材的特点是质量轻、防水性能好、柔韧性好，适用范围广。

表11-2 平屋面工程的防水做法

防水等级	防水做法	防水层	
		防水卷材	防水涂料
一级	≥3道	卷材防水层≥1道	
二级	≥2道	卷材防水层≥1道	
三级	≥1道	任选	

表 11-3 室内楼地面防水做法

防水等级	防水做法	防水层		
		防水卷材	防水涂料	水泥基防水材料
一级	≥2道	防水涂料或防水卷材≥1道		
二级	≥1道	任选		

防水卷材需通过胶粘剂将其粘贴在基层上，因此卷材防水屋面的材料除了防水卷材外还包括胶粘剂及基层处理剂。施工时使用的防水卷材及胶粘剂应有产品合格证书和性能检测报告。

根据防水卷材成分的不同可将其分为合成高分子防水卷材（自粘）、自粘聚合物改性沥青防水卷材等。

（1）合成高分子防水卷材 合成高分子防水卷材是以合成橡胶、合成树脂或二者的共混体等合成高分子材料为主体，加入适量的化学助剂和填充料，经混炼、压延或挤出工艺制成的防水材料。合成高分子防水卷材又可分为橡胶类和树脂类卷材，以及兼具两者特点的橡塑类卷材。其中橡胶类包括三元乙丙、氯化聚乙烯橡胶共混等卷材；树脂类包括聚氯乙烯（PVC）、聚乙烯、EVA、ECB等；橡塑类卷材有热塑性聚烯烃（TPO）防水卷材。其厚度一般有1.2mm、1.5mm、2.0mm等。

合成高分子自粘片是把上述材料在其表面覆以一层自粘料，以改善或提高其与基层的黏结性能，截面结构一致的防水片材。

合成高分子防水卷材及其自粘片具有良好的弹性、抗拉强度和耐候性能，对基层变形的适应性强，又有施工简单、与基层黏结力强、适用广泛的特点。例如三元乙丙（EPDM）橡胶防水卷材、热塑性聚烯烃（TPO）防水卷材在工业与民用建筑屋面工程做外露防水，受振动、易变形建筑工程防水，有刚性保护层或倒置式屋面等都有着优秀的应用效果。

合成高分子防水卷材及其自粘片广泛适用于各种工业、民用建筑的屋面及地下工程防水，并且本身无毒害，生产污染少，这种材料是防水材料的主要发展方向。

（2）自粘聚合物改性沥青防水卷材 自粘聚合物改性沥青防水卷材是以自粘聚合物改性沥青为基料，非外露使用的无胎基或采用聚酯胎基增强的本体自粘防水卷材，不适用于仅表面覆以自粘层的聚合物改性沥青防水卷材。自粘聚合物改性沥青防水卷材按有无胎基增强分为无胎基类、聚酯胎基类；无胎基类主要使用厚度为1.5mm、2.0mm；聚酯胎基类主要使用厚度为3mm、4mm、5mm。

自粘聚合物改性沥青防水卷材的性能与应用和聚合物改性沥青防水卷材相似，主要区别为该类卷材施工更加方便，不需明火，冷施工，施工速度快。与聚合物改性沥青卷材相比，自粘聚合物改性沥青防水卷材本身具有自闭的功能，具有一定的自愈性，施工简便，容易形成全封闭的整体防水层。

（3）胶粘剂和基层处理剂 基层处理剂是为了增强防水卷材与基层之间的黏结力而在防水层施工之前预先涂刷在基层上的涂料。胶粘剂与基层处理剂应根据防水卷材的种类进行选择，见表11-4。

表 11-4　胶粘剂、基层处理剂与防水卷材的对应关系

防水卷材	胶粘剂	基层处理剂
合成高分子	卷材生产厂家配套产品或指定产品	
自粘型合成高分子	—	卷材生产厂家配套产品
自粘聚合物改性沥青	—	石油沥青冷底子油、橡胶改性沥青溶液

2. 防水涂膜

防水涂料根据成膜物类型分为有机防水涂料、无机防水涂料。涂膜防水是在自身有一定防水能力的结构层表面涂刷一定厚度的防水涂料，经固化后，形成一层具有一定坚韧性的防水涂膜的防水方法。涂膜防水材料主要由底漆、防水涂料、胎体增强材料、隔热材料、保护材料组成。防水涂膜根据其成分不同可分为高聚物改性沥青防水涂膜、聚合物水泥防水涂膜、合成高分子防水涂膜等。防水涂膜又可分为溶剂型和水乳型两种类型。溶剂型涂料是高分子材料溶解于溶剂中形成的溶液。水乳型涂料是以水作为分散介质，是高分子材料以极微小的颗粒稳定悬浮于水中形成的乳液，水分蒸发后成膜。

涂膜厚度应根据屋面防水等级及涂膜组分确定。

11.1.2　屋面防水施工

1. 卷材屋面防水施工

卷材防水屋面是指将高聚物改性沥青防水卷材、合成高分子防水卷材或复合防水层通过胶粘剂铺贴在屋面上起到防水功能的屋面。卷材防水层应铺贴在找平层之上。

（1）找平层材料及施工　找平层的作用是保证卷材铺贴平整、牢固。常用材料有水泥砂浆、细石混凝土等。找平层的厚度与基层结构形式有关，见表 11-5。

表 11-5　找平层厚度与基层结构形式的关系

找平层材料	基层种类	找平层厚度/mm
水泥砂浆找平层	整体现浇混凝土板	15~20
	整体材料保温层	20~25
细石混凝土找平层	板状材料保温层	30~35
	装配式混凝土板	

水泥砂浆找平层一般为 1∶2.5 水泥砂浆。细石混凝土找平层的强度等级不低于 C20。找平层必须清洁、干燥、平整坚实，无松动、起砂等现象。其施工工艺流程为：基层清理、湿润→管根封堵→弹线→做灰饼→嵌分格条→铺砂浆或细石混凝土→刮平抹压→养护。

1）基层清理、湿润。找平层施工前应先将屋面上的垃圾、杂物清扫干净，并对基层洒水湿润。

2）管根封堵。对出屋面的排气管、雨水管等管道根部进行防水处理，避免出现薄弱的部位。

3）弹线。根据找平层分格要求弹好分格位置线，并在周围的墙、管道等上面弹出标高线，作为施工时的控制基准。

4）做灰饼。用砂浆做出若干与找平层等厚度的 50mm×50mm 灰饼，便于施工时控制中间部位的找平层的标高。

5)嵌分格条。当屋面尺寸较大时为防止砂浆或细石混凝土整体施工后出现干缩裂缝,应在找平层上设置分格缝。分格缝间距不宜大于6m。根据设计要求在分格缝位置嵌分格条,便于找平层分仓施工。

6)铺砂浆或细石混凝土。找平层施工时按由高到低的顺序进行,并根据屋面排水坡度要求设置坡度。

7)刮平抹压。找平层边施工边抹平、压实,水泥终凝前完成收水后应二次压光,保证面层平整度满足规范要求。

8)养护。找平层施工完后,尤其是细石混凝土找平层应进行洒水养护,养护时间及方法与普通混凝土相同。

(2)防水卷材施工　防水卷材施工工艺流程为:清理基层→涂刷基层处理剂→弹线→铺贴附加层→铺贴卷材防水层→蓄(淋)水试验→铺设保护层。

1)清理基层。防水卷材施工前应先将基层上的垃圾及杂物清理干净。基层应平整、干燥。

2)涂刷基层处理剂。基层处理剂一般采用涂刷法施工。涂刷要薄而均匀,不得有空白,不堆积,无气泡。多遍涂刷时应待前一遍干燥后再进行后一遍施工。

3)弹线。根据卷材规格在每幅卷材铺贴位置上弹出墨线,作为施工时铺贴的控制基准。

4)铺贴附加层。结构易发生较大变形、易渗漏、损坏和老化的部位,如雨水落水口、天沟、出屋面管、屋面平、立面相交处,屋面找平层分格缝等防水薄弱部位应在卷材大面积铺贴前专门设置1或2层附加防水层,以增强防水层局部抵抗破坏和老化的能力。

5)铺贴卷材防水层。防水卷材铺贴方法应根据卷材类型确定,可采用冷粘法、热粘法、热熔法、自粘法、焊接法、机械固定等方法。

卷材粘贴时应根据防水层的部位及具体情况确定粘贴方法,可采用满铺法、空铺法、条粘法或点粘法。

满铺法是卷材全部与基层粘贴牢固;空铺法是将卷材的四周与基层粘贴牢固;条粘法是卷材与基层成条状粘贴,粘贴条不少于两条,每条宽度不少于150mm;点粘法是卷材与基层采用点状粘贴方式,每平方米不少于5点,每点100mm×100mm。采用空铺法、点粘法和条粘法粘贴防水卷材时,应对屋面周边800mm范围内的卷材满粘。当卷材与基层满粘后,基层变形产生裂缝会影响卷材的正常使用,因此对于屋面基层可能开裂的部位,如分格缝、板端缝、构件交接处、构件断面变化等部位宜采用空铺、点粘或条粘法,使卷材不与基层粘贴过于牢固而出现裂缝。

在坡度较大和垂直面上粘贴防水卷材时,应采取满粘法铺贴,必要时采用机械固定和对固定点进行密封的方法。大坡面或垂直面上粘贴防水卷材时往往由于卷材本身重力大于黏结力而使防水层发生下滑现象,采用金属压条钉压固定并用密封材料封严可以防止卷材下滑。

卷材防水层铺贴顺序和方向应符合下列规定:先进行细部构造处理,然后由屋面最低标高向上铺贴,坡与立面的卷材应由下向上铺贴,使卷材按流水方向搭接。平面与立面相接处应按设计要求将卷材贴至立面一定高度位置,一般高度至少300mm;檐沟、天沟卷材铺贴时宜顺檐沟、天沟方向铺贴,搭接缝应顺流水方向;铺贴方向一般视屋面坡度而定,当坡度在3%以内时,卷材宜平行于屋脊方向铺贴,坡度大于15%时或屋面受振动时,应垂直于屋脊铺贴；上下层卷材不得相互垂直铺贴。

卷材搭接缝应符合下列规定：平行于屋脊的搭接缝应顺流水方向搭接，搭接宽度应符合表11-6的要求；垂直屋脊的搭接缝应顺主导风向搭接；上下层卷材长边搭接缝应错开，且不应小于幅宽的1/3；相邻两幅卷材短边接缝应错开不小于500mm。卷材铺贴后考虑到施工的可靠性，搭接缝口应用宽10mm的密封材料封口，以提高卷材接缝的密封防水性能。密封材料宜选择卷材生产厂家提供的配套密封材料或者与卷材同种材性的密封材料。

表11-6 卷材搭接最小宽度

卷材类别	搭接方式	搭接宽度/mm
合成高分子防水卷材	胶粘剂、黏结料	100
	胶粘带、自粘胶	80
	单缝焊	60，有效宽度不应小于25
	双缝焊	80，有效宽度10×2+空腔宽
	塑料防水板双面缝焊	100，有效宽度10×2+空腔宽
聚合物改性沥青	热熔法、热沥青/自粘	100/80

采用冷粘法铺贴卷材应符合下列规定：胶粘剂应涂刷均匀，不得露底、堆积；卷材铺贴时卷材下面的空气应排尽，并辊压粘贴牢固；铺贴的卷材应平整顺直，搭接尺寸准确，不得扭曲、皱折。搭接部位的接缝应满涂胶粘剂，辊压粘贴牢固。

采用自粘法铺贴卷材应符合下列规定：铺贴卷材前基层表面应均匀涂刷基层处理剂，基层处理剂干燥后应及时铺贴卷材；铺贴卷材时应将自粘胶底面的隔离纸完全撕净，排除卷材下面的空气，并应辊压粘贴牢固，搭接缝应采用材性相容的密封材料封严；低温施工时，可采用热风机加热，提高粘贴及接缝效果。

采用焊接法铺贴卷材应符合下列规定：对热塑性卷材的搭接缝可采用单缝焊或双缝焊，焊接应严密；焊接前卷材应铺放平整、顺直，搭接尺寸应准确，焊接缝的结合面应清理干净；应先焊长边搭接缝，后焊短边搭接缝；应控制加热温度和时间，焊接缝不得漏焊、跳焊或焊接不牢。

采用机械固定法铺贴卷材应符合下列规定：固定件应与结构层连接牢固；固定件间距应根据抗风揭试验和当地的使用环境与条件确定，并不宜大于600mm；卷材防水层周边800mm范围内应满粘，卷材收头应采用金属压条钉压固定和密封处理。

6）蓄（淋）水试验。进行淋水或蓄水试验是为了检验防水层的质量，大面积屋面防水层应进行淋水试验，檐沟、天沟等部位应进行蓄水试验。蓄（淋）水试验应在防水施工完毕24h后进行。蓄水试验的蓄水深度应不小于20mm，蓄水时间为24h，水面无明显下降为合格。

7）铺设保护层。在卷材或涂膜防水层上设置保护层的目的是保护防水层不直接受阳光紫外线照射以及人为破坏，从而延长防水层的使用寿命。上人型屋面防水层的保护层可采用细石混凝土或块体材料。不上人型屋面防水层的保护层可采用浅色涂料、水泥砂浆等材料。

由于刚性保护层材料的自身收缩或温度变化影响，容易直接拉伸防水层而使防水层疲劳开裂而发生渗漏，因此块体材料、水泥砂浆、细石混凝土保护层与卷材、涂膜防水层之间应设置隔离层，使保护层与防水层分离，减少两者之间的黏结力、摩擦力，并使保护层的变形不受约束。常用的隔离层材料包括塑料膜、土工布、石油沥青卷材、低强度等级砂浆等。

采用块体材料做保护层时宜设分格缝，纵横间距不宜大于10m，分格缝宽度宜为20mm，并应用密封材料嵌填。采用水泥砂浆或细石混凝土做保护层时表面应抹平压光，并应设置分格缝。其纵横间距不应大于6m，分格缝宽度宜为10~20mm，并应用密封材料嵌填。浅色涂料是指丙烯酸系反射涂料，具有良好的黏结性、不透水性，耐老化和耐久性好。采用浅色涂料做保护层时，应与防水层粘贴牢固。浅色涂料应多遍涂刷，厚薄应均匀，不得漏涂。

块体材料、水泥砂浆、细石混凝土保护层与女儿墙或山墙之间应预留宽度为30mm的缝隙，缝内宜填塞聚苯乙烯泡沫塑料，并应用密封材料嵌填。

2. 涂膜防水屋面施工

涂膜防水屋面施工工艺流程与卷材防水屋面施工工艺流程基本相同（除弹线外），主要包括：清理验收基层→涂刷基层处理剂→铺贴附加层→涂膜防水层施工→蓄水试验→施工保护层。

涂膜防水屋面施工中应注意以下事项：

1）涂膜防水层的基层应坚实，平整，干净，无孔隙、起砂和裂缝；合成高分子防水涂膜、高聚物改性沥青防水涂膜施工前基面应干燥。

2）涂膜厚度应根据设计要求及涂料的种类分层分遍涂布，接槎宽度不应小于100mm。

3）涂层应厚薄均匀，表面平整，不应有气泡。

4）施工时应采取绿色施工措施。

11.1.3 地下防水工程

地下防水主要指的是地下室、半地下室的底板、外墙等部位的防水。地下防水的主要形式有抗渗混凝土自防水、水泥砂浆防水、卷材防水和涂膜防水等。

1. 抗渗混凝土自防水结构施工

抗渗混凝土是依靠混凝土材料本身的密实性而具有防水能力的混凝土结构。它既是承重结构、围护结构，又满足抗渗要求。

抗渗混凝土结构常采用普通防水混凝土和外加剂防水混凝土。普通防水混凝土是在普通混凝土骨料级配的基础上调整配合比，控制水灰比、水泥用量、灰砂比和坍落度来提高混凝土的密实性，从而抑制混凝土中的孔隙，达到防水的目的。外加剂防水混凝土是在混凝土中加入防水剂、减水剂等外加剂，从而改善混凝土内部组织结构，增加混凝土密实性，提高混凝土的抗渗能力。

抗渗混凝土施工时应注意以下问题：

1）为防止混凝土内部出现渗水通路，应在地下室外围墙体模板的对拉螺栓的中部焊接止水片，如图11-1所示。采用工具式螺栓或螺栓加堵头时，拆模后应将留下的凹槽用密封材料封堵密实，并用聚合物水泥砂浆抹平。墙体钢筋安装时不得触击模板，避免形成渗水路径。

2）混凝土施工时应不留或少留施工缝。地下室底板混凝土必须连续浇筑，地下室外墙混凝土若不能与底板一起浇筑，其施工缝一般应留在距墙底面不小于300mm的水平面上。

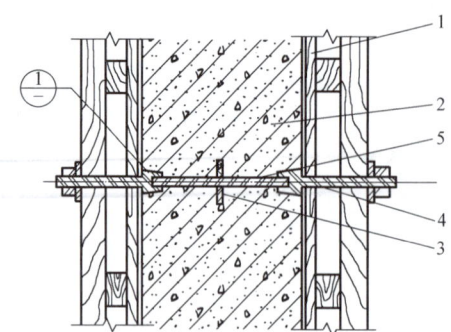
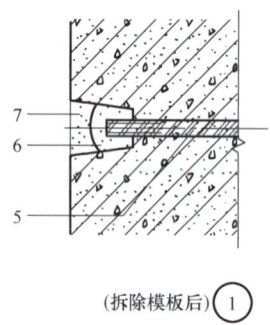

图 11-1 地下室墙体止水片示意图
1—模板 2—混凝土 3—止水片 4—工具式螺栓
5—固定模板用对拉螺栓 6—密封 7—聚合物水泥砂浆

施工缝中间应预埋止水带，如图 11-2 所示。止水带有钢板止水带、橡胶止水带、钢板橡胶止水带等。

3）抗渗混凝土必须充分拌和均匀，运输时防止离析和泌水。

4）混凝土浇筑前应清理模板内的杂物和积水，模板应浇水湿润。混凝土浇筑后应对防水混凝土进行洒水养护。养护对混凝土的抗渗性能影响很大，特别是早期湿润养护更为重要，如果早期失水，将导致防水混凝土的抗渗性大幅度降低。

2. 水泥砂浆防水层施工

水泥砂浆防水层是用多道水泥砂浆层构成的防水层，它利用抹压均匀、密实、交替施工的水泥砂浆层构成坚硬封闭的整体，以达到阻止压力水渗透的作用。

图 11-2 施工缝预埋止水带示意图
1—先施工的混凝土 2—后施工的混凝土 3—止水带

水泥砂浆防水层施工时应注意以下问题：基层表面应清洁、坚实，并保持湿润。与基层结合的第一层水泥砂浆为素水泥砂浆，水灰比为 0.37~0.40。其他层水泥砂浆由水泥、砂、水拌和而成，水灰比为 0.6~0.65，灰砂比为 1：2.5。在迎水面的水泥砂浆防水层一般采用"五层抹面法"，背水面的水泥砂浆防水层一般采用"四层抹面法"。

3. 卷材防水层施工

地下防水工程所使用的防水卷材一般为高聚物改性沥青防水卷材和合成高分子防水卷材。所选用的基层处理剂、胶粘剂等材料应与铺贴卷材材性相配套。

地下工程卷材防水层通常在主体结构迎水面铺贴，即将防水卷材铺贴在建筑结构的外侧，简称为外防水。由于防水卷材铺贴在迎水面上，卷材直接承受压力水的作用使其紧紧压在建筑结构上，防水效果好。外防水有两种施工方法，分别为外防外贴法和预铺反粘法。

（1）外防外贴法施工 外防外贴法是将卷材防水层直接铺设在需防水的底板、外墙外表面的方法。

外防外贴法的施工顺序是：在混凝土底板垫层砂浆找平层干燥后进行底板卷材防水层铺贴，并伸出一定长度与立面卷材进行搭接。为避免卷材由于结构施工受到损伤，在紧贴找平层的底部可先将防水层外的保护墙砌筑一定高度，通常比底板混凝土厚度高200mm，将底板伸出的防水卷材临时固定在保护墙上。然后进行地下室底板及墙体钢筋混凝土施工。待墙体模板拆除并达到设计强度等级时，根据地下室防水设计要求进行找平层、防水层的施工。铺贴卷材时应先将接槎部位的卷材揭开，将其表面清理干净。卷材接槎的搭接长度为100~150mm。卷材防水层甩槎、接槎构造如图11-3所示。

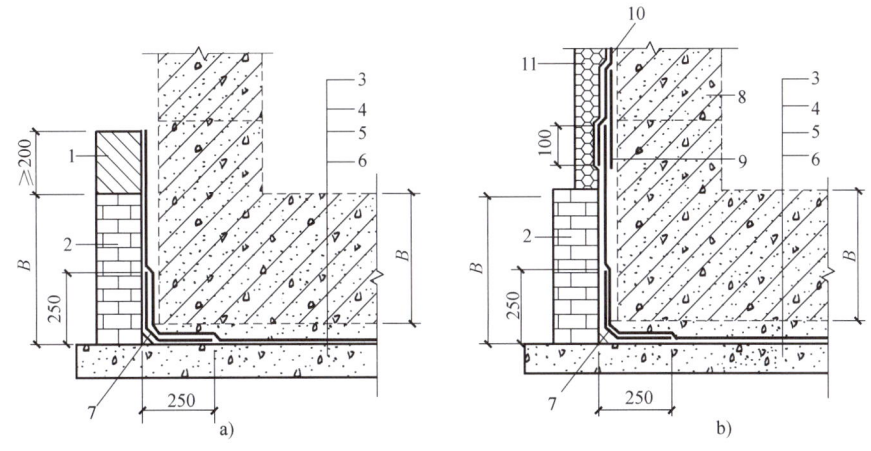

图11-3 卷材防水外防外贴法示意图
a) 甩槎构造示意图 b) 接槎构造示意图
1—临时保护墙 2—永久保护墙 3—细石混凝土保护层 4、10—卷材防水层 5—水泥砂浆找平层 6—混凝土垫层 7、9—卷材加强层 8—混凝土墙 11—卷材保护层

地下室外墙卷材施工时应注意：卷材应采用竖直方向铺贴，相邻卷材搭接宽度短边应不小于100mm；墙面上铺贴的卷材需接长时，上方的卷材应盖过下方的卷材，盖过宽度不应少于150mm；当设计为两层或多层卷材时，上下层卷材的接缝应相互错开1/3~1/2卷材宽度。

外防外贴法主要应用于明挖法分离式外墙和顶板，底板及复合式外墙的防水层施工已经逐渐被预铺反粘法取代。

（2）预铺反粘法施工　预铺反粘法是浇筑混凝土主体结构之前，将预铺型防水卷材空铺在垫层或者挂装在侧墙维护结构上，并且将卷材自粘层面向内侧主体结构，与后浇混凝土粘结。预铺反粘法的优点是卷材能够满粘混凝土主体结构，阻止黏结面蹿水，底板施工时不需要施工防水保护层，当侧墙发生不均匀沉降时对防水层的影响较小，竣工后若发现渗漏水修补容易，如图11-4所示。

预铺反粘法主要应用于地下工程底板、复合式侧墙的防水施工，在这些部位已经逐渐取代了其他施工方法。

4. 涂膜防水层施工

地下工程涂膜防水涂料种类、施工要求及注意事项等与屋面工程相似。

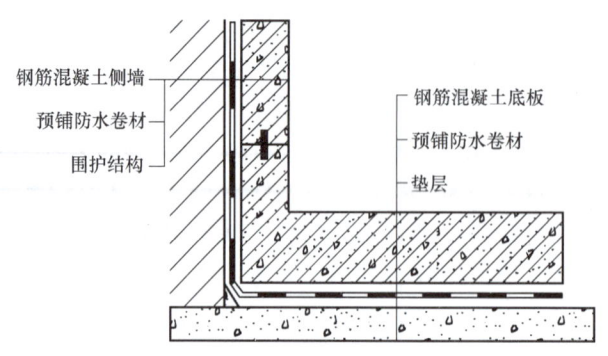

图 11-4 预铺反粘法示意图

防水涂料施工宜采用外防外涂法或外防内涂法,如图 11-5、图 11-6 所示。

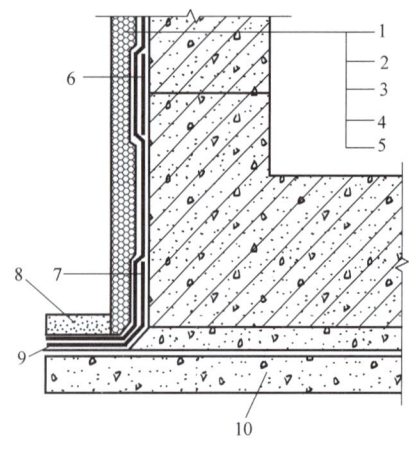

图 11-5 防水涂料外防外涂构造示意图
1—保护墙 2—砂浆保护层 3—涂料防水层 4—砂浆找平层 5—混凝土墙 6、7—加强涂料防水层 8—涂料搭接部位保护层 9—涂料搭接 10—混凝土垫层

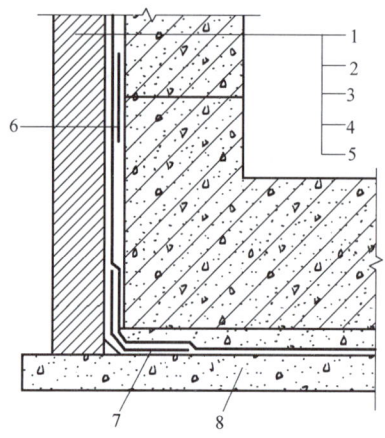

图 11-6 防水涂料外防内涂构造示意图
1—保护墙 2—涂料保护层 3—涂料防水层 4—找平层 5—混凝土墙体 6、7—防水加强层 8—混凝土垫层

5. 桩基顶部防水施工

当地下室下部有桩基础时,桩顶部需要做防水处理。施工流程为:桩头清理→桩头刷水泥基渗透防水材料→弹出附加层边线、铺贴卷材标准线→附加层施工→卷材防水层施工→封边。

基层处理:先用铲刀和扫帚及其他工具将表面的突出杂物等清理干净,并将尘土、杂物清扫干净,对阴阳角、桩顶及桩边等部位清理。

桩头刷水泥基渗透防水材料施工时应考虑以下几个方面:

1) 调配好浆料是保证防水施工质量的关键,调配时要严格控制水灰比。
2) 施工时,用硬毛刷将混合料分两遍涂刷到混凝土表面,涂层要均匀,涂刷完成后应认真检查施工的各个部位，特别是薄弱环节，如垫层与桩处、钢筋部位等，发现问题查明原因及时修复，不得有局部漏涂、沉积现象。

3) 施工完毕及时喷洒雾状清水进行养护，冬期施工时应采取保温覆盖措施养护。

4) 桩头防水施工完成后进行地下室底板或基础底板防水施工。

11.2 保温工程

良好的建筑工程保温效果能够为居住和使用者提供舒适的居住及生活条件，也是实现节能环保和可持续发展的重要措施。建筑工程需要保温的部位主要有屋面、外墙、门窗、地面、飘窗、空调板等建筑围护结构。本章主要介绍屋面及外墙保温的主要材料及其施工。

11.2.1 屋面保温工程

屋面工程保温材料主要包括板状保温材料、纤维保温材料及整体现浇保温材料保温层等。其中板状保温材料有聚苯板、膨胀珍珠岩制品、加气混凝土砌块、泡沫混凝土砌块等；纤维保温材料有玻璃棉、岩棉、矿渣棉制品等；整体现浇保温材料有现浇泡沫混凝土、喷涂硬泡聚氨酯等。

屋面保温工程施工要求及注意事项：

1) 板状材料保温层基层应平整、干燥、干净；板状保温材料应紧靠在需保温的基层表面上，并应铺平垫稳；相邻板块应错缝拼接，分层铺设的板块上下层接缝应相互错开，板间缝隙应采用同类材料填密实；粘贴的板状保温材料应贴严、粘牢。

2) 纤维材料保温层基层应平整、干燥、干净，施工时应避免重压，并应采取防潮措施。平面接缝应贴紧，上下层拼接缝应相互错开。屋面坡度较大时，纤维保温材料宜采用机械固定法施工。在铺设纤维保温材料时应做好劳动保护工作。

3) 现浇泡沫混凝土保温层泡沫混凝土应根据规范要求进行配合比设计，拌制时应计量准确，并应搅拌均匀；保温层厚度应符合设计要求，施工前先放出标高控制线并依照其施工；泡沫混凝土应分层浇筑，一次浇筑厚度不宜超过200mm，并应压实，终凝后应进行保湿养护，养护时间不得少于7d；整体现浇保温层表面应平整。

11.2.2 外墙保温工程

外墙保温有利于使建筑物实现冬暖夏凉。在冬季，由于保温后的外墙热容量大，室内能蓄存更多的热量，使诸如太阳辐射或间歇采暖造成的室内温度变化减缓，室温较为稳定，生活较为舒适，有利于节能。在夏季，外保温层能减少太阳辐射热的进入和室外高气温的综合影响，使外墙内表面温度和室内空气温度得以降低。

外墙保温工程根据保温材料的位置可分为外墙外保温和外墙内保温。外墙外保温工程是将保温系统通过组合、组装或安装固定在外墙外表面上形成的保温结构。外墙内保温则是将保温系统安装固定在外墙内表面上形成的保温结构。目前应用比较普遍的是外墙外保温系统。

1. 外墙外保温系统组成

外墙外保温系统由保温层、抹面层、固定材料（胶粘剂、锚固件等）和饰面层构成，并固定在外墙外表面的非承重保温构造。保温层由保温材料组成，在外保温系统中起保温作用。抹面层一般抹在保温层上，起保护保温层、防裂、防水、抗冲击和防火等作用。

外墙外保温系统种类繁多，目前较为常用的为复合保温板。保温板需要具有轻质、高强、耐候性、防火性、耐久性和隔热保温性能好的特点，可通过水平拉筋或锚栓与混凝土基墙体形成牢固复合自保温墙体，实现承重、防火、隔热、保温一体化；具有抗震、耐久、防火性好、造价低、与主体结构同时施工节约工期等特点，并且能够解决"冷桥"处理的难题，提高了复合自保温墙体的热工性能。

保温板也可与装饰面层复合而形成保温装饰板。施工时先在基层墙体上做防水找平层，采用胶粘剂和锚栓将保温装饰板固定在基层上，并用嵌缝材料封填板缝。

2. 外墙外保温系统施工

下面以（复合）保温板外保温系统为例，介绍施工工艺流程。

（1）材料要求　保温板进场要有产品合格证、材质检验单等，必须符合设计要求及国家有关技术标准的规定。主要材料检查项目：轻质混凝土保温板的抗压强度、导热系数；挤塑板的表面密度、导热系数、压缩强度，阻燃要求 B2 级以上；复合保温板的表面干密度、水平拉筋与轻质混凝土拉拔力、抗弯破坏荷载、热阻值。界面砂浆、抗裂砂浆、耐碱网布、弹性底涂、柔性耐水腻子等材料的性能指标应符合行业标准的有关要求。锚固件、热镀锌钢丝网等技术性能指标应符合相应的要求。

复合保温板根据施工图，通过排板设计提出规格、数量的明细表，现场加工或委托专业工厂加工。排板设计本着以主规格为主、辅规格为辅和规格少、模数化的原则，转角处复合保温板根据设计而定。加工成品便于运输、安装，单块板面积不宜过大。

在专业厂家生产，进场时严格进行检查、复试，确保足够的龄期，做好成品保护。

（2）基层处理　结构墙体基面必须清理干净，墙面平整度和垂直度应满足规范规定，高出部分应剔凿，凹陷部分应用聚合物水泥砂浆修补平整。并对干燥的墙体预先洒水湿润。

（3）弹分格线　根据建筑立面设计和外墙外保温技术要求及保温层厚度，在墙面弹出外门窗水平、垂直控制线及装饰缝线等。在建筑物外墙大角（阴、阳角）及其他必要处挂垂直基准线，在每个楼层适当位置挂水平线，以保证保温板的垂直度和平整度。

（4）安装、固定　根据安装部位的要求选定质量合格的复合保温板的规格。按照排板图，从下到上，从左到右，将复合保温板安装到位。安装方法及节点连接符合设计要求，通常与结构墙体用膨胀螺栓或与结构预埋的钢筋网连接。锚栓件数量应符合《外墙外保温工程技术标准》（JGJ 144—2019）规定。

复合保温板的安装要横平竖直，板缝要严密，板面要平整。

（5）板缝及细部处理　安装后需对板缝进行清理或密封处理，同时分隔缝、窗洞口四周保温做法符合设计及施工验收规范要求。

（6）质量检查　锚栓的数量和锚固深度、玻纤网格布的搭接长度、镀锌钢丝网必须满足设计及规范的要求。复合保温板拉结筋及埋入混凝土构件中的深度应符合要求。

11.3 质量及安全控制

屋面、外墙及卫生间容易产生渗漏水,严重影响使用功能,同时由于防水及保温施工引发了大量的火灾事故,因此施工中需要重视质量及安全管理。

1. 质量保证措施

原材进场必须有出厂合格证、产品使用说明书,并现场进行抽样检查验收,验收内容包括规格、外观质量检验和物理性能试验。涂料包装容器必须密封,容器表面有明显标志,表明涂料名称、生产厂家、生产日期和产品有效期。

防水工程应由有资质的专业公司施工,防水施工人员必须培训考核合格持证上岗。并按施工组织设计中的质量保证体系运作程序和检查制度,严格进行事前预防、过程控制。

每道工序施工前,应做好技术交底,并明确操作方法和质量标准。每道工序施工完后经检查验收合格后,方可进行下道工序。细石混凝土保护层的原材料及强度等级必须符合设计要求和施工验收规范的规定。细石混凝土厚度均匀一致,表面平整,压实抹光,无裂缝、起壳、起砂等缺陷。

2. 成品保护

由于防水工程的特殊性,既要加强施工过程的质量控制,又要加强成品的控制。防水基层完成后应做好保护工作,底板垫层强度未达到 1.2MPa 前禁止上人。

基层验收后,除防水器具和材料外其他器具和材料禁止入内,防止磕碰基层。已铺好的卷材防水层,应及时保护,不得受尖物的刺碰,以免损伤防水层。阴阳角、管根等防水层,不得损伤变形。

所有铺好的防水层上不得堆放防水以外的材料、设备;严禁凿眼打洞。

在浇筑保护层时,若发现局部破损,应及时修补后才能继续浇筑保护层。底板、外墙钢筋绑扎时应注意不应碰撞防水保护墙,防止穿破保护层损坏防水层。

保温层及防水层施工应在天气晴好时施工,雨天或大风沙天暂停施工,以免表面出现缺陷。屋面防水层施工前必须要保证基层(包括找坡层)干燥,否则防水层施工完后容易空鼓,造成返工现象。

3. 安全保证措施

由于防水材料的易燃性,存在火灾隐患,施工时应注意防止火灾发生,具体措施如下:

1) 在防水工程施工前,先对工人进行防火安全技术交底并落实到班组。
2) 材料库房及堆放场地应通风良好,严禁烟火,配备专用消防器材。
3) 涂刷专用黏结剂时,严禁烟火和使用碘钨灯照明,现场动火应按要求配备好消防器材。向喷灯内加油时应远离火源,不得在火源上风方向加油;立体交叉作业时,下部在做保温或防水,上部电焊施工严禁火星坠落。
4) 六级以上大风天气不得进行屋面防水工程的施工作业。

复习思考题

1. 屋面防水工程通常分为哪两类?
2. 什么是蓄(淋)水试验?试验的目的是什么?

3. 抗渗混凝土施工应注意哪些问题？
4. 地下室卷材防水做法有哪两种？各有什么优缺点？
5. 简述外墙保温系统的施工工艺。

应用训练

屋面防水卷材施工时一般设置排气管（见图 11-7），分析排气管的作用。如果不设会有什么后果？

图 11-7　屋面卷材排气管

第12章 装饰工程

问题引入：装饰工程有哪些作用？

装饰工程是房屋建筑工程施工的最后一道工序。随着人们对生活环境和居住条件要求的提高，装饰材料发展迅速，对装饰工程的施工技术和质量也提出了更高的要求。装饰工程包括抹灰工程、楼地面工程、涂料工程、门窗工程等。

12.1 抹灰工程

抹灰工程按使用的材料和装饰效果可分为一般抹灰和装饰抹灰。

一般抹灰主要包括水泥砂浆、混合砂浆、石灰砂浆等抹灰工程。装饰抹灰主要包括水刷石、干粘石、拉灰条等饰面层的抹灰工程。装饰抹灰一般应用于装饰等级不高的建筑中，目前使用较少，本章不做介绍。

1. 一般抹灰工程组成及分类

一般抹灰工程通常由底层、中层和面层组成。底层主要起与基层黏结作用和初步找平作用，中层和面层主要起找平作用，如图12-1所示。

一般抹灰工程根据其质量要求可分为普通抹灰、中级抹灰和高级抹灰。普通抹灰由一遍底层加一遍面层共两遍组成，厚度一般为15～18mm。中级抹灰在底层和面层中间再增加一遍中层共三遍组成，厚度一般为20mm。高级抹灰是在底层和面层中间增加多遍中层组成，厚度一般为25mm。其中高级抹灰应用较少，普通抹灰和中级抹灰应用比较普遍。

2. 一般抹灰工程施工

单位工程的抹灰工程施工一般按照先外后内，先上后下的顺序进行。即先进行外墙抹灰，再进行内墙抹灰；先进行顶棚抹灰，再进行墙面抹灰。在实际施工中，应根据施工现场的施工布置、施工段、施工班组及施工条件等灵活安排。

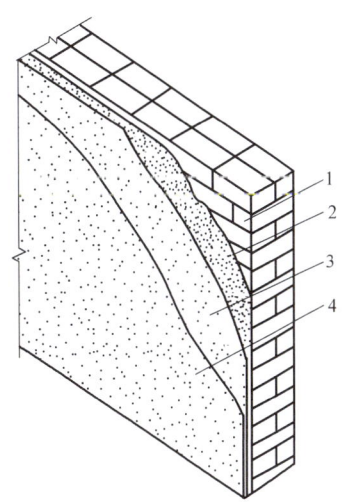

图 12-1 抹灰工程组成示意图
1—基层　2—底层抹灰
3—中层抹灰　4—面层抹灰

（1）基层处理　抹灰前应将墙、顶棚等表面的污垢及其他杂质清除干净，并洒水湿润；基层表面凹陷的部位用1∶3水泥砂浆补平。基层表面太光滑的混凝土面、砌块面要凿毛处理，或者采用水泥浆或混凝土界面剂进行处理，如图 12-2 所示；门窗洞口与墙面交接处、穿墙管或施工孔洞等处用水泥砂浆或水泥混合砂浆嵌填密实；不同基层材料相接处应铺设金属网或纤维网格布防止抹灰面开裂。网格宽度应自交接缝起每边不得小于 100mm，如图12-3所示。

图 12-2 砌块表面喷浆处理

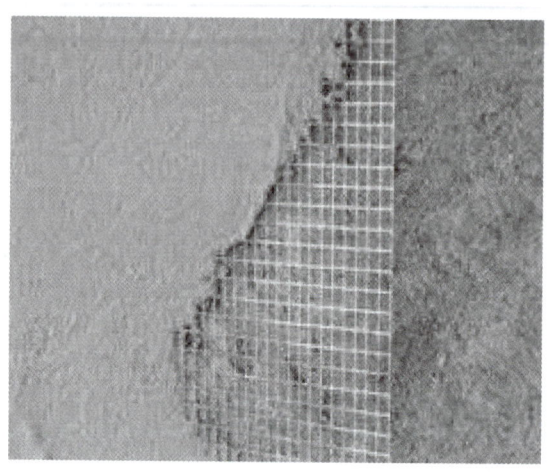

图 12-3 混凝土与砌块接缝处铺网格布

（2）抹灰层施工　抹灰工程应分层进行施工。施工前先找好规矩，设置灰饼或标筋。

找好规矩即墙面或顶棚面应四角规方，确定水平、竖向施工基准，立线应吊直，并弹出基准线。为控制抹灰层的厚度和墙面平整度，应在基层上设置与抹灰层厚度及材料相同的灰饼或标筋作为抹灰找平的标准。灰饼的尺寸一般为 50mm×50mm，标筋的宽度一般为 50mm，如图 12-4 所示。

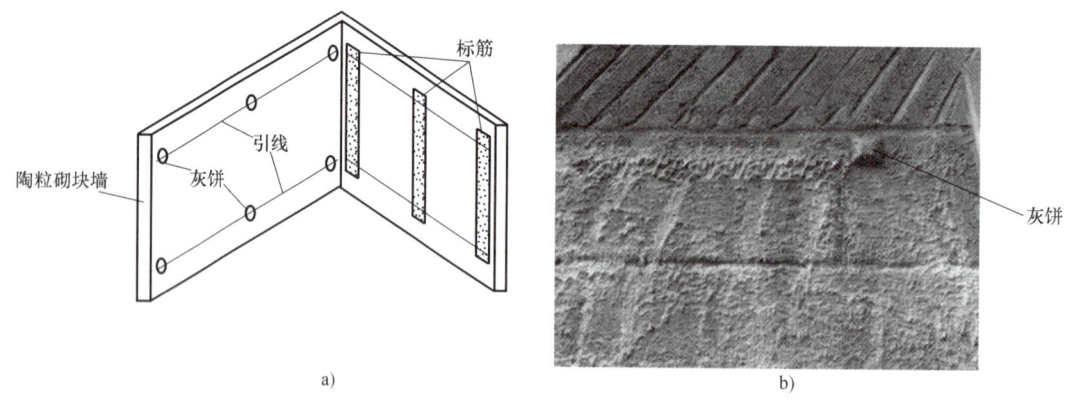

图 12-4　标筋及灰饼示意图
a）标筋示意图　b）灰饼示意图

抹灰层施工时每层厚度一般为 5~7mm。抹灰时，以灰饼或标筋为准在墙面上满铺砂浆，然后用大木杠紧贴灰饼或标筋将砂浆刮平，最后用木抹子搓平。应待前一层抹灰层凝结后再进行下一层砂浆的施工。

3. 抹灰施工注意事项

抹灰前墙体浇水需根据墙体材料的不同特性，适量浇水，特别是吸水性强、易干缩的墙体材料，浇水量要适当减少。对于构造柱、门抱框、过梁等光滑的混凝土表面进行必要的毛化处理。不同墙体材料交接处，要按规范及构造采取加强措施。

12.2 楼地面工程

1. 有防水要求的地面

弹出地面的面层（含饰面）、找平层、防水层、管道保护层、保温层、防水层等坡向地漏的标志线，形成整个楼地面的地漏处最低点的斜平面，防水层地面坡向地漏。

卫生间防水施工前，应对基层进行修补，凡遇到阴阳角处，要抹成半径小于20mm的小圆弧；墙体立面与地面处的阴角做成八字角的圆弧。基层应干燥，一般在基层表面均匀泛白无明显水印时，方可进行涂膜防水层的施工。施工时要把基层表面的尘土杂物清扫干净，然后进行防水涂膜的施工。涂布防水层时，对管道根部和地漏周围以及下水管转角墙部位，必须认真涂布，并要求涂层比大面积要求的涂布的厚度增加 0.5mm 左右，以确保防水工程质量。

细石混凝土找坡、找平：细石混凝土施工中应注意，凡遇有管道根部的周围，在200mm范围内的原标高基础上提高10mm坡向地漏，避免管道根部积水。在地漏的周围，应做成略低地面的洼坑，一般为3mm，坡度以 1%~2% 为宜。

2. 水泥砂浆地面

水泥砂浆地面施工工艺流程为：基层清理→洒水湿润→刷素水泥砂浆→找标高冲筋→铺水泥砂浆→找平、压头遍→第二遍压光→第三遍压光→养护。

基层清理：将基层表面的积灰、浮浆、油污及杂物清理干净，明显凹陷处应用细石混凝土垫平。基层表面应粗糙、洁净。施工前一天对施工部位要洒水润湿，施工时不得有积水现象。

水泥砂浆应采用机械搅拌，拌和要均匀，颜色一致，搅拌时间不应小于2min。在混凝土上铺设时，应采用干硬性水泥砂浆，稠度以手捏成团稍出浆为宜。施工时，先刷素水泥砂浆，随刷随铺 15mm 厚 1∶3 水泥砂浆找平，再铺 15mm 厚 1∶2 水泥砂浆拍实抹面压光。

面层压光宜用抹子分三遍完成，并逐遍加大用力压光。压光工作应在水泥终凝前完成。当水泥砂浆面层干湿度不适宜时，可采取淋水或撒干拌的 1∶1 水泥和砂进行抹平压光工作。

水泥砂浆面层铺好后要加强养护。水泥砂浆地面应根据规范和设计要求留设分格缝。

3. 铺地砖地面

铺地砖地面施工工艺流程为：基层清理→找标高、弹线→弹铺砖控制线→铺砖→勾缝、擦缝→养护→踢脚板安装。

在铺贴前对砖的规格尺寸、外观质量、色泽等进行预选，并先湿润晾干待用。铺设前，应根据房间大小、地砖规格要求进行排砖，现场放线找方，将非整砖尽量布置在阴角或墙边，非整砖不小于砖宽的1/2。基层和结合层要表面粗糙、洁净和润湿，并不得有积水现象；在铺设前刷一道水泥砂浆，结合层采用 20mm 厚 1∶4 干硬性水泥砂浆（体积比），其水灰比宜为 0.4~0.5，并随刷随铺。

铺贴的面砖应紧密、坚实，砂浆要饱满，严格控制面层的标高。面层铺贴 24h 内进行擦缝、勾缝工作。擦缝、勾缝应采用同品种、同强度等级、同颜色的水泥。同时应随做随清理面层的水泥，并做好面层的养护和保护工作。结合层和填缝的水泥砂浆在面层铺设后，表面应覆盖湿润，在常温下养护时间不应少于 7d。

地砖面层能上人时即可进行地砖踢脚板施工，拉线粘贴，缝距将根据地砖的规格和房间的尺寸进行确定。

12.3 涂料工程

1. 内墙及顶棚腻子面层

首先清理、修补墙面破损及不平之处，检查墙面的垂直平整度。将墙面进行清扫后，用抗裂砂浆将墙面坑洼、孔眼处找平和填补，干燥后用砂纸磨平，将浮尘扫净。墙面的垂直平整度超过施工规范规定时，先将需修整的部位刮素水泥砂浆一道，然后用内墙粉刷砂浆分遍找平。

对不同材料墙体（如剪力墙与陶粒砌块墙体）相交接部位，在批刮腻子前，应采用砌块专用黏结剂粘 200mm 宽的加强网格带（如耐碱玻纤网格布或的确良布）进行防开裂处理，加强网格带与两侧墙体的搭接宽度每边不应小于 100mm。

在面层腻子施工前刮两遍腻子，直至看不见刮板的纹理痕迹为止。

2. 内墙、顶棚涂料面层施工

操作时应连续迅速操作，上下顺刷互相衔接，避免干燥后出现接头。墙面刷涂料时，室内不得有其他工种作业，防止粉尘污染墙面，并派专人开关门窗注意通风。顶棚涂料涂刷前也应将腻子用砂纸磨光后再进行涂料的涂刷，避免与墙体涂料同时施工，施工时要保持房间空气畅通。

3. 外墙聚合物砂浆抹面层

聚合物砂浆抹面层施工应符合以下规定：聚合物砂浆抹面层施工应在找平层充分干燥固化后进行。在用手按不动表面的情况下即可进行施工。施工前应先检查保温层垂直度、平整度以及门窗洞口，符合规定后方可施工。

找平层需分格时应做宽度较大的分格带。聚合物砂浆分两遍成活，第一遍完成后压入网格布。网格布铺贴要平整，无褶皱，砂浆饱满度 100%，网格布搭接时应先压入一侧，之后抹聚合物砂浆，再压入另一侧，严禁网格布干搭接。

在每层楼层面的水平标高位置留设膨胀缝，在膨胀缝处的玻纤网布应予剪断。塞填发泡聚乙烯时，应保证填塞后缝深为 4mm 左右。勾填嵌缝膏时，可分为两次填实勾平，宜将嵌缝膏勾填成凹形圆弧状。

4. 外墙施涂

墙面腻子必须干透再进行外墙施涂，施涂前先做好样板块，经验收合格后，方可进行大面积施工。

用砂纸将墙面的腻子残渣、斑迹等磨平、磨光，然后将墙面清扫干净。喷封底涂料一遍作为底漆，以盖底、不流淌、不显刷痕为宜。施涂每面墙的顺序应从上到下，从左到右，不应乱施涂，避免造成漏涂或涂刷过厚、涂刷不均匀等现象。涂刷中层涂料一遍，待涂料干燥后，可用较细的砂纸把墙面打磨光滑，清扫干净。涂刷面层涂料时应达到漆膜饱满，厚薄均匀一致、不流不坠。

外墙涂料工程等级和材料品种、颜色应符合设计要求和有关标准的规定。涂料墙面严禁脱皮、漏刷和透底现象。涂料分色部位无互相污染现象，线角顺直。

12.4 门窗工程

1. 木门安装

（1）弹线　安装时应根据门的尺寸、高度、安装位置和开启方向，在墙上、地面上划出门框的位置线。门框安装时，为保证相邻门框的顺平和墙面交圈，应在墙上拉小线找平找直。并用水平尺将线引入洞内，作为立框时的标高，用线坠校正吊直。木门居墙中安装。

（2）门框安装　木门框安装是在地面工程施工前完成，门框埋入地面3cm以上，保证其安装牢固性，门框与墙面的固定点每边一般不少于3点，木门框采用钢钉固定于预埋或后置的木砖上。

（3）门扇安装　先确定门的开启方向及五金配置，检查门口尺寸正确，边角方正，有无窜角，在门扇和门框上确定合页的固定点并画线；将门扇的边框收口条用刨子调整到适当的程度；合页安装要求在门扇框上起槽宽度和深度准确，一般在门扇上下端1/10，并且避开上下冒头。安装合页时上下各先固定一个螺钉，检查门扇与框的缝隙是否合适，口与扇是否平整，合格后将螺钉全部拧紧。

（4）五金安装　门扇的五金配置必须按照设计要求，不得漏装。一般门锁、碰珠、拉手等距地高度95~100cm，插销在拉手的下面，其他门阻、暗插销等安装见其说明。

2. 防火门及防盗门的安装

防火门、防盗门的材质、规格、型号、防火等级应符合设计要求，五金配件配套齐全，具有生产许可证、产品合格证和性能检测报告。防火门必须为经消防部门鉴定并认可的产品，其防火等级应符合设计及有关标准的规定。带有机械装置、自动装置或智能化装置的防火门、防盗门，其机械装置、自动装置或智能化装置的功能应符合实际要求和有关标准的规定。防腐材料、填缝材料、密封材料、防锈漆、水泥、砂、连接板等应符合设计要求和有关标准的规定。

按设计要求尺寸弹好门中线，并弹好水平标高线。并检查门洞口尺寸及标高是否符合设计要求。有预埋件的门口边应检查预埋件的数量、位置及埋设方法是否符合设计要求。门的开启方向必须符合设计要求，检查配件位置与吊顶、专业管线等无交叉现象。

安装工艺流程为：弹线定位→门洞口、门框的处理→门框就位和临时固定→门框固定→门框与墙体间隙的处理→清理→门扇安装→五金配件安装。

1）弹线定位。按设计要求尺寸、标高和方向，画出门框框口位置线。

2）门洞口、门框的处理。安装前检查门洞口尺寸，偏位、不垂直、不方正的要进行剔凿或抹灰处理。如果钢质防火门、防盗门需要在门框内填充水泥素浆或细石混凝土，填充前应先把门关好，将门扇开启面的门框与门扇之间的防漏孔塞上塑料盖后，方可进行填充。填充水泥不能过量，防止门框变形影响开启。

3）门框就位和临时固定。先拆掉门框下部的固定板，将门框用木楔临时固定在洞口内，经校正合格后，固定木楔。凡框内高度比门扇的高度大于 30mm 者，洞口两侧地面须留凹槽，门框一般埋入 ±0.00m 标高以下 20mm，须保证框口上下尺寸相同，允许误差不大于 1.5mm，对角线允许误差不大于 2mm。

4）门框固定。钢质门采用镀锌连接件固定。连接件与墙体固定可采用膨胀螺栓或与预埋的埋件焊接的方式进行。每边均不少于 3 个连接点，且应牢固连接。

5）门框与墙体间隙的处理。门框周边缝隙用 1∶2 的水泥砂浆或强度不低于 C20 的细石混凝土嵌缝牢固，应保证与墙体结成整体。经养护凝固后，再粉刷洞口及墙体。门框与墙体连接处打建筑密封胶。

6）门扇及五金配件安装。粉刷完成后，安装门扇、五金配件及有关防火、防盗装置。门扇关闭后，门缝应均匀平整，开启自由轻便。不得有过紧、过松和反弹现象。

防火门、防盗门的安装必须牢固，预埋件的数量、位置、埋设方式、与框的连接方式必须符合设计要求。防火门、防盗门的配件应齐全，位置应正确，安装应牢固，功能应满足使用要求和特种门的各项性能要求。安装完成后采取成品保护措施。

3. 铝合金门窗的安装

铝合金门窗的规格、型号应符合设计要求，五金配件配套齐全，并具有出厂合格证、材质检验报告书。防腐材料、填缝材料、密封材料、防锈漆、水泥、砂、连接板等应符合设计要求和有关标准的规定。进场前应对铝合金门窗进行验收检查，不合格的不准进场。运到现场的铝合金门窗应分型号、规格堆放整齐，并存放在指定仓库内。搬运时轻拿轻放，严禁扔摔。

铝合金门窗的安装工艺流程为：划线定位→披水安装→防腐处理→安装就位→固定→门窗框与墙体间隙的处理→门窗扇与门窗玻璃的安装→安装五金配件。

（1）划线定位　根据设计中窗的安装位置、尺寸和标高，用线坠或经纬仪将门窗边线下引，并在窗口处做出标记，对个别不直的口边应剔凿处理。门窗的水平位置应以楼层室内的水平线为准向上反量出窗下皮标高，弹线找直。每一层必须保持窗下皮标高一致。

（2）防腐处理　窗框四周外表面涂刷防腐涂料进行保护，以免水泥砂浆直接与铝合金门窗表面接触产生电化学反应，腐蚀铝合金门窗。安装门窗时所用的连接件、固定件等金属零件应选用不锈钢产品，否则必须进行防腐处理，以免产生电化学反应，腐蚀铝合金门窗。

（3）铝合金门窗的安装就位及固定　根据画好的门窗定位线，安装铝合金门窗框。并及时调整好门窗框的水平、垂直及对角线长度等使其符合质量标准，用木楔临时固定，然后采用金属膨胀螺栓将铝合金门窗的铁脚固定到墙上。

（4）门窗框与墙体间缝隙的处理　铝合金门窗安装固定后，应先进行隐蔽工程验收，合格后及时按设计要求处理门窗框与墙体间的空隙。采用弹性保温材料分层填塞缝隙，外表面留 5~8mm 深槽口填嵌密封胶。

（5）门窗扇与门窗玻璃的安装　门窗扇和门窗玻璃应在洞口墙体表面装饰完工验收后安装。推拉门窗在门窗框安装固定后，将配好玻璃的门窗扇整体安入框内滑槽，调整好与扇的缝隙即可。

平开门窗在窗与扇格组装上墙、安装固定好后再安玻璃，即先调整好框与扇的缝隙，再将玻璃安入扇并调整好位置，最后镶嵌密封条和密封胶。

（6）安装五金配件　五金配件与门窗连接用镀锌螺钉。安装的五金配件应结实牢固、使用灵活。

12.5 室内环境污染的控制

1. 室内环境污染的控制

进场的室内装修材料均必须提供环境检验报告，必要时应送有资质的检测机构进行检验，检验合格后方可使用。

为避免由于设计不适当造成大批量装修工程超标，在施工前先做样板间，并对其室内环境污染物浓度进行检测。当检测符合要求后方可大面积施工。

室内装饰工程中采用的稀释剂和溶剂禁止使用含苯（包括工业苯、石油苯、重质苯，不包括甲苯、二甲苯）的涂料、稀释剂和溶剂。混苯中含有大量苯，故也严禁使用。涂料、胶粘剂、处理剂、稀释剂和溶剂使用后及时封闭存放，不但可以减轻有害气体对室内环境的污染，而且可以保证材料的品质。使用剩余的废料必须及时清理干净，不在室内用溶剂清洗施工用具。

2. 室内环境污染物浓度的检测

室内装饰工程的室内环境质量验收，应在工程完工至少 7d 以后、工程交付使用前进行，并进行室内环境污染物浓度检测。

室内装饰工程验收时，应检查下列资料：

1）工程地质勘察报告、工程地点土壤中氡浓度检测报告、工程地点土壤天然放射性核素镭-226、钍-232、钾-40 含量检测报告。

2）涉及室内环境污染控制的施工图设计文件及工程设计变更文件。

3）建筑材料和装修材料的污染物含量检测报告、材料进场检验记录、复验报告。

4）与室内环境污染控制有关的隐蔽工程验收记录、施工记录。

5）样板间室内环境污染物浓度检测记录。

复习思考题

1. 简述抹灰工程的分类。
2. 简述一般抹灰工程的基层处理要求。
3. 简述抹灰层施工程序。
4. 卫生间防水地面施工有哪些注意事项？
5. 外墙聚合物砂浆抹面层施工有哪些规定？
6. 如何控制室内装饰工程的环境污染？
7. 室内装饰工程环境污染的验收应提交哪些技术资料？

应用训练

某中学生确诊得了白血病，专业机构对他家的室内空气做了检测，结果表明，卧室内苯超标 2.18 倍，总挥发性有机物超标 1 倍。

试分析不合格的室内装饰材料含有的有毒有害物质以及对人体的危害？应如何避免？

第13章 施工组织

问题引入：工程施工前应该做好哪些准备工作？

13.1 施工组织概论

施工组织是依据国家法律法规、建设工程招标文件、设计文件和施工规律，将各施工要素在空间和时间上进行合理安排，高效而有序地完成一系列的生产活动。土木工程施工的根本目的是在优化及节约资源条件下完成项目建设。因此，需要在施工前做好施工组织设计，施工过程中做好施工组织管理。在施工准备阶段对施工过程进行全面规划，确保工程建设顺利进行。

土木工程产品具有以下特点：

（1）产品的固定性及生产的流动性 由于土木工程产品具有固定性，需要施工人员、材料和机械设备等随产品所在地点的不同而进行流动。同时施工部位的变化，也需要施工人员随工种的不同进行流动作业。

由于产品的固定性，其生产需要符合当地的自然条件、环境条件，需要安排合理的施工方案，根据环境变化综合考虑人、机（机械）、料（材料）的调配和施工方法的选择等，其施工组织工作比一般工业产品的生产要复杂。

（2）产品的多样性及其生产的单件性 产品使用功能、所处地点、环境条件的不同，形成了产品的多样性。其施工准备工作、施工工艺、施工方法、施工设备的选用也不尽相同，形成了生产的单件性。

（3）产品体量大、生产周期长 土木工程产品体量大，建造时耗用的人工、材料、机械设备等资源多，施工阶段形成了多工种多道工序同时生产，这样就需要有组织地进行协调施工。另外产品的作业条件受季节、气候以及作业环境影响，形成了施工周期长的特点。

综上所述，土木工程产品的固定性、流动性、多样性、单件性、体量大、周期长的特点，形成了施工组织的复杂性和多样性。

13.2 施工准备工作

13.2.1 技术准备

根据建设单位提供的初步设计（或扩大初步设计），即可进行以下技术准备工作：

1. 熟悉、审查设计图及有关资料

1）审查设计是否符合国家有关方针、政策，设计图是否齐全，图样本身及相互之间有无错误和矛盾，图样和说明书是否一致。

2）掌握设计内容及技术条件。弄清工程规模、结构形式和特点，了解生产工艺流程及生产单位的要求，各个单位工程配套投产的先后次序和互相关系，掌握设备数量及其交付日期。

3）熟悉土层、地质、水文等勘察资料，审查地基处理和基础设计、建筑物与地下构筑物、管线之间的关系，熟悉建设地区的规划资料等。

4）明确建设期限，分批分期建设及投产的要求。

2. 调查研究，搜集必要的资料

除从已有的书面资料上了解建设要求和施工地区的情况，还必须进行实地勘测调查，获得第一手资料，这样才可能编制出切合实际的施工组织设计，合理组织工程施工。

在进行勘测调查之前，应拟定详细的调查提纲，一般应包括以下两个方面：

1）建设地区自然条件的调查：包括建设地区的地形、地质、水文、气象和地震等方面的情况。

2）建设地区技术经济条件的调查：包括资源、材料、构配件及设备的情况，交通运输条件，水、电、蒸汽条件，劳动力和生活设施以及参加施工单位的技术情况等。

3. 编制施工组织设计文件、施工图预算文件

编制实施性的施工组织设计、专项施工方案，完成报批手续。编制施工图预算，做好人员、材料、机械准备。

13.2.2　施工现场准备

施工人员进入现场后应做好如下工作：

1）场地控制网的测量，按建筑总平面图测出占地范围，并按一定的距离测设方格网。设置永久性的坐标桩及水平桩，便于建筑物以及道桥的定位放线工作。

2）完成场地"七通一平"工作，按设计要求进行场地平整工作，清理地上及地下的障碍物。修建施工临时道路，施工用水、用电的管线。做好排水防洪设施，以及蒸汽、压缩空气等能源的供应。

3）大型临时设施准备，包括各种附属生产企业（如预制厂、搅拌站等）、施工用仓库及行政管理和生活福利设施等。

13.2.3　资源及条件

根据任务计划要求，建立施工指挥机构，集结施工力量。与分包单位和劳务签订合同。在大批施工人员进入现场以前，应做好后勤工作的安排，保证正常的生活条件。进行施工所需要的材料、构配件的生产、加工订货，施工机械和机具的订货、租赁、安装调试等。

上述各项工作并不是孤立的，必须加强施工单位与建设单位、设计单位的配合协作。

施工准备工作必须实行统一领导，分工负责的制度。凡属全场性的准备工作由现场施工总包单位负责全面规划和日常管理。单位工程的准备工作应由单位工程分包单位负责组织。

必须坚持没有做好施工准备不准开工的原则。建立开工报告审批制度。

单位工程开工必须具备下列条件：

（1）许可条件　许可条件是指施工前必须向行业主管部门或业主单位报审、报批的文件或资料，主要有办理开工许可证，施工图会审，图样中存在的问题和错误已经得到纠正；施工组织设计或施工方案已经批准并进行交底；施工图预算已经编制和审定。

（2）生产条件　场地经过"七通一平"达到生产要求；暂设工程已能满足连续施工要求；施工机械已进场，经过试车；材料、构配件均能满足连续施工，劳动力已调集，并经过安全、消防教育培训。

13.2.4　施工组织的基本原则

土木工程施工应符合国家的法律、法规、方针和政策，按照基本建设程序进行，满足合同和业主要求，这是施工组织的前提。

（1）安全生产、保证质量和工期原则　安全事故会造成难以弥补的损失，施工过程必须建立在安全生产的基础之上。质量是百年大计，直接影响建筑产品的寿命和使用效果。因此，应严格按设计要求组织施工，确保施工安全和工程质量，做到以预防为主。

（2）均衡生产、重点突出原则　考虑企业的施工能力，如人员、机械、材料和资金的投入，避免造成人力、物力的损失。安排计划时，应考虑人工、机械、材料的使用问题，使各工种能够在不同的作业面上均衡施工，能够有序地进行，避免一方面人工、机械利用不足，而另一方面突击赶工，导致工程质量下降，安全事故增多，材料浪费。要对工程进行全面规划，保证重点，统筹兼顾主要项目和辅助项目有机结合，协调项目准备、项目施工、项目收尾工作，充分发挥其最大效益。

（3）适当先进原则　采用先进的施工技术和科学组织方法，结合具体施工条件，优先采用"四新"技术。在制订施工方案时，选择技术上先进，经济上合理，又能确保工程质量和安全生产的施工技术，可以提高劳动生产率，加快施工速度，降低工程成本，提高工程质量，实现绿色施工和建筑工业化。

（4）统筹兼顾原则　施工顺序的合理，能够使施工过程在时间、空间上得到最优统筹安排。土木工程产品只有在该项目建成投产后才能有效益，因此，缩短建设周期是提高效益的重要措施。在施工过程中，合理使用人工、机械设备、材料，在最短工期（合理工期）内完成任务。

地下工程先深后浅，场地工程先场外，后场内，先主干后分支，土建工程要为设备安装和试运行创造条件，并要考虑配套投料试车要求。平行流水、立体交叉同时考虑；考虑各工种的施工顺序的同时，要考虑空间顺序，既解决工种时间上搭接的问题，又解决施工流向问题，以保证各专业、各工种工人和施工机械能够连续施工。

（5）因地制宜原则　施工顺序、施工方案不是固定不变的，随着施工环境变化可以采取不同的技术措施和施工顺序。在保证质量的前提下，尽量做到施工的连续性、均衡性、紧凑性，充分利用时间、空间，发挥最大的效益。

在冬期、雨期、台风季节施工，采取措施，使其影响降到最低程度，安排计划时考虑项目的特点，采取有效的技术措施（如防雨、防暑、防冻等）。

13.3 流水施工

流水施工是将工程项目、单位工程、分部工程或其中的一部分分成若干段,将施工队伍按不同工种分成若干组,根据工艺要求使每段上都有施工作业,各施工队在不同的施工段上进行流水作业,提高施工效率。流水施工是经常采用的施工方式。

13.3.1 流水施工的组织

1. 流水作业的组织

在施工过程中,根据工作内容的不同,划分为若干施工区段,各队依次连续地在各不同段上完成各自的工作。

某工程划分为三个施工区段,由三个工种依次施工,组织流水作业如图 13-1 所示。Ⅰ区模板施工完成后施工Ⅱ区和Ⅲ区,Ⅰ区模板完成后钢筋施工,然后Ⅱ区、Ⅲ区钢筋施工,Ⅰ区钢筋完成后,Ⅰ区混凝土施工,Ⅰ区混凝土完成后进行Ⅱ区和Ⅲ区的施工。采用流水作业能有效地利用空间和时间,以上采取流水作业总工期为 15d,若依次施工,模板(9d)完成后钢筋施工(9d),然后混凝土浇筑(9d),则总工期为 27d。平行施工是指所有施工过程的各个施工段同时开工,同时完工的一种组织施工方式。以上采取平行施工,则总工期为 9d,虽然工期短,但单位时间内投入的劳动力、施工机具、材料等资源量成倍地增加,不利于资源供应,也不利于施工现场的组织和管理。

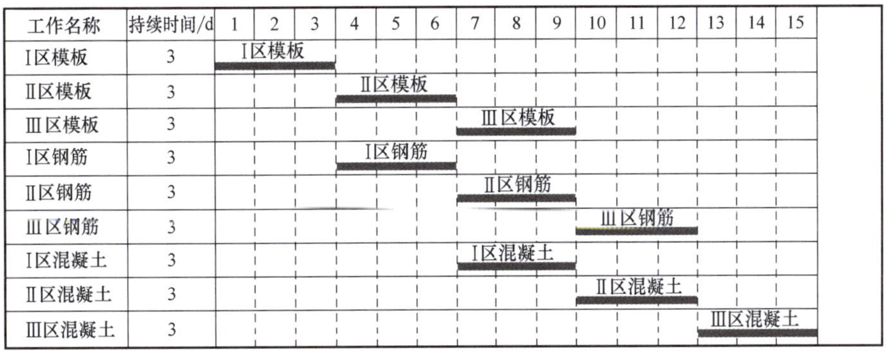

工作名称	持续时间/d	1	2	3	4	5	6	7	8	9	10	11	12	13	14	15
Ⅰ区模板	3	Ⅰ区模板														
Ⅱ区模板	3				Ⅱ区模板											
Ⅲ区模板	3							Ⅲ区模板								
Ⅰ区钢筋	3				Ⅰ区钢筋											
Ⅱ区钢筋	3							Ⅱ区钢筋								
Ⅲ区钢筋	3										Ⅲ区钢筋					
Ⅰ区混凝土	3							Ⅰ区混凝土								
Ⅱ区混凝土	3										Ⅱ区混凝土					
Ⅲ区混凝土	3													Ⅲ区混凝土		

图 13-1 流水施工示意图

图 13-1 是横道图,又称为甘特图。横道图是建筑工程中安排施工进度计划和组织流水施工时常用的一种表达方式。从图 13-1 中可以看出横道图具有以下特点:

1)能够清楚地表达各项工作的开始时间、结束时间和持续时间,形象直观。

2)可以在横道图中加入各分部、分项工程的工程量、机械需求量、劳动力需求量等,从而与资金计划、资源计划、劳动力计划相结合。

3)使用方便,可以用软件制作,简单易于掌握。

4)内部工作之间的逻辑关系显示不明显,一项工作的变动对其他工作或整个计划的影响,内在矛盾和关键因素不能清晰地反映。

5)复杂工程处理及工期优化不方便。

2. 流水作业须考虑的因素

在组织施工流水作业时，应考虑以下因素：

1）把工作面根据工种及施工顺序分成若干区段（水平段、垂直段）。
2）确定每一施工过程的延续时间，工作量接近。
3）各施工段尽可能连续、均衡施工。
4）各工种之间要形成合理的互补关系。

流水作业施工时，施工段（层）的划分应根据工程性质类型、结构、工作面的大小、施工条件等确定。

3. 流水作业的优化

流水作业有多种多样，由于人力、物力投入的不同，在组织流水作业时，应尽量做到最优，在有限资源条件下做到工程施工连续、均衡，工期和质量最优。

流水作业的优化可以充分调动人工、机械、材料等资源的能动性，有利于资源供应，可以加快施工进度，提高效益。

13.3.2 流水施工的参数

1. 施工过程数 n

施工过程数划分时，首先把整个工程划分成若干分部工程，如建筑工程和桥梁工程中的基础、主体结构和装饰工程等，然后分别组织各个分部工程中的主要施工过程进行流水作业。有的施工过程简单，如挖土工程，有的复杂，如钢筋混凝土工程。在这些施工过程中，主导过程对总工期起着决定作用，如建筑工程中的主体结构起主导作用，主体完成后是装饰工程起主导作用。组织流水施工时，需要保证这些过程的流水作业。

2. 施工段数 m

施工段是组织流水作业的基础。划分施工段的主要目的在于使各个施工过程的各工种能集中于一个施工段，迅速完成工作并及早进入下一个施工过程。划分施工段时，应考虑以下几点：

1）主要施工过程在各施工段的工程量尽量均衡。
2）施工段的划分应合理，不宜过多，否则会造成人员搭配不当而影响工期。
3）施工段的分界尽可能符合工程的结构特点，有利于结构的整体性，如变形缝、后浇带。
4）当施工过程分段又分层时，应使各施工队能够连续施工，即每个工种完成了上一段的任务可以立即转入下一段，尽可能避免出现窝工现象。

例如，一个工程有三个施工过程（钢筋工程、模板工程、混凝土工程），若分成三个施工段（即 $m=n$），则可以三个工种同时生产，其工作面利用率为100%，若分成三个以上施工段（即 $m>n$）则会有工作面处于停歇状态，但每个施工队仍能连续作业；若分成小于三个施工段（即 $m<n$），则会出现施工队不能连续作业的现象，造成窝工现象。

3. 流水节拍 t

流水节拍是施工作业的专业工种在一个施工段内的工作延续时间。它决定着施工速度和施工节奏，取决于工期长短以及人工、机械、材料量的投入情况。

流水节拍按下式计算

$$t = \frac{Q}{SR} = \frac{P}{R} \tag{13-1}$$

式中 Q——施工过程在一个施工段上的工程量；

S——每工日（或每台班）的生产定额；

R——作业工种的人数（或机械台数）；

P——完成一个施工段内某个施工过程所需的劳动量（工日）或机械量（台班）。

当工期确定后，流水节拍基本确定，则可根据式（13-1）计算出资源量。根据工作面的大小，确定作业队人数的多少，如因受工作面限制而又不允许流水节拍（t）延长时，可以考虑增加工作班次。通常有三种方法确定流水节拍，即：定额计算法、经验估算法和工期估算法。

确定流水节拍需要考虑的因素主要有：工期要求，各种资源供应量，施工班组人数和工作班安排。

4. 流水步距 K

流水步距是相邻两个施工过程在同一施工段或相邻施工段的时间间隔。即后一个施工过程在前一个施工过程开始后的 K 时间再开始与之搭接。一般情况下，为了便于施工管理，在同一施工段不宜组织两个施工过程平行作业。所以，两个施工过程在同一施工段的开始时间不宜相同。常采用 $K=t$，即第一施工过程在某一施工段上工作的结束为第二施工过程在同一施工段上工作的开始。

流水步距的大小应考虑施工工作面、施工顺序、技术间歇的合理以及施工期间的均衡。当流水步距 $K>t$ 时，会出现工作面闲置现象；当流水步距 $K<t$ 时，就会出现两个施工过程在同一施工段平行作业。总之，在施工段不变的情况下，流水步距小，平行搭接多，工期短，反之则工期长。

5. 间歇时间 Z

由于施工技术或组织的原因，前一施工过程完成后，后一施工过程不能马上开始，必须停歇一段时间才能继续进行，此停歇的时间为间歇时间，间歇时间分为技术间歇时间与组织间歇时间。如混凝土养护期，后一工序不能进入该施工段，这个时间段即为技术间歇时间。

6. 搭接时间 D

在施工过程中，前后两个或多个施工过程有一段时间同时施工，在横道图上表现为两条或多条横道的"搭接"，这段时间称为搭接时间。

7. 流水工期 T

流水工期是指在一个流水过程中，从第一个施工过程的第一个施工段开始，到最后一个施工过程的最后一个施工段全部完成所需的时间。

13.3.3 流水作业的基本方式

流水作业通常有以下三种：

（1）等节拍流水作业 等节拍流水是在一个流水组合内各个施工过程的流水节拍均为相等的常数，即 t 为固定值。

（2）成倍节拍流水作业 成倍节拍流水是各施工过程的流水节拍互为倍数，即 $t=aK$。

实际工程中一个流水组合内各施工过程的流水节拍相等的情况是很少见的，在一个施工段内各施工过程的工作量和劳动量往往很不相同,所以,对各施工过程采用统一的流水节拍是困难的。若某施工过程的工程量少,则所用时间少;若某施工过程工作面受限,不能投入较多的人力、机械,则所需的时间就多。因而出现各施工过程的节拍不能相等的情况。在这种情况下,合理的做法是充分利用工作面,调整各施工过程的 t,使之互成倍数。

(3) 分别流水作业　在复杂的工程施工中,由于各施工段的工程量不相等,各施工队(组)的工作效率也有差异,往往很难将工作面划分成工程量相等的施工段,因此各施工过程的 t 都不相同,常常不可能组织等节拍流水或成倍节拍流水,此时,组织流水作业的关键是调整各相邻工序的流水步距,以保证各施工队(组)的连续均衡施工。

13.3.4　流水施工原理的应用

1. 等节拍流水作业

某钢筋混凝土基础工程分为两个流水施工区段,流水作业组织安排如图13-2所示。

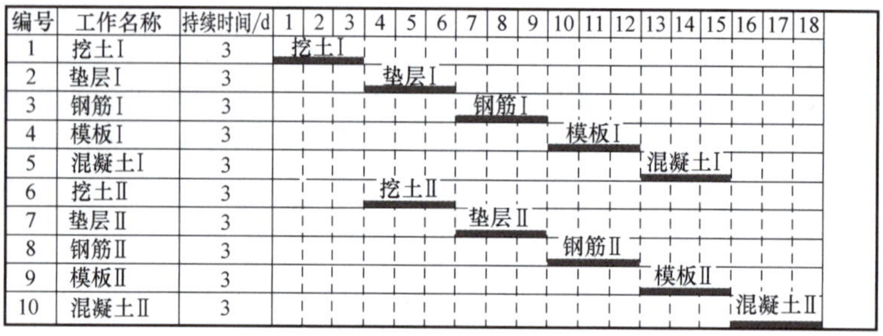

编号	工作名称	持续时间/d	1	2	3	4	5	6	7	8	9	10	11	12	13	14	15	16	17	18
1	挖土Ⅰ	3	挖土Ⅰ																	
2	垫层Ⅰ	3				垫层Ⅰ														
3	钢筋Ⅰ	3							钢筋Ⅰ											
4	模板Ⅰ	3										模板Ⅰ								
5	混凝土Ⅰ	3													混凝土Ⅰ					
6	挖土Ⅱ	3				挖土Ⅱ														
7	垫层Ⅱ	3							垫层Ⅱ											
8	钢筋Ⅱ	3										钢筋Ⅱ								
9	模板Ⅱ	3													模板Ⅱ					
10	混凝土Ⅱ	3																混凝土Ⅱ		

图 13-2　某基础工程流水施工安排图

基础分部工程一般为±0.00m以下的所有施工过程,通常包括基坑支护(或桩基工程)、土方开挖、垫层、钢筋混凝土底板或桩承台、地下室、地下防水及回填土等施工过程。

从理论上,基础分部工程可以安排等节拍组织流水施工,也可按不同流水节拍施工,只需要根据工程量调配劳动和机械设备、材料即可。

等节拍流水施工时,流水步距等于流水节拍;不分施工层时流水施工工期 T 可按下式计算

$$T=(m+n-1)K+\sum Z_{j,j+1}-\sum D_{j,j+1} \tag{13-2}$$

式中　T——流水施工工期;
　　　m——施工段数;
　　　n——施工过程数;
　　　K——流水步距;
　　　$Z_{j,j+1}$——第 j 施工过程与 $j+1$ 施工过程间歇时间;
　　　$D_{j,j+1}$——第 j 施工过程与 $j+1$ 施工过程平行搭接时间。

当分施工层时流水施工工期 T 可按下式计算

$$T=(mr+n-1)K+\sum Z_1-\sum D_{j,j+1} \tag{13-3}$$

式中　r——施工层数;
　　　$\sum Z_1$——第一个施工层中各施工过程间歇时间之和。

由此可计算图 13-2 中的总工期为

$$T = (2+5-1) \times 3d + 0 - 0 = 18d$$

当需要考虑层间间歇，或某施工过程需要考虑间歇时，则每层最少施工段数按下式计算

$$m_{\min} = n + \frac{\sum Z}{K} \tag{13-4}$$

式中　$m_{\min}$——每层最少施工段数；

　　　n——施工过程数或专业工种数；

　　　Z——间歇时间。

2. 成倍节拍流水作业

在通常情况下，组织固定节拍的流水施工是比较困难的。因为在任一施工段上，不同施工过程的复杂程度不同，影响流水节拍的因素也各不相同，很难使得各个施工过程的流水节拍都彼此相等。使某些施工过程的流水节拍成为其他施工过程流水节拍的倍数，即形成成倍节拍流水施工。

成倍节拍流水作业的特点有：同一施工过程在各施工段上的流水节拍相等，不同的施工过程在同一施工段上的流水节拍互不相等，且互为倍数关系；流水步距相等，且等于流水节拍的最大公约数；各专业工种能保证连续施工，施工段无空闲；作业工种数大于施工过程数。

成倍节拍流水作业的组织：首先求出各施工过程流水节拍 t 的最大公约数 K，K 即为流水步距，K 大于1，此时流水节拍是 K 的倍数，然后分别组织相同倍数的专业工种共同完成同一施工过程。

同一施工过程专业工作队数可按下式计算

$$b = \frac{t_i}{K} \tag{13-5}$$

式中　b——某施工过程工作队数；

　　　t_i——流水节拍；

　　　K——流水步距。

成倍节拍流水中，工期可按下式计算

$$T = (m+N-1)K + \sum Z - \sum D \tag{13-6}$$

式中　N——工作队总数。

【例 13-1】 某现浇钢筋混凝土结构由模板安装、钢筋安装和浇混凝土三个施工过程组成，已知模板工程为 6d，钢筋工程为 4d，浇混凝土为 2d，试按成倍节拍流水组织施工。

【解】 模板安装、钢筋安装及浇混凝土分别由专业工作队Ⅰ、Ⅱ、Ⅲ完成，则流水步距为

K = 最大公约数{6,4,2} = 2d

确定施工过程专业工作队数

$b_{Ⅰ} = 6/2 = 3；b_{Ⅱ} = 4/2 = 2；b_{Ⅲ} = 2/2 = 1$

专业施工队总数为

$$N=3+2+1=6$$

施工段数

$$m=N=6$$

流水工期为

$$T=(m+N-1)K+\sum Z-\sum D=(6+6-1)\times 2=22\text{d}$$

绘制施工流水进度图如图 13-3 所示。

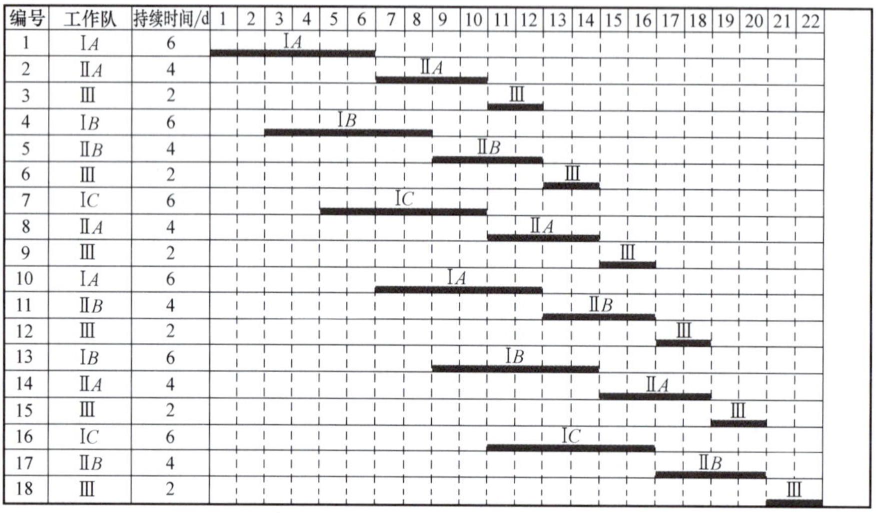
编号
工作队
持续时间/d
1 2 3 4 5 6 7 8 9 10 11 12 13 14 15 16 17 18 19 20 21 22
1 ⅠA 6
2 ⅡA 4
3 Ⅲ 2
4 ⅠB 6
5 ⅡB 4
6 Ⅲ 2
7 ⅠC 6
8 ⅡA 4
9 Ⅲ 2
10 ⅠA 6
11 ⅡB 4
12 Ⅲ 2
13 ⅠB 6
14 ⅡA 4
15 Ⅲ 2
16 ⅠC 6
17 ⅡB 4
18 Ⅲ 2

图 13-3　成倍流水组织施工进度图

3. 分别流水作业

在工程实践中，通常每个施工过程在各个施工段上的工程量彼此不相等，或者各个专业工作小组的生产效率不同，造成多数流水节拍彼此不相等。这时只能按照施工顺序要求，使相邻两个专业工作小组在开工时间上最大限度地搭接起来，并且组织成每个专业工作小组都能连续作业的非节奏流水施工。这种流水施工组织方式称为分别流水（或无节奏流水）。这是流水施工中较常见的形式。

组织分别流水的关键是如何合理地确定各施工过程相邻两个专业工作小组之间的流水步距，使每个施工过程既不出现工艺超前现象，又能紧密地衔接，并使每个专业工作小组都能够连续作业。确定流水步距的计算方法较多，简捷实用的方法有图上分析法、分析计算法和潘特考夫斯基法。其中潘特考夫斯基法最简便、易掌握。

潘特考夫斯基法没有计算公式，它的文字表达式为："累加数列错位相减取其最大差"。计算步骤如下：

1）根据专业工作小组在各施工段上的流水节拍计算累加数列。

2）根据施工顺序对所求相邻的两累加数列错位相减。

3）根据错位相减的结果确定相邻专业工作小组之间的流水步距，即相减结果中数值最大者便是流水步距。

【例 13-2】 某工程在平面上划分为 A、B、C、D 四个施工段，它们分别由Ⅰ、Ⅱ、Ⅲ、Ⅳ专业小组完成。每个专业工作小组在各施工段上的流水节拍见表 13-1，试按分别流水组织施工。

表 13-1　各专业工作小组在各施工段上的流水节拍

专业工作小组编号	流水节拍/d			
	A	B	C	D
Ⅰ	4	2	5	3
Ⅱ	5	3	4	4
Ⅲ	4	4	3	5
Ⅳ	3	5	1	4

【解】① 求各专业工作小组的累加数列。
Ⅰ：4，6，11，14
Ⅱ：5，8，12，16
Ⅲ：4，8，11，16
Ⅳ：3，8，9，13

② 错位相减。

Ⅰ与Ⅱ：

	4	6	11	14	
−		5	8	12	16
	4	1	3	2	−16

Ⅱ与Ⅲ：

	5	8	12	16	
−		4	8	11	16
	5	4	4	5	−16

Ⅲ与Ⅳ：

	4	8	11	16	
−		3	8	9	13
	4	5	3	7	−13

③ 确定流水步距。因流水步距等于错位相减所得结果中数值最大者，所以

$$K_{\text{Ⅰ},\text{Ⅱ}} = \max\{4, 1, 3, 2, -16\} = 4\text{d}$$
$$K_{\text{Ⅱ},\text{Ⅲ}} = \max\{5, 4, 4, 5, -16\} = 5\text{d}$$
$$K_{\text{Ⅲ},\text{Ⅳ}} = \max\{4, 5, 3, 7, -13\} = 7\text{d}$$

则确定流水步距为 7d。

④ 绘出水平指示图表。根据各专业工作小组在各施工段上的流水节拍和相邻两队的流

水步距,便可绘出流水指示图如图 13-4 所示。

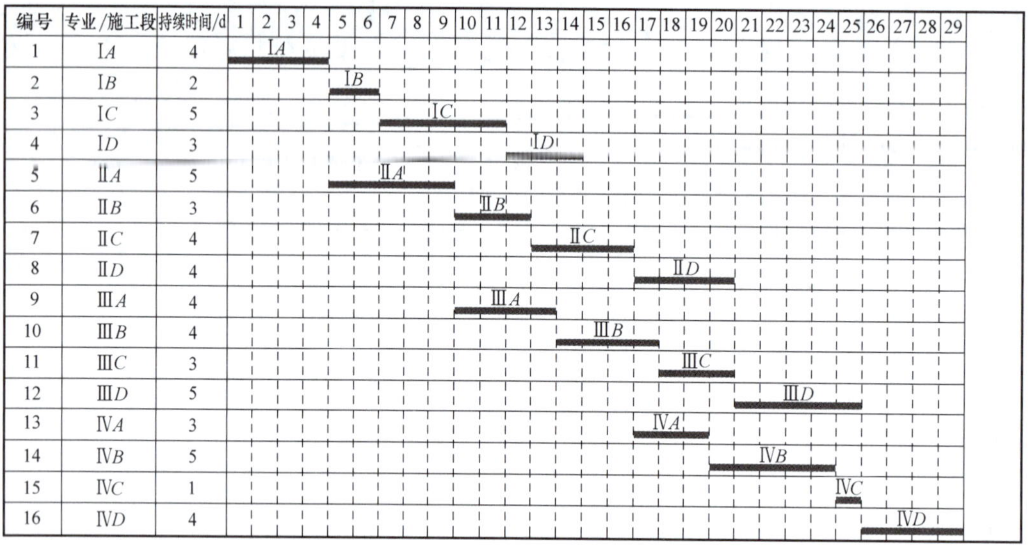

编号	专业/施工段	持续时间/d	1	2	3	4	5	6	7	8	9	10	11	12	13	14	15	16	17	18	19	20	21	22	23	24	25	26	27	28	29
1	ⅠA	4	⎯	⎯	⎯	⎯																									
2	ⅠB	2					⎯	⎯																							
3	ⅠC	5							⎯	⎯	⎯	⎯	⎯																		
4	ⅠD	3												⎯	⎯	⎯															
5	ⅡA	5					⎯	⎯	⎯	⎯	⎯																				
6	ⅡB	3										⎯	⎯	⎯																	
7	ⅡC	4													⎯	⎯	⎯	⎯													
8	ⅡD	4																⎯	⎯	⎯	⎯										
9	ⅢA	4								⎯	⎯	⎯	⎯																		
10	ⅢB	4												⎯	⎯	⎯	⎯														
11	ⅢC	3																⎯	⎯	⎯											
12	ⅢD	5																			⎯	⎯	⎯	⎯	⎯						
13	ⅣA	3													⎯	⎯	⎯														
14	ⅣB	5																⎯	⎯	⎯	⎯	⎯									
15	ⅣC	1																					⎯								
16	ⅣD	4																						⎯	⎯	⎯	⎯				

图 13-4 分别流水施工组织图

流水步距总和为
$$\sum K = 4d + 5d + 7d = 16d$$
最后一个专业工作小组在各施工段的流水节拍之和为
$$\sum t = 3d + 5d + 1d + 4d = 13d$$
⑤ 计算流水工期。流水工期 T 可按下式计算
$$T = \sum K + T_n + \sum Z - \sum D \tag{13-7}$$
式中 $\sum K$——流水步距之和;

T_n——最后一个专业工作小组在各施工段的流水节拍之和;

$\sum Z$——技术间歇时间之和(含组织间歇、层间间歇);

$\sum D$——相邻两工作小组平行搭接时间之和。

故本例的流水工期 T 为
$$T = (4+5+7)d + (3+5+1+4)d + 0 - 0 = 29d$$

4. 流水线法

在工程中常会遇到延伸很长的构筑物,如道路、沟渠、管道等,这类工程称为线性工程。对线性工程所组织的流水施工称为流水线法。其组织方法的具体步骤如下:

1) 将线性工程对象划分成若干个施工过程。

2) 通过分析,找出对工期起主导作用的施工过程。

3) 根据完成主导施工过程的工作组或机构的每班生产率确定专业工作组的移动速度。

4) 根据这一速度设计其他施工过程的流水作业,使之与主导施工过程相配合,即工艺上密切联系的专业工作队,按一定的工艺顺序相继投入施工。各专业组以一定的速度沿着线性工程的长度方向不断向前移动,每天完成同样长度的工程任务。

流水线法施工工期按下式计算

$$T=(N-1)K+LK/v+\sum Z-\sum D \qquad (13\text{-}8)$$

令 $m=L/v$，则式（13-8）简化为

$$T=(m+N-1)K+\sum Z-\sum D \qquad (13\text{-}9)$$

式中　L——线性工程总长度；

　　　K——流水步距；

　　　N——工作组数；

　　　v——每天移动速度。

【例 13-3】　某管道工程总长为 500m，依照施工顺序由开挖沟槽、铺设管道、焊接钢管和回填土四个施工过程所组成。其中开挖沟槽在施工过程中起主导作用，每天可挖长度为 50m。其他施工过程都应以每天 50m 的施工速度向前推进，即每隔 1d（50m 的间距）投入一个专业工作组。这样即可对 500m 长的管道工程按图 13-5 所示组织流水线法施工。

编号	施工过程	持续时间	1	2	3	4	5	6	7	8	9	10	11	12	13
1	控沟槽土方	10	控沟槽土方												
2	铺设管道	10		铺设管道											
3	焊接钢管	10			焊接钢管										
4	回填土	10				回填土									

图 13-5　流水线法施工计划图

【解】　$K=1\mathrm{d}$，$N=4$，$L=500\mathrm{m}$，$v=50\mathrm{m/d}$，故
$$T=(500/50+4-1)\times 1\mathrm{d}=13\mathrm{d}$$

复习思考题

1. 土木工程产品具有哪些特点？
2. 简述组织施工的基本原则。
3. 施工准备工作有哪些主要内容？
4. 简述横道图的优缺点。
5. 流水施工组织有哪几种类型？
6. 简述流水参数的概念，划分施工段和施工过程的原则。如何确定流水节拍和流水步距？
7. 简述等节拍流水和成倍节拍流水的组织方法。
8. 简述分别流水的组织方法。如何确定其流水步距？

应用训练

查阅相关资料，了解国内外有哪些典型的项目管理软件，对比分析其优缺点。

第 14 章 网络计划技术

问题引入：用横道图来描述施工进度计划有什么不足之处？

14.1 网络计划概述

1. 网络计划技术的起源与发展

网络计划技术是指用于工程项目的计划与控制的一项管理技术，利用网络图的形式表达一项工程中各项工作的先后顺序及逻辑关系，找出关键工作和关键线路，在计划执行过程中进行有效的控制和调整，力求以较小的消耗取得最佳的经济效益和社会效益。

网络计划技术是 20 世纪 50 年代末发展起来的，依其起源有关键路径法（Critical Path Method，CPM）与计划评审法（Program Evaluation and Review Technique，PERT）之分。1956 年，美国杜邦公司制订了第一套网络计划。这种计划借助于网络表示各项工作与所需要的时间，以及各项工作的相互关系。通过网络分析研究工程费用与工期的相互关系，并找出在编制计划及计划执行过程中的关键路线。这种方法称为关键路线法（CPM）。1958 年美国海军武器部，在制订研制"北极星"导弹计划时，同样地应用了网络分析方法与网络计划，但它注重于对各项工作安排的评价和审查，这种计划称为计划评审法（PERT）。鉴于这两种方法的差别，CPM 主要应用于以往在类似工程中已取得一定经验的承包工程，PERT 更多地应用于研究与开发项目。

我国从 20 世纪 60 年代中期，在华罗庚教授倡导下开始应用网络计划技术。目前网络计划技术在我国已广泛应用在国民经济各个领域，在工程项目的施工组织与管理过程中取得了良好的经济效益。1992 年我国颁布了《工程网络计划技术规程》（JGJ/T 1001—1991），1999 年修订颁布《工程网络计划技术规程》（JGJ/T 121—1999），2015 年颁布《工程网络计划规程》（JGJ/T 121—2015）。

2. 网络计划的特点

1）网络计划把施工过程中的各有关工作组成了一个有机的整体，能全面、明确地反映出各项工作之间的相互制约和相互依赖的关系。

2）能够通过各种时间参数的计算在数量繁多、错综复杂的计划中找出影响工程进度的关键工作和关键线路，便于管理人员抓住主要矛盾，集中精力确保工期，避免盲目抢工期。

3）通过对工作机动时间（时差）的计算，可更好地运用和调配人员与设备，节约人力、物力，达到降低成本的目的。

4）在计划执行过程中，当某一项工作因故提前或拖后时，能从网络计划中预见到它对其后续工作及总工期的影响程度，便于采取措施。

14.2 双代号网络计划

双代号网络计划是目前我国建筑业应用较为广泛的一种网络计划表达形式，是由若干表示工作的箭线和节点所构成的网状图形，其中每一项工作都用一根箭线和两个节点来表示，每一个节点都编以号码，箭线前后两个节点的号码即代表该箭线所表示的工作，此为"双代号"名称的由来。

14.2.1 双代号网络计划的组成

双代号网络计划主要由工作、节点和线路三个要素组成。

1. 工作

工作又称为工序、活动、作业，泛指需要消耗人力、物力等资源的具体活动，或虽不消耗资源但需消耗时间的具体活动。在双代号网络图中的工作用箭线表示，如图14-1所示。图中 i 为箭尾节点，表示工作的开始；j 为箭头节点，表示工作的结束。工作的名称写在箭线的上面，完成工作所需要的时间写在箭线的下面。

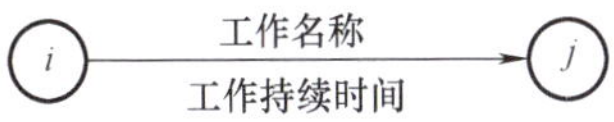

图 14-1 双代号网络图表示法

按照网络计划中工作之间的相互关系，可将工作分为以下几种类型：

（1）紧前工作　在网络计划中，排在工作 $i-j$ 之前的工作 $h-i$ 称为工作 $i-j$ 的紧前工作，即 $h-i$ 完成后本工作即可开始；若不完成，本工作不能开始。

（2）紧后工作　在网络计划中，排在工作 $i-j$ 之后的工作 $j-k$ 称为工作 $i-j$ 的紧后工作，$i-j$ 工作完成之后紧后工作即可开始，否则紧后工作就不能开始。

（3）平行工作　在网络计划中，可以和工作 $i-j$ 同时开始和同时结束的工作就是 $i-j$ 的平行工作。

（4）先行工作　自起点节点顺着箭头方向至 $i-j$ 工作开始节点之前各条线路上的所有工作，称为 $i-j$ 工作的先行工作。

（5）后续工作　$i-j$ 工作结束节点之后顺着箭头方向至终点节点之前各条线路上的所有工作，称为 $i-j$ 工作的后续工作。

（6）虚工作　既不消耗时间，也不消耗资源的工作称为虚工作。虚工作一般用来表示工作间的逻辑关系，用虚箭线表示，或者用持续时间为 0 的实箭线表示，如图14-2所示。

图 14-2　虚工作表示方法

a）虚箭线表示法　b）实箭线表示法

一个工作的范围可根据网络计划（或工程）的规模确定，可能是一个单位工程或一个构筑物，也可能是一个分部或分项工程。

在无时标的网络计划中,箭线的长短并不反映该工作占用时间的长短。箭线的长度和形状可以任意画,可以是水平直线,也可以画成折线或斜线,但不得中断。优先选用水平走向由左向右画。在有时间坐标限制的网络计划中,箭线的长短必须根据完成该工作所需持续时间的大小按比例绘制。

2. 节点

节点是网络计划中箭线的连接点,表示工作开始或结束的瞬间,用圆圈加数字序号表示。表示整个计划开始的节点称为网络计划的起点节点,表示整个计划最终完成的节点称为网络计划的终点节点。每一条箭线出发的节点称为开始节点,结束的节点称为完成节点,其余节点称为中间节点。所有的中间节点都具有双重的含义,既是前面工作的完成节点,又是后面工作的开始节点。

在一个网络图中可以有许多工作通向一个节点,也可以有许多工作由同一个节点出发。

一项工作应当只有唯一的一条箭线和相应的一对节点,且要求箭尾节点的编号小于其箭头节点的编号。网络计划中节点的编号顺序应从小到大,不允许重复。

3. 线路

在一个网络计划中,从起点节点开始,沿箭线方向顺序通过一系列箭线与节点,最后到达终点节点所经过的通路称为线路。该线路上各项工作持续时间的总和称为线路时间。例如图14-3,第1条线路各工作的持续时间为8d,第2条至第5条线路的持续时间分别为6d、16d、14d 和13d。

关键线路的持续时间决定了该网络计划的工期。在网络计划中,持续时间最长,对整个工程的完工起着决定性作用的线路称为关键线路,如图14-3中第3条线路,其余线路均称为非关键线路。

序号	线路	线长
1	①→1→②→2→④→5→⑥	8
2	①→1→②→2→④→0→⑤→3→⑥	6
3	①→5→③→6→④→5→⑥	16
4	①→5→③→6→④→0→⑤→3→⑥	14
5	①→5→③→5→⑤→3→⑥	13

图14-3 线路时间计算示意图

在关键线路上的工作称为关键工作。关键线路上任何工作的拖延都会导致总工期的拖延。位于非关键线路上的工作称为非关键工作,它具有机动时间(即时差)。在网络计划中有时可能同时存在几条关键线路。且关键线路并不是一成不变的,在一定条件下,关键线路和非关键线路可以相互转化。

关键线路一般用粗线(或红箭线)表示。

14.2.2 双代号网络计划的绘制

1. 项目分解

任何一个工程项目都是由许多具体工作和活动所组成的。因此绘制网络时，首要的问题是将一个项目根据需要分解成一定数量的独立工作和活动，其粗细程度可以根据网络计划的作用加以确定。宏观控制的网络计划可以分解得粗一些；具体实施的网络计划可以分解得细一些。项目分解的结果是要明确工作的名称、工作的范围和内容等。施工项目分解的方法主要有按实施过程分解、按平面或空间位置分解、按功能分解、按要素分解等。其中最常用的是按实施过程分解。

对于一个完整的施工项目来说，按实施过程进行分解即可得到详细的实施活动。常规的施工项目实施活动分为：施工准备、场地平整、土方开挖与基坑支护、地基基础工程、土方回填、主体框架结构、主体砌筑工程、屋面保温防水工程、楼地面工程、顶棚工程、墙柱面工程、门窗工程、安装工程、附属设施、竣工验收等。在网络计划中上述部分活动又可进一步分解，如地基基础工程可分解为垫层、基础钢筋、混凝土、模板等，主体框架结构可分解为钢筋工程、模板工程、混凝土工程等。

2. 工作的逻辑关系分析

在网络计划中，正确地表示各工作间的逻辑关系是一个核心问题。逻辑关系就是各工作在进行作业时，客观上存在的一种先后顺序关系。工作的逻辑关系分析是根据施工工艺和施工组织的要求，确定各道工作之间的相互依赖和相互制约的关系，以方便绘制网络计划。逻辑关系可归纳为工艺关系和组织关系两类。

（1）工艺关系 工艺关系是由施工工艺或工作程序决定的工作之间的先后顺序关系。如图14-4中，模板1→钢筋1→混凝土1之间的顺序关系即为工艺关系。

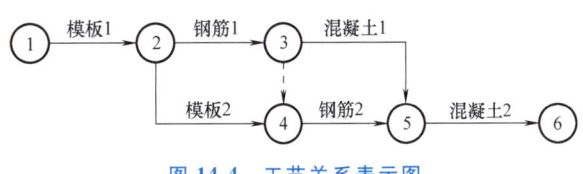

图14-4 工艺关系表示图

工艺关系是受客观规律支配的，一般是不可改变的。当一个工程的施工方法确定之后，工艺关系也就随之被确定下来。如果违背这种关系，将不可能进行施工，或会造成质量、安全事故，导致返工和浪费。

（2）组织关系 组织关系是在施工过程中，由于组织安排需要和资源（劳动力、机械、材料和构件等）调配需要而规定的先后顺序关系。如图14-4中，模板1与模板2、钢筋1与钢筋2之间的顺序关系即为组织关系。

组织关系不是由工程本身决定的而是人为的。组织方式不同，组织关系也不同，所以组织关系不是一成不变的。但是不同的组织安排，往往产生不同的组织效果，所以组织关系不但可以调整，还可以优化。

3. 逻辑关系表示方法

在网络计划中，各工作之间的逻辑关系是变化多端的。表14-1是网络计划中常见的一些逻辑关系及其表示方法，其中A、B、C、D、E代表不同的工作。

表 14-1　网络计划中常见的工作逻辑关系表示方法

序号	工作之间的逻辑关系	网络计划表示方法	说明
1	A、B 两项工作按顺序施工		B 工作依赖着 A 工作，A 工作约束着 B 工作的开始
2	A、B、C 三项工作同时开始		A、B、C 三项工作称为平行工作
3	A、B、C 三项工作同时结束		A、B、C 三项工作称为平行工作
4	只有在 A 工作完成后，B、C 两项工作才能开始		A 工作制约着 B、C 两项工作的开始，B、C 两项工作为平行工作
5	C 工作只有在 A、B 两项工作完成后才能开始		C 工作依赖着 A、B 两项工作，A、B 两项工作为平行工作
6	只有当 A、B 两项工作完成后 C、D 两项工作才能开始		通过中间节点 j 表示工作关系
7	A 工作完成后 C 工作才能开始，A、B 两项工作完成后 D 工作才能开始		D 工作与 A 工作之间引入了逻辑连接（虚工作）表达约束关系
8	A、B 两项工作完成后 C 工作开始，B、D 两项工作完成后 E 工作开始		虚工作 i-j 反映 C 工作受到 B 工作的约束；虚工作 i-k 反映 E 工作受到 B 工作的约束
9	A、B、C 三项工作完成后 D 工作才能开始，B、C 两项工作完成后 E 工作才能开始		虚工作表示 D 工作受到 B、C 两项工作的制约

序号	工作之间的逻辑关系	网络计划表示方法	说明
10	A、B 两项工作分三个施工段平行施工		每个施工段上进行流水作业，不同工种之间用逻辑搭接关系表示

4. 虚箭线的应用

（1）在工作的逻辑连接方面的应用　绘制网络计划时，有时会遇到 A 工作结束后可同时进行 B、D 两项工作，C 工作结束后进行 D 工作。从这四项工作的逻辑关系可以看出，A 工作的紧后工作为 B 工作，C 工作的紧后工作为 D 工作，但 D 工作又是 A 工作的紧后工作，为了把 A、D 两项工作紧前紧后的关系表达出来，这时就需要引入虚箭线，如图 14-5 所示。因虚箭线的持续时间是零，虽然 A、D 两项工作间隔有一条虚箭线，又有两个节点，但二者的关系仍是在 A 工作完成后，D 工作才可以开始。

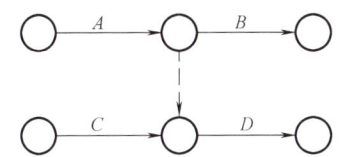

图 14-5　虚箭线的逻辑关系应用图

（2）在工作的逻辑"断路"方面的应用　绘制双代号网络图时，最容易产生的错误是把本来没有逻辑关系的工作联系起来了，使网络计划发生逻辑上的错误。这时就必须使用虚箭线在图上加以处理，以隔断不应有的工作联系。产生错误的地方总是在同时有多条内向和外向箭线的节点处，画图时应特别注意。

例如某工程在平面上划分为Ⅰ、Ⅱ、Ⅲ三个施工阶段，每个施工段由模板、钢筋、混凝土三个分项工程组成。根据基本的网络计划编制方法绘制的双代号网络计划如图 14-6 所示。该网络计划正确地表达了工艺逻辑关系及施工组织程序，但不满足空间逻辑关系要求。原因是第Ⅲ施工段的支模板不应受到第Ⅰ施工段绑钢筋的制约，第Ⅲ施工段绑钢筋不应受到第Ⅰ施工段浇混凝土的制约，由此可看出该计划的空间逻辑关系表达有误。此时应采用虚工作在线路上隔断无逻辑关系的各项工作。即增加虚箭线分隔模板Ⅲ与钢筋Ⅰ、钢筋Ⅲ与筑混凝土Ⅰ，使模板Ⅲ仅为模板Ⅱ的紧后工作，而与钢筋Ⅰ断路；使钢筋Ⅲ与混凝土Ⅰ断路，如图 14-7 所示。

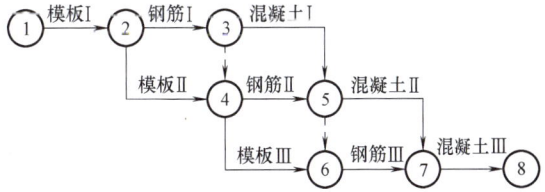

图 14-6　常规双代号网络计划图

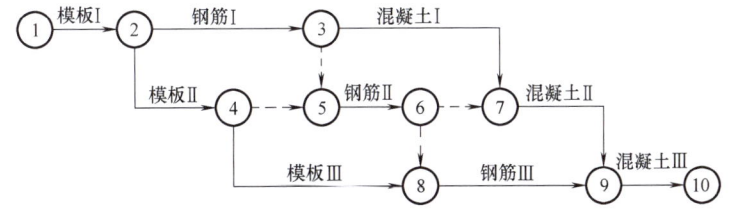

图 14-7　图 14-6 逻辑关系的正确表达图

（3）在同时开始和同时完成工作中的应用　一个箭线和与其相连的节点只能代表一项工作，不允许代表多项工作。当两项或多项工作同时开始、同时结束时，需采用虚箭线连接多个箭头节点，如图14-8所示。

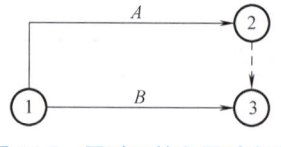

图14-8　同时开始和同时完成工作中的逻辑表示图

5. 绘制的基本规则

1）正确表达已确定的逻辑关系。绘制网络计划之前要正确确定工作的顺序，明确各工作之间的衔接关系，根据工作的先后顺序逐步把代表各项工作的箭线连接绘制成网络计划。

2）严禁出现循环回路。从一个节点出发沿着某一条线路移动，又回到原出发节点的情况称为循环回路。循环回路表达的逻辑关系是错误的，在网络计划中严禁出现。

3）严禁出现带双箭头或无箭头的箭线。在网络计划中一条箭线只能有一个箭头，不允许出现方向矛盾的双箭头和无方向的无箭头箭线。

4）严禁出现没有箭头节点或箭尾节点的箭线。

5）箭线不宜交叉。绘制网络计划时，箭线不宜交叉，当交叉不可避免时，不能直接相交画出，可选用"过桥"法或指向法，如图14-9所示。

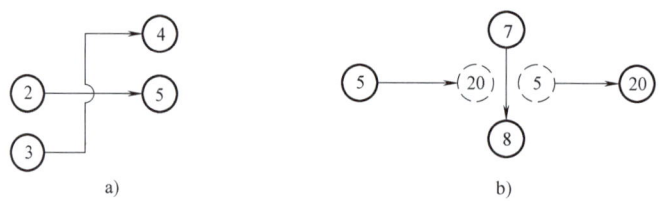

图14-9　交叉箭线画法示意图

a)"过桥"画法　b)指向画法

6. 网络计划的编号方法

网络计划的节点编号方法主要有水平编号法和垂直编号法两种。

水平编号法就是从起点节点开始由上到下逐行编号，每行则自左向右按顺序编排，如图14-10所示。垂直编号法就是从起点节点开始自左向右逐列编号，每列根据编号规则的要求或自上而下，或自下而上，或先上下后中间，或先中间后上下，如图14-11所示。

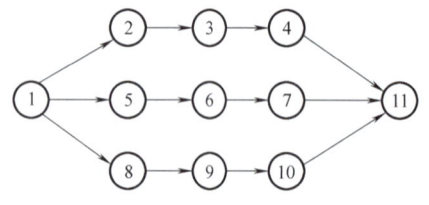 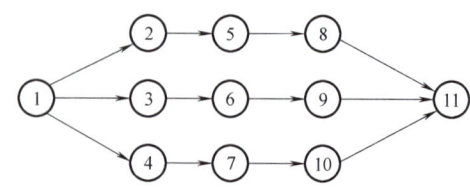

图14-10　水平编号法示意图　　　图14-11　垂直编号法示意图

7. 网络计划的布局要求

网络计划是用来指导实际工作的，所以在保证网络图逻辑关系正确的前提下，要重点突出、层次清晰、布局合理。关键线路应尽可能布置在中心位置，用粗箭线或双线箭头画出；密切相关的工作尽可能相邻布置，避免箭线交叉；尽量采用水平箭线或垂直箭线。

以下为某工程双代号网络计划案例。

【例 14-1】 某现浇钢筋混凝土结构，工作内容包括柱、梁、板、墙等。施工顺序为：柱先绑扎钢筋，然后墙绑扎钢筋，再进行支模；梁的模板须待柱子和墙模板支好后才能开始；梁模板支好后再支楼板的模板；然后进行梁和楼板的钢筋绑扎；最后浇筑柱、墙、梁和楼板的混凝土。其工作名称、衔接关系及工作持续时间见表 14-2。

表 14-2 某现浇钢筋混凝土结构工作名称、衔接关系及工作持续时间

工作名称	代号	紧前工作	持续时间/d	工作名称	代号	紧前工作	持续时间/d
柱绑扎钢筋	A	—	2	楼板支模板	F	E	2
墙绑扎钢筋	B	A	3	梁绑扎钢筋	G	E	3
柱支模板	C	A	3	楼板绑扎钢筋	H	G、F	3
墙支模板	D	B、C	3	柱、墙、梁、楼板浇混凝土	I	H	2
梁支模板	E	D	3				

【解】 ① 先画出没有紧前工作的 A 工作，在 A 工作的后面画出紧前工作为 A 工作的各工作，即 B、C 工作，D 工作的紧前工作有 B 工作和 C 工作，对此必须引入虚工作表示。

② 在 D 工作的后面画出紧前工作为 D 工作的 E 工作，在 E 工作的后面画出紧前工作为 E 工作的 F 工作及 G 工作。

③ 在 F、G 工作后面画出紧前工作为 F 工作和 G 工作的 H 工作，此时需引入虚工作。在 H 工作后画出紧前工作为 H 工作的 I 工作，完成网络计划，如图 14-12 所示。

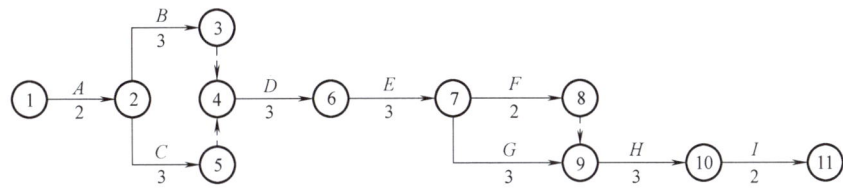

图 14-12 某现浇钢筋混凝土结构双代号网络计划图

14.2.3 网络计划时间参数的计算

网络计划时间参数的计算是网络计划编制时的一项重要技术内容。通过计算网络计划的时间参数，可以确定完成整个计划所需要的工期；明确计划中各项工作的起止时间限制，分析计划中各项工作对整个计划工期的不同影响，从工期的角度区分出关键工作与非关键工作；计算非关键工作的作业时间有多少机动性等。

1. 时间参数分类及标注形式

（1）时间参数分类

1) 工作最早开始时间 ES_{i-j}：指在紧前工作约束下，本工作可能开始的最早时刻。

2) 工作最早完成时间 EF_{i-j}：指在紧前工作约束下，本工作最早可能完成的时刻。

3) 工作最迟开始时间 LS_{i-j}：指在不影响任务按期完成的前提下，本工作必须开始的最迟时刻。

4) 工作最迟完成时间 LF_{i-j}：指在不影响任务按期完成的前提下，本工作必须完成的最

迟时刻。

5) 总时差 TF_{i-j}：指在不影响工期或不影响后续工作最迟必须开始时间的前提下，一项工作可以利用的机动时间。

6) 自由时差 FF_{i-j}：指在不影响工期或不影响其紧后工作最早开始时间的前提下，一项工作可以利用的机动时间。

7) 计算工期 T_c：指根据时间参数计算得到的工期。计划工期 T_p 的确定如下：当已规定了要求工期 T_r 时，$T_p \leq T_r$；当未规定要求工期时，$T_p = T_c$。

(2) 时间参数标注形式　时间参数标注形式分为按节点计算法和按工作计算法两种形式，ET_i、LT_i 为节点 i 的最早、最迟时间，D_{i-j} 为持续时间，ET_j、LT_j 为节点 j 的最早、最迟时间，如图 14-13 所示。

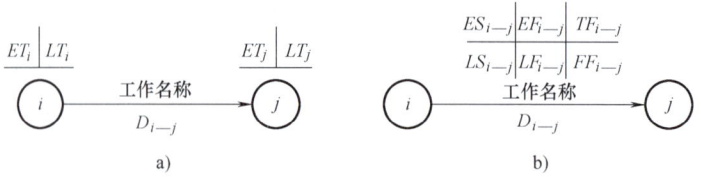

图 14-13　时间参数标注形式示意图
a) 按节点计算法　b) 按工作计算法

2. 时间参数的计算

(1) 计算 ES_{i-j} 和 EF_{i-j}　最早时间参数受到紧前工作的约束，即本工作要提前的话，不能提前到其紧前工作未完成之前；对整个网络计划而言，它受到起始节点的制约，故其计算顺序应从开始节点起顺着箭线方向逐项计算。

以起点节点为开始节点的工作，当未规定其最早开始时间时，其最早开始时间等于零，即 $ES_{1-2}=0$。该工作最早完成时间为

$$EF_{1-2}=ES_{1-2}+D_{1-2} \tag{14-1}$$

式中　D_{1-2}——1—2 工作的持续时间。

其余工作的最早开始时间应等于其紧前工作最早完成时间的最大值，即

$$ES_{i-j}=\max\{EF_{h-i}\} \tag{14-2}$$

式中　EF_{h-i}——工作 i—j 的紧前工作 h—i 的最早完成时间。

其余工作的最早完成时间为

$$EF_{i-j}=ES_{i-j}+D_{i-j} \tag{14-3}$$

式中　D_{i-j}——i—j 工作的持续时间。

(2) 计算 T_c（网络计划的计算工期）　当终点节点为 n 时，进入终点节点各工作的最早完成时间的最大值取为计算工期，即

$$T_c=\max\{EF_{i-n}\} \tag{14-4}$$

(3) 计算 LS_{i-j} 和 LF_{i-j}　最迟时间参数受到紧后工作的约束，即本工作要推迟的话，不能影响其紧后工作的按期完成；对整个网络计划而言，它受到结束节点或工期的制约，故其计算顺序应从终点节点起逆着箭线方向逐项计算。

以终点节点（工作 j—n）为箭头节点的工作的最迟完成时间 LF_{i-n}，应按网络计划的计

划工期 T_p 确定，即

$$LF_{i-n} = T_p \quad (14\text{-}5)$$

工作 j—n 的最迟开始时间为

$$LS_{j-n} = LF_{j-n} - D_{j-n} \quad (14\text{-}6)$$

式中　D_{j-n}——工作 j—n 的持续时间。

其余工作 i—j 的最迟完成时间为

$$LF_{i-j} = \min\{LF_{j-k} - D_{j-k}\} = \min\{LS_{j-k}\} \quad (14\text{-}7)$$

式中　LF_{j-k}——工作 i—j 的各项紧后工作 j—k 的最迟完成时间；

　　　D_{j-k}——工作 i—j 的各项紧后工作（紧排在本工作之后的工作）的持续时间；

　　　LS_{j-k}——工作 i—j 的各项紧后工作 j—k 的最迟开始时间。

（4）计算 TF_{i-j}　总时差为

$$TF_{i-j} = LS_{i-j} - ES_{i-j} \quad (14\text{-}8)$$

或

$$TF_{i-j} = LF_{i-j} - EF_{i-j} \quad (14\text{-}9)$$

（5）计算 FF_{i-j}　当工作 i—j 有紧后工作 j—k 时，其自由时差为

$$FF_{i-j} = ES_{j-k} - EF_{i-j} \quad (14\text{-}10)$$

终点节点（工作 j—n）的自由时差 FF_{j-n} 应按网络计划的计划工期 T_p 确定，即

$$FF_{j-n} = T_p - EF_{j-n} \quad (14\text{-}11)$$

网络计划中终点节点的自由时差与总时差相等。此外，由于工作的自由时差是其总时差的构成部分，所以当工作的总时差为零时，其自由时差必然为零。

3. 关键工作和关键线路的确定

关键工作是网络计划中总时差最小的工作。当计划工期等于计算工期时，关键工作即是总时差为 0 的工作。关键线路是由关键工作组成的线路，或线路上总的工作持续时间最长的线路。关键工作自左而右依次首尾相连而形成的线路就是关键线路。关键工作和关键线路在网络图上应当用粗线或双线或彩色线标注其箭线。

以下为时间参数计算案例。

【例 14-2】　某工程共有 A_1、A_2、A_3、B_1、B_2、B_3、C_1、C_2、C_3 九项工作，持续时间分别为 1d、2d、5d、5d、6d、4d、3d、5d 和 3d，其双代号网络计划时间参数计算结果如图 14-14 所示。

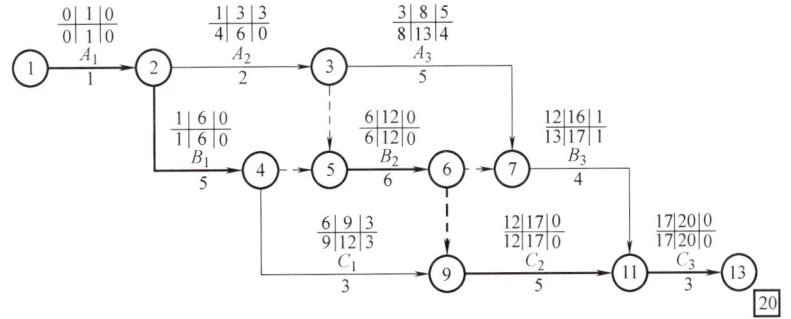

图 14-14　某工程双代号网络计划时间参数计算结果（单位：d）

【解】　时间参数计算过程如下：

① 最早开始时间的计算。

工作 A_1： $ES_{1-2} = 0$

工作 A_2： $ES_{2-3} = \max(ES_{1-2} + D_{1-2}) = 0d + 1d = 1d$

工作 B_1： $ES_{2-4} = \max(ES_{1-2} + D_{1-2}) = 0d + 1d = 1d$

工作 A_3： $ES_{3-7} = \max(ES_{2-3} + D_{2-3}) = 1d + 2d = 3d$

其余工作的最早开始时间依此类推。

② 最早完成时间的计算。

工作 A_1： $EF_{1-2} = ES_{1-2} + D_{1-2} = 0d + 1d = 1d$

工作 A_2： $EF_{2-3} = ES_{2-3} + D_{2-3} = 1d + 2d = 3d$

其余工作的最早完成时间依此类推。

③ 工期 T_c 的计算。

本工程的计算工期为终点节点的最早完成时间，即

$T_c = ES_{11-13} + D_{11-13} = \max(EF_{7-11}, EF_{9-11}) + D_{11-13} = 17d + 3d = 20d$。

④ 最迟完成时间的计算。

工作 C_3： $LF_{11-13} = T_c = 20d$

工作 B_3： $LF_{7-11} = LF_{11-13} + D_{11-13} = 20d - 3d = 17d$

工作 C_2： $LF_{9-11} = LF_{11-13} + D_{11-13} = 20d - 3d = 17d$

工作 B_2： $LF_{5-6} = \min(LF_{7-11} - D_{7-11}, LF_{9-11} - D_{9-11}) = \min(17d-4d, 17d-5d) = 12d$

其余工作的最迟完成时间依此类推。

⑤ 最迟开始时间的计算。

工作 C_3： $LS_{11-13} = LF_{11-13} - D_{11-13} = 20d - 3d = 17d$

其余工作的最迟完成时间依此类推。

⑥ 工作总时差的计算。

工作 A_1： $TF_{1-2} = LS_{1-2} - ES_{1-2} = 0d - 0d = 0d$

工作 A_2： $TF_{2-3} = LS_{2-3} - ES_{2-3} = 4d - 1d = 3d$

其余工作的总时差依此类推。

⑦ 工作自由时差的计算。

工作 A_1： $FF_{1-2} = ES_{2-3}(\text{或} ES_{2-4}) - ES_{1-2} - D_{1-2} = 1d - 0d - 1d = 0d$

工作 A_2： $FF_{2-3} = ES_{3-7} - EF_{2-3} = 3d - 3d = 0d$

其余工作的总时差依此类推。

14.3 双代号时标网络计划

双代号时标网络计划（以下简称时标网络计划）是以时间坐标为尺度表示工作时间的网络计划。时标的时间单位应根据需要在编制网络计划之前确定，可为小时、天、周、月或季等。由于时标网络计划具有形象直观、计算量小的突出优点，在工程实践中应用比较普遍。

14.3.1 一般规定

1) 时标网络计划应以实箭线表示工作，以虚箭线表示虚工作，以波形线表示工作的自

由时差。无论哪一种箭线,均应在其末端绘出箭头。

2) 当工作中有时差时,按图 14-15 方式表达,波形线紧接在实箭线的末端;当虚工作有时差时,按图 14-16 方式表达,不得在波形线之后画实线。

图 14-15 时标网络计划的箭线画法

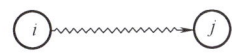

图 14-16 虚工作含有时差时的表示方法

3) 工作开始节点到工作结束节点的长度,斜线水平投影的长度均代表该工作的持续时间值。因此为使图形表达清楚、易计算,在时标网络计划中尽量不用斜箭线。

4) 绘制时标网络计划之前,应先按已确定的时间单位绘出时标表。时标可标注在时标表的顶部或底部。时标的长度单位必须注明。必要时,可在顶部时标之上或底部时标之下加注日历的对应时间。

时标网络计划的绘制首先需要根据无时标的网络计划草图计算其时间参数并确定关键线路,然后在时标网络计划表中进行绘制。在绘制时应先将所有节点按其最早时间定位在时标网络计划表中的相应位置,然后再用规定线型(实箭线和虚箭线)按比例绘出实工作和虚工作。当某些工作箭线的长度不足以到达该工作的完成节点时,需用波形线补足,箭头应画在与该工作完成节点的连接处。例如某双代号网络计划采用时标网络计划绘制的结果如图 14-17 所示。

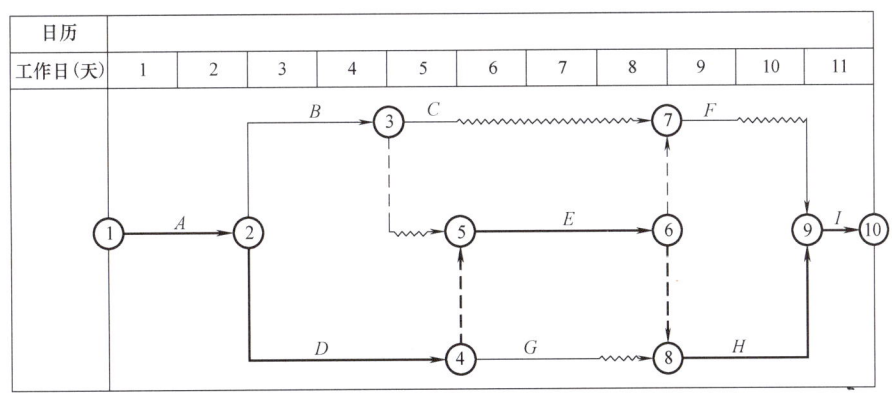

图 14-17 时标网络计划示例

14.3.2 时标网络计划中时间参数确定

1. 关键线路的确定

时标网络计划中的关键线路可从网络计划的终点节点开始,逆着箭线方向进行判定;没有出现波形线的线路,即不存在自由时差的线路即为关键线路。关键线路上各工作的最迟开始时间与最早开始时间是相等的。

2. 计算工期的确定

时标网络计划的计算工期应等于其终点节点所对应的时标值与起点节点所对应的时标值之差。例如图 14-17 中时标网络计划的总工期为 $T=11d-0d=11d$。

3. 工作时间参数的确定

（1）最早开始时间和最早完成时间的确定　时标网络计划中每条箭线左端节点中心所对应的时标值为该工作的最早开始时间 ES_{i-j}。当工作箭线中不存在波形线时，其右端节点中心所对应的时标值为该工作的最早完成时间 EF_{i-j}；当工作箭线中存在波形线时，工作箭线实线部分右端所对应的时标值为该工作的最早完成时间 EF_{i-j}。

（2）工作自由时差的确定　时标网络计划中工作的自由时差（FF_{i-j}）值就是该工作箭线中波形线的水平投影长度。

（3）工作总时差的确定　时标网络计划中工作的总时差应自右向左，其值等于其所有紧后工作总时差的最小值与本工作自由时差之和，即

$$TF_{i-j} = \min\{TF_{j-k}\} + FF_{i-j} \qquad (14\text{-}12)$$

式中　TF_{j-k}——工作 i—j 的紧后工作 j—k 的总时差。

（4）最迟开始时间和最迟完成时间的确定　工作的最迟开始（完成）时间等于该工作的最早开始（完成）时间与其总时差之和，即

$$LS_{i-j} = ES_{i-j} + TF_{i-j} \qquad (14\text{-}13)$$

$$LF_{i-j} = EF_{i-j} + TF_{i-j} \qquad (14\text{-}14)$$

14.4　单代号网络计划

单代号网络计划是在工作流线图的基础上演绎而成的网络计划形式，具有绘图简便、逻辑关系明确、易于修改等优点。

1. 单代号网络计划的构成

单代号网络计划又称为节点式网络计划，它以节点及其编号表示工作，以箭线表示工作之间的逻辑关系。

在单代号网络计划中，节点宜用圆圈或矩形表示，如图 14-18 所示。圆圈或方框内的内容（项目）可以根据实际需要来填写和列出，可标注出工作编号、名称和工作持续时间等内容。

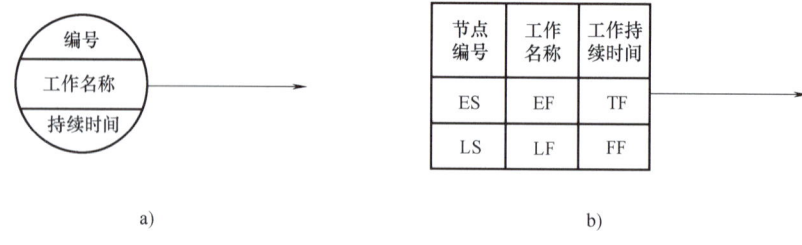

图 14-18　单代号网络计划节点表示

a）圆圈节点　b）矩形节点

单代号网络计划中的箭线表示紧邻工作之间的逻辑关系，箭线应画成水平直线、折线或斜线，箭线水平投影的方向应自左向右，表示工作的进行方向，箭头指向其紧后工作。箭线的箭尾节点编号应小于箭头节点的编号。箭线既不消耗资源，也不消耗时间，只表示各项工作间的逻辑关系。相对于箭尾和箭头来说，箭尾节点称为紧前工作，箭头节点称为紧后工作。

在单代号网络计划中不设虚箭线。

2. 单代号网络计划常见逻辑关系表示方法

单代号网络计划常见逻辑关系表示方法见表14-3。

表14-3 单代号网络计划常见逻辑关系表示方法

序号	工作间的逻辑关系	单代号网络图的表示方法
1	A、B、C 三项工作依次完成	A→B→C
2	A、B 两项工作完成后进行 D 工作	A,B→D
3	A 工作完成后，B、C 两项工作同时开始	A→B,C
4	A 工作完成后进行 C 工作，A、B 两项工作完成后进行 D 工作	A→C，A,B→D

3. 单代号网络计划的绘制

单代号网络计划的绘制方法比较简单，各项工作的相互关系容易表达，不存在虚工作，便于检查与修改。单代号网络计划的绘制规则与双代号网络计划的绘制规则基本相同。主要区别在于当网络计划中有多项开始工作时，应增加一项虚拟的工作（开始），作为该网络图的起点节点；当网络图中有多项结束工作时，应增设一项虚拟的工作（结束），作为该网络图的终点节点。另外单代号网络计划不能绘制成时标网络图。

（1）工作最早时间的计算 工作最早时间的计算应从网络计划的起点节点开始，顺着箭线方向按节点编号从小到大的顺序依次进行。

若没有特殊规定时，起点节点1的最早开始时间 $ES_1 = 0$。

工作的最早完成时间等于本工作的最早开始时间与其持续时间之和，即

$$EF_i = ES_i + D_i \quad (14-15)$$

式中 EF_i——工作 i 的最早完成时间；

ES_i——工作 i 的最早开始时间；

D_i——工作 i 的持续时间。

其余工作的最早开始时间应等于其紧前工作最早完成时间的最大值，即

$$ES_j = \max\{EF_i\} \quad (14-16)$$

（2）网络计划计算工期的计算 单代号网络计划计算工期的计算与双代号网络计划相同，即

$$T_c = \max\{EF_n\} \quad (14-17)$$

式中　EF_n——终点节点工作 n 的最早完成时间。

（3）相邻两项工作之间时间间隔的计算　相邻两项工作之间的时间间隔是指其紧后工作的最早开始时间与本工作最早完成时间的差值，工作 i 和工作 j 之间的时间间隔记为 $LAG_{i,j}$，即

$$LAG_{i,j} = ES_j - EF_i \tag{14-18}$$

（4）总时差的计算　工作总时差 TF_i 的计算应从网络计划的终点节点开始，逆着箭线方向依次逐项计算。当计划工期与计算工期相同时，终点节点所代表的工作的总时差 TF 应等于 0。

其余工作的总时差应等于本工作与其各紧后工作之间的时间间隔加该紧后工作的总时差所得之和的最小值，即

$$TF_i = \min\{TF_j + LAG_{i,j}\} \tag{14-19}$$

（5）工作的自由时差的计算　终点节点所代表的工作的自由时差等于计划工期与本工作的最早完成时间之差，即

$$FF_n = T_p - EF_n \tag{14-20}$$

其余工作的自由时差等于本工作与其紧后工作之间时间间隔的最小值，即

$$FF_i = \min\{LAG_{i,j}\} \tag{14-21}$$

（6）工作最迟时间的计算　工作最迟时间的计算应从网络计划的终点节点开始，逆着箭线方向依次逐项进行。

当计划工期与计算工期相同时，终点节点所代表的工作 n 的最迟完成时间 LF_n 应等于该网络计划的计算工期 T_c，即

$$LF_n = T_c \tag{14-22}$$

该工作的最迟开始时间等于本工作的最迟完成时间与其持续时间之差，即

$$LS_n = LF_n - D_n \tag{14-23}$$

其余工作的最迟完成时间等于该工作各紧后工作最迟开始时间的最小值，即

$$LF_i = \min\{LS_j\} \tag{14-24}$$

或

$$LF_i = EF_i + TF_i \tag{14-25}$$

（7）确定网络计划的关键工作和关键线路　单代号网络计划关键工作是总时差为最小的工作。从起点节点开始到终点节点的所有关键工作相连即为关键线路，关键线路上所有工作的间隔时间均为零。

【例 14-3】　计算图 14-19 单代号网络计划时间参数。

【解】　① 工作最早开始时间和最早完成时间的计算。

工作 A_1：$ES_1 = 0$（网络计划的起始节点）

$$EF_1 = ES_1 + D_1 = 0d + 3d = 3d$$

工作 B_2：$ES_5 = \max(EF_2, EF_4) = \max(6d, 5d) = 6d$

$$EF_5 = ES_5 + D_5 = 6d + 2d = 8d$$

其余工作的最早时间均可按此规则计算。

② 工作之间间隔时间的计算。

$$LAG_{1,2} = ES_2 - EF_1 = 3d - 3d = 0d$$

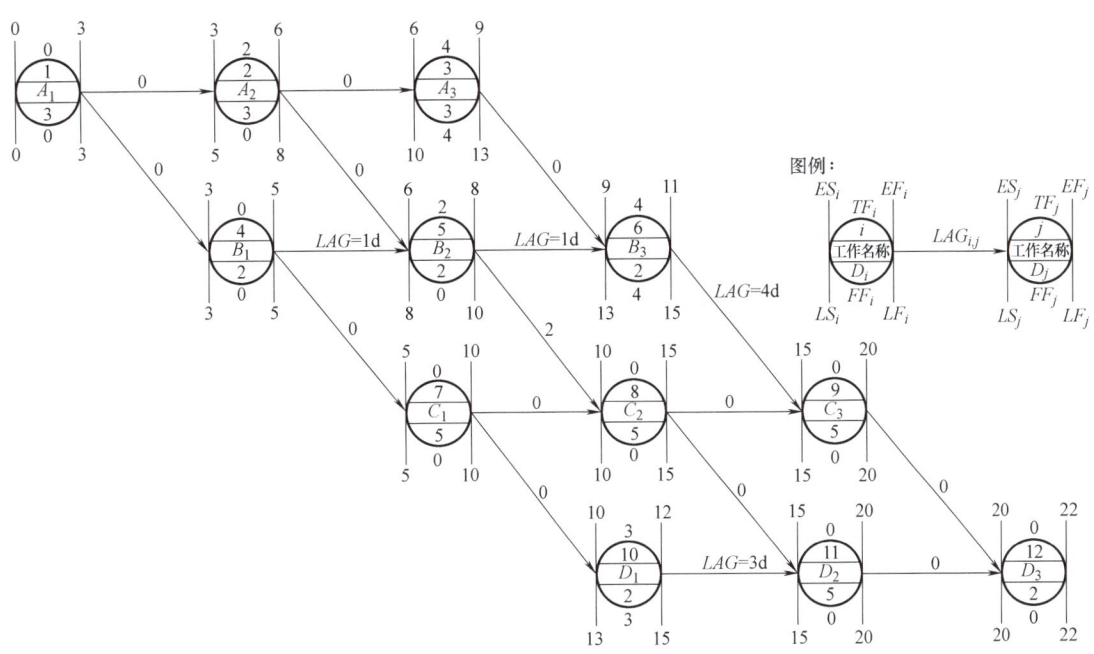

图 14-19 单代号网络计划时间参数计算案例（单位：d）

$$LAG_{6,9} = ES_9 - EF_6 = 15d - 11d = 4d$$

其余工作时间的间隔时间均可按此规则计算。

③ 工作最迟完成和最迟开始时间的计算。

工作 D_3：$LF_{12} = T_c = 22d$

$LS_{12} = LF_{12} - D_{12} = 22d - 2d = 20d$

工作 C_2：$LF_8 = \min(LS_9, LS_{11}) = \min(15d, 15d) = 15d$

$LS_8 = LF_8 - D_8 = 15d - 5d = 10d$

其余工作的最迟时间均可按此规则计算。

计算结果详如图 14-19 所示。

14.5 网络计划的优化与控制

14.5.1 网络计划的优化

网络计划的优化是指在计划编制或执行阶段，在一定的约束条件下，利用最优化原理，按照预期目标对网络计划进行改进，以寻求令人满意的计划方案的过程。

网络计划的预期目标一般可根据工程任务的实际情况确定，通常包括工期目标、资源目标和费用目标三类。因此网络计划的优化也可分为工期优化、资源优化和费用优化。

1. 工期优化

工期优化指当网络计划的计算工期不满足工期目标时，在不改变工作之间逻辑关系的前提下，按代价增加从小到大排序，依次选择并压缩初始网络计划中的关键线路上的各项关键工作的持续时间,直到使计算工期最终满足工期目标的要求。

工期优化一般是通过压缩关键工作的持续时间,从而使关键线路的时间缩短。在压缩关键线路的时间时,有时会使某些时差较小的非关键线路上的工作变为关键线路上的关键工作,此时需要再次压缩新的关键线路,直到达到工期目标为止。

在工期优化的过程中,若所有关键工作的持续时间都已达到其能缩短的极限而工期仍不能满足要求时,应对原网络计划的技术方案、组织方案、资源投入等进行调整或对目标重新评估。

【例14-4】 某工程最初的网络计划如图14-20所示。箭线下方括号外的数字为该工作的正常持续时间,括号内为最短持续时间,假定要求工期为40d,根据实际情况及各种因素,决定缩短顺序为 G、B、C、H、E、D、A、F 工作的时间,试对网络计划进行优化。

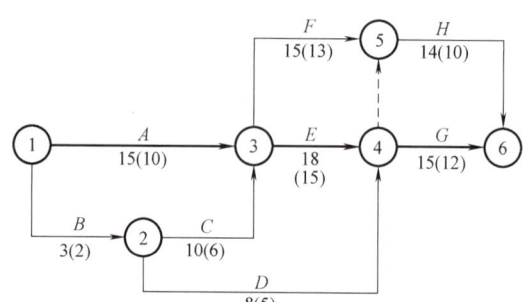

【解】 优化过程如下:

1)在各工作的正常持续时间下计算出网络计划的时间参数,并计算出计算工期 $T_c=48d$。据此可确定该网络计划需缩短的时间为 8d。

图14-20 某工程初始网络计划(单位:d)

2)根据已知条件,先将 G 工作缩至最短持续时间(即12d),重新计算时间参数,并找出关键线路。但此时 G 工作已成非关键工作,故应增加 G 工作的持续时间至14d,使之仍为关键工作,如图14-21所示。

3)重复以上步骤直到满足要求。最终调整的结果如图14-22所示。

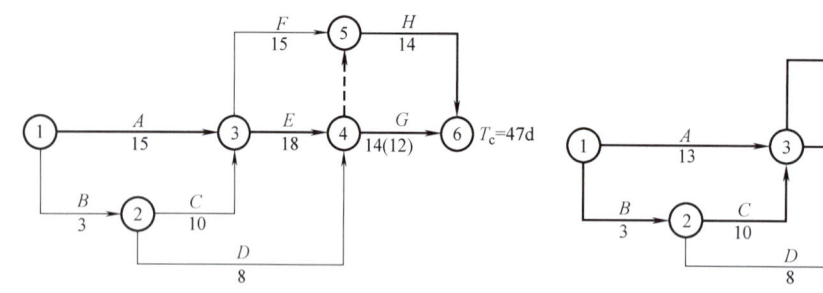

图14-21 将 G 工作缩至 14d 时的网络计划及计算工期(单位:d)

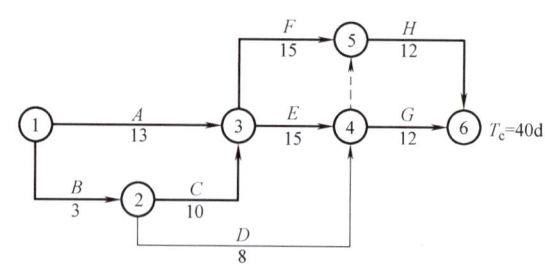

图14-22 优化完成后的网络计划(单位:d)

2. 资源优化

资源优化指通过改变网络计划中各项工作的开始时间,使完成任务所需的劳动力、材料、机械设备和资金达到最合理的消耗目标。工期优化时一般假定资源供应是完全充分的。但在现实中对于工程主体而言,在一定时间内所能提供的资源往往会有一定的限制,因此资源优化就是根据资源的实际情况对网络计划进行调整,在工期目标和资源供应量之间寻求相互协调的关系。

资源优化包括"资源有限-工期最短优化"和"工期固定-资源均衡优化"两类。当资源供应有限时，在保持网络计划各工作之间先后顺序关系不变的情况下寻求整个计划工期最短的方案称为"资源有限-工期最短优化"；当工期目标保持不变时，通过调整计划安排使单位时间的资源用量尽可能均衡分布，不出现过多的峰或谷的情况称为"工期固定-资源均衡优化"。

3. 费用优化

费用优化又称为工期成本优化，是指寻求工程总成本最低时的工期安排，或按要求工期寻求最低成本的计划安排的过程。

工程成本包括人工费、材料费、机具使用费、管理费、利润、规费和税金等。其中人工费、材料费、机具使用费称为直接费，其余成本称为间接费。当施工方案确定时，直接费与间接费会随着工期的变化而变化，但二者之和即总成本会存在一个最小值。费用优化即是寻求此最小值的过程。

费用优化就是找出能使计划工期缩短又能使得直接费增加最少的工作，不断地缩短其持续时间，同时考虑间接费随着工期缩短而减少的影响，把不同工期时的直接费和间接费分别叠加起来，即可求得费用最低时的最优工期，或工期固定时的最低费用。

14.5.2 网络计划的控制

网络计划的控制是指在完成计划编制工作之后，在计划执行的过程中，随时检查、记录网络计划的实施情况，找出偏离计划的误差，及时发现影响计划实施进程的具体干扰因素，找到计划制订本身可能存在的不足，在此基础上确定调整措施，采取相应的纠偏行动，使工程项目的施工组织与管理过程始终沿着预定的轨道正常运行，直至顺利实现事先确定的计划目标。因此网络计划的控制主要体现为网络计划执行情况检查、分析和网络计划调整。

1. 网络计划执行情况检查、分析

网络计划执行情况检查是通过将工程实际进度与计划进度进行比较，得出实际进度比计划要求超前或滞后的结论，并在此基础上预测后期工程进度，从而对计划能否如期完成做出事先的估计。检查方法通常有S形曲线比较法、香蕉形曲线比较法等。

（1）S形曲线比较法　S形曲线比较法就是根据网络计划安排，以横坐标表示进度，纵坐标表示累计完成工作量绘制出一条计划的S形曲线，再根据实际累计完成工作量绘制出一条实际的S形曲线，将二者进行比较，判断实际进度与计划进度偏差的方法。

例如图14-23所示为某工程根据网络计划绘制的基于时间的累计完成任务量曲线，该曲线为典型的S形曲线。在施工过程中根据实际已完成工作的时间与任务量绘制出T_b点之前的实际曲线，并预测出T_b点之后的曲线。从图中可看出，位于两条曲线交叉点左侧的实际曲线表示此时的实际进度比计划进度超前，位于交叉点右侧的实际曲线表示此时的实际进度比计划进度滞后。该曲线中ΔT_a表示T_a时刻实际进度超前的时间，ΔT_b表示T_b时刻实际进度滞后的时间；ΔQ_a表示T_a时刻超额完成的工作任务量，ΔQ_b表示在T_b时刻拖欠的工作任务量；若工程按目前的速度进行，其拖延时间将为ΔT_c，即预测工期将比计划工期拖延ΔT_c。

（2）香蕉形曲线比较法　香蕉形曲线比较法就是根据每项工作最早开始时间和最迟开始时间分别绘制两条S形曲线，两条曲线围成的闭合区域即为香蕉形曲线，再根据各项工作的实际进度是在香蕉形曲线内还是曲线外判断实际进度是否正常的方法。当实际进度在香蕉

形曲线内说明进度正常。

例如图 14-24 中 ES 曲线和 LS 曲线分别为某工程根据其网络计划中每项工作最早开始时间和最迟开始时间绘制的 S 形曲线。当进行网络计划执行情况检查时，若某工作的实际进度位于 ES 曲线和 LS 曲线之间的范围内，则说明该工作的实际进度与网络计划相吻合；若出现在该区域范围的左侧，说明实际进度比计划超前，若出现在该区域范围的右侧，说明实际进度比计划滞后。

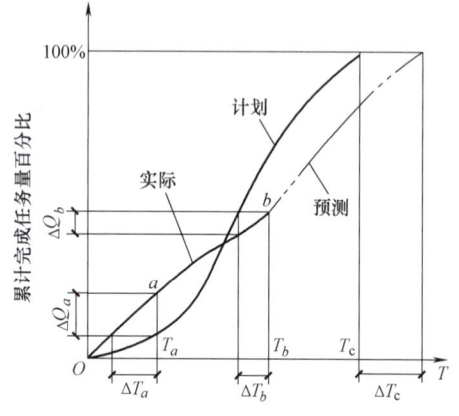

图 14-23 某工程 S 形曲线比较法

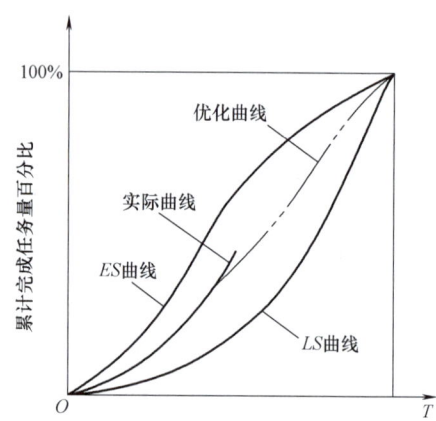

图 14-24 某工程香蕉形曲线比较法

2. 网络计划调整

在网络计划执行过程中，若发生实际进度与计划进度要求不符，则需要修改与调整原计划，使之与变化后的实际情况相适应。由于一项工作任务是由多个不同的工作过程组成的，其中每一工作过程的完成又可采用工作持续时间、费用和资源投入种类、数量要求等不同的施工组织方法，因此网络计划的调整也随着施工组织方法的不同而不同。

当网络计划执行过程中出现前期工作延迟而影响后期计划的正常完成时，可以通过调整后续工作之间的逻辑关系或直接压缩后续工作的持续时间两种方法进行调整。

（1）调整后续工作之间的逻辑关系　若后续工作之间的逻辑关系允许改变，此时可调整位于关键线路或非关键线路上延误时间已超出其总时差的有关工作之间的逻辑关系，从而达到缩短工期的目的。例如可将原计划中依次进行的工作关系改为平行、搭接进行或分段流水进行。

（2）直接压缩后续工作的持续时间　在采用压缩后续工作持续时间的方法对网络计划进行调整时，需注意被压缩持续时间的工作应是位于因工作实际进度拖延而引起计划工期延长的关键线路或某些非关键线路处的工作，且这些工作应确实具有压缩持续时间的余地。

复习思考题

1. 某工程各项主要工作之间的逻辑关系见表 14-4，试绘制其双代号网络图和单代号网络图。

表 14-4 某工程各项主要工作之间的逻辑关系

本工作	A	B	C	D	E	F	G	H
紧前工作	—	A	A	A、B	A	C、D	D、E	F、H
持续时间/d	3	3	4	5	5	4	6	5

2. 某单位工程各分部分项工程的逻辑关系及持续时间见表 14-5，试绘制其双代号时标网络计划。

表 14-5 某单位工程各分部分项工程的逻辑关系及持续时间

本工作	A	B	C	D	E	F	G	H
紧前工作	—	A	A	A	B	C、D	D、E、F	G
持续时间/d	3	6	4	2	6	5	6	4

3. 某工程合同工期为 18 个月，施工单位为完成此工程而编制的时标网络计划如图 14-25 所示。假定在执行过程中发生的设计变更、停工及返工处理等导致 E、G、K 三项工作分别拖延 1 个月、2.5 个月和 1.5 个月。试分析这些事件发生后对计划完成情况造成的影响。

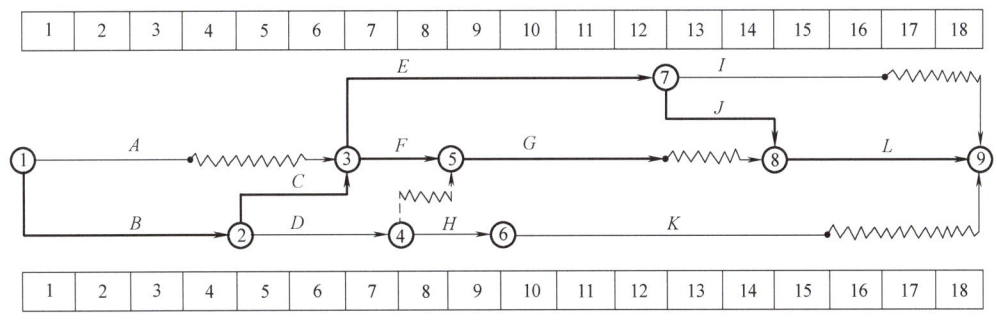

图 14-25 某工程时标网络计划（单位：月）

应用训练

某施工单位就其承建的某工程项目所编制的施工进度计划如图 14-26 所示。该项目合同工期为 20 个月。在工程即将开工时，由于施工场地拆迁工作未按时完成，建设单位指令施工单位延期 4 个月开工。工程开工后，当 F 工作将要开始时，施工单位再次接到建设单位仍然按原定合同工期完成工程的指令。施工单位经过检查进度计划执行情况，确认此前施工进度正常，即所有工作均按计划确定的最早开始时间进行且无延误。为满足建设单位如期完成工程的要求，施工单位决定变更后续工作之间的逻辑关系，其具体方案是将三项工作划分为两个施工段组织流水施工，并确定了三项工作在 1、2 两个施工段上的流水节奏依次为 F 工作：2 个月、3 个月；H 工作：2 个月、2 个月；K 工作：2 个月、3 个月。试分析施工单位提出的上述计划调整方案的可行性。

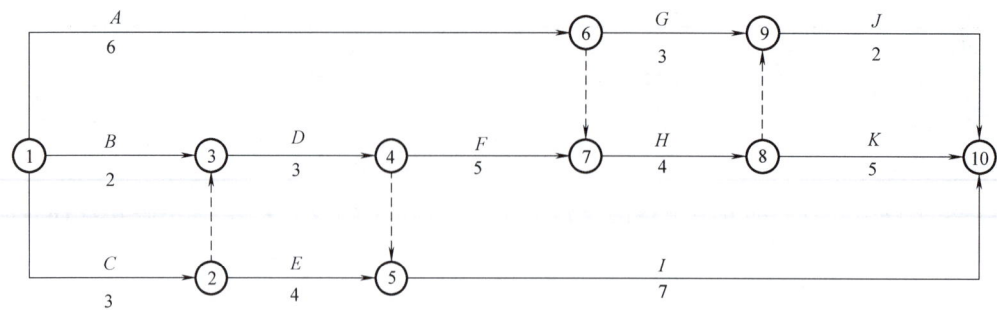

图 14-26 某工程初始网络进度计划

第 15 章 施工组织设计

问题引入：怎样才能编制一个好的施工组织设计？

15.1 施工组织设计概述

施工组织设计是承包单位开工前为工程所做的施工组织、施工工艺、施工计划等方面的规划设计，是指导拟建工程全过程中各项活动的技术、经济和组织的综合性文件。根据工程特点和工程建设阶段的不同，施工组织设计的深度和广度也有所不同。

施工组织设计概述

建设项目也称为单项工程，可以包含多个单位工程。单位工程是具有独立的设计文件，具备独立施工条件并能形成独立使用功能，但竣工后不能独立发挥生产能力或工程效益的工程，是构成单项工程的组成部分。与单项工程不同的是，单位工程竣工后不能独立发挥其生产能力或价值。

对于大型建设项目或建筑群，施工组织设计可分为施工组织总设计和单位工程施工组织设计。

施工组织设计根据不同的编制阶段，可分为投标施工组织设计（技术标）和实施性施工组织设计。施工组织设计必须在工程项目开工前进行编制。

施工组织设计的编制应遵循的思想：

（1）符合性　符合施工合同或招标文件中有关工程进度、质量、安全、环境保护、造价等方面的要求，符合质量、环境和职业健康安全管理体系的要求。

（2）科学性　坚持科学的施工程序和合理的施工顺序，采用流水施工和网络计划等方法，科学配置资源，合理布置现场，采取季节性施工措施，实现均衡施工，达到合理的经济技术指标。

（3）可实施性　认真编制各项实施计划，严格控制工程质量、工程进度、工程成本，确保安全生产。

（4）绿色、先进性　积极采用"四新"技术，提高工业化程度，改善作业环境。推广绿色施工，实现节地、节能、节材、节水和环境保护。

施工组织设计应有针对性、指导性和可操作性。施工组织设计内容齐全，突出重点，反映工程特点，有保证实现工程目标的技术措施，按要求及时编制，并报审完成。

15.2 单位工程施工组织设计编制

单位工程施工组织设计编制依据通常包括：与工程建设有关的法律、法规和文件；国家现行有关标准和技术经济指标、工程所在地区行政主管部门的批准文件；工程承包合同文件及工程设计文件；工程地质勘察报告、地形图和工程测量控制网；气象、水文资料；施工企业的生产能力、机具设备状况、技术水平、类似施工项目经验；施工区域与工程有关的资源供应情况、周边环境等。

1. 工程概况

1）工程建设概况：说明工程规模，建设、勘察、设计、监理和总承包等相关单位的情况；工程承包范围和分包工程范围；工程的质量、工期、安全等目标。

2）设计概况：对建筑、结构、安装工程的设计进行简要说明，侧重说明对施工组织有较大影响的内容。

建筑设计概况：建筑面积、总高度，内外装饰作法，水电安装等。

结构设计概况：结构形式及特点，基础及埋深等。

3）环境与资源工程：所在地的水文、地质、气象条件及周边环境等，拟建工程的位置、地形、地下障碍物情况，动力、材料、机械设备预制品等供应条件，供电、供水、供气条件，交通运输条件，业主可提供的临时设施、技术协作条件等。

以上内容应简洁，并与施工密切相关。

2. 施工部署

（1）工程目标与施工方案　施工部署的各项内容应能综合反映施工阶段的划分与衔接，施工任务的划分与协调，施工进度的安排与资源供应。施工部署应包括工程总体目标和工程总体施工方案。其中工程总体目标应包含工程的工期、质量、安全、文明施工和环境保护目标；工程总体施工方案应包含施工段的划分、施工程序、施工方案的选择。

确定平面及竖向施工流向，施工段划分、施工顺序。选择主要的施工方案及垂直运输机械。通常遵循"先地下、后地上""先主体，后围护""先土建，后设备"的原则。施工方案应有针对性，在保证安全，符合工期要求，保证质量条件下选取最经济的方案。

（2）施工平面布置　施工平面布置对文明施工、安全生产有重要影响。布置的原则一般考虑以下几方面：

1）尽量利用永久性建筑物或现有设施，采用装配式施工设施，减少施工用地，降低施工设施建造费用。

2）合理布置起重机械和各项施工设施，规划施工道路，降低运输费用。

3）科学确定施工区域和场地面积，尽量减少专业工种之间交叉作业。

4）施工设施布置满足有利生产、方便生活、安全防火和环境保护的要求。

施工平面图布置包括生活区、生产区和办公区的布置，三个区宜分隔开。施工现场各个不同阶段的平面布置：一般民用建筑的施工包括基础阶段、主体阶段和装饰阶段，在平面布置上应考虑三个阶段的平面布置。

施工平面布置内容包括：道路、围墙、大门，临时设施，大型设备，进场材料及操作场地布置，临时用水用电设计、施工现场平面管理规划等。

3. 施工进度计划及保证措施

首先根据总工期要求进行目标分解，根据基础工程、主体工程、装饰工程、建筑安装工程进行目标分解，制订施工进度计划，控制工期。

施工进度计划可采用网络图或横道图表示，对于工程规模较大或较复杂的工程，宜采用网络图表示。

根据劳动力、机械设备计划和施工工艺要求安排分部分项工程进度；进度计划可以在项目管理软件中的横道图中画出，标出每项工作名称、起始时间安排及施工持续时间，前道工作和后序工作以及间隔时间，横道图在项目管理软件上可以方便地转换成网络图，在网络图中可以进一步调整分部分项工程之间的逻辑关系。

进度计划的编排参考工期定额来制订，并根据施工经验、施工队伍的技术水平和作业环境进行调整，并应考虑意外因素的影响，有一定的安全储备。

制定保证工期的各项措施，通常有经济措施、技术措施和组织措施。

4. 主要施工方案与质量保证措施

应结合工程的具体情况和施工工艺、工法等按照施工顺序进行描述，施工方案的确定要遵循先进性、可行性和经济性兼顾的原则。

施工方案按分部分项工程分别编制，一般包括测量放线、土方工程、桩基工程、混凝土工程、模板工程、钢筋工程、砌筑工程、脚手架工程、防水保温工程、建筑安装工程、装饰工程等的施工方法，质量保证措施等。

在组织与管理方面，建立质量管理组织机构、工程计量管理措施、材料检验制度、工程技术档案管理措施、工程质量的保修计划等。

5. 各项资源需求计划

资源需求计划是组织建设工程所需各种资源进退场的依据，科学合理的资源需求计划既可保证工程建设的顺利进行，又可降低工程成本。

（1）施工准备计划　施工准备计划包括技术准备工作、生产准备工作、资源准备工作、施工现场准备工作和施工场外协调工作。

技术准备工作应从熟悉和审查施工图，自然条件和技术经济条件调查分析，编制施工图预算和施工预算，编制实施性施工组织设计，制订专项方案和技术交底的编制计划，工人上岗前的技术培训等几方面进行准备。

生产准备工作包括现场道路、水、电来源及其引入方案，机械设备的来源，各种临时设施的布置，劳动力的来源及有关证件的办理，选定分包单位并签订施工合同等。

资源准备工作应从编制资源需求计划、制定保证资源顺利供应的各项措施两个方面进行准备。

施工现场准备工作应从施工现场控制网测量、做好"七通一平"及消防栓的设置、按计划建造各项施工设施、按计划组织各项资源进场等几方面进行准备。

施工场外协调工作是指选定分包单位并签订分包合同。

（2）资源配置计划　资源配置计划包括项目组织机构的建立、主要劳动力计划（劳动力曲线）、主要机械设备计划和主要材料（预制构件）计划、生产工艺设备需求计划、施工设施需求计划。

主要施工设备名称、规格型号、额定功率、数量等见表15-1，标明功率可以为临时用电设计提供依据，在备注中说明进出场日期；劳动力需求计划见表15-2，劳动力需求曲线可以在项目管理软件中画在施工进度计划下方；主要材料（包括周转材料）数量及进场计划见表15-3，用表格形式列出主要资源需求计划。

表 15-1 施工设备配备计划

序号	设备名称	规格型号	数量	额定功率/kW	备注
1	塔式起重机	QZ80	1 台	67.5	
⋮	⋮				

表 15-2 劳动力需求计划

序号	工种	⋯月	⋯月	⋯月	⋯月
1	瓦工	15	20	25	20
⋮	⋮				

表 15-3 主要材料需求计划

序号	材料名称	数量	单位	进场时间	备注
1	混凝土	500	m³	3月10日	
⋮	⋮				

6. 安全生产、文明施工及环境保护

应针对项目具体情况，建立安全管理、文明施工管理、环境管理组织机构，制定相应的管理目标、管理制度、管理控制措施和应急预案等。

首先要建立组织机构，然后制定目标并进行分解。安全管理上应针对施工过程中的危险进行识别并制定安全防护措施。建筑施工安全事故（危害）通常分为七大类：高处坠落、机械伤害、物体打击、坍塌倒塌、火灾爆炸、触电、窒息中毒。施工现场消防应在施工平面布置中体现。

文明施工及环境管理方面应包括下列内容：确定项目重要环境因素，制定项目环境管理目标；进行环境保护方面的资源配置，制定现场环境保护的控制措施，建立现场环境检查制度，并对环境事故的处理做出相应规定；制定防尘、防噪声、节水、节材、节能措施。

7. 工程的重点、难点及关键技术

一般建筑工程都有区别于其他工程的特点，编制施工组织设计时要能够"识别"出这些特点。

工程的特点可以考虑以下几方面：深基坑工程及降水，大体积混凝土，高大模板支撑系统，悬挑脚手架、高性能混凝土及钢筋连接、钢结构安装，垂直运输机械，周边环境，"四新"技术应用，信息化施工，工程工期，质量目标等。

工程难点是相对的，体现在与以往工程的对比，结合本公司或施工队伍的水平来说明，如超常规的工期、质量目标，缺少工程经验的工程，新技术、新工艺、新设备、新材料的应用。结构复杂，容易出现质量安全问题，施工难度大，技术含量高的分部分项工程应编制专项施工方案。

重点、难点对于不同工程和不同企业具有一定的相对性，重点、难点施工方法是施工组织设计编写中的核心内容。

关键技术应是对工程工期和质量有重要影响的技术。

8. 季节性施工、已有管线保护措施

季节性施工措施包括冬期施工、雨期施工、洪水季节施工、台风季节施工。冬期施工影响较大的有土方工程、混凝土工程、钢筋与钢结构焊接、砌筑工程；雨期施工、洪水季节施

工主要是混凝土浇筑、外墙抹灰与装饰工程、基坑工程的施工；台风季节施工影响较大的有脚手架与垂直运输、模板工程、砌筑工程等。

已有管线包括地下及地上的重要管线，应查阅档案，现场勘探确定管线位置，制订防护方案并进行加固或防护处理。

9. 其他可选择的附加内容

1) 新技术、新工艺、新材料和新设备：应用"四新"技术名称和简介；应用部位和范围；注意事项及采取措施；社会效益和经济效益。

附录列出了我国建筑业 10 项新技术清单（2017 版），另外结合地方建设行业推行的"四新"技术应用或本项目采取的其他新技术。

2) 成本控制措施：各项经济技术指标，成本控制目标，降低成本的措施，包括技术措施和管理措施。

3) 施工风险防范：施工风险应根据施工经验、社会发展、国际环境、工程特点和施工周期等因素进行综合预测。施工风险防范包括项目施工风险、风险管理重点、风险防范对策、风险管理责任等。

风险具有客观存在、事件发生的不确定、后果的不确定三个方面特性，这决定了施工风险防范是一项复杂、动态的管理过程。施工风险防范应根据工程内、外部条件和企业自身素质综合考虑要从各种不同的角度进行分析可能发生的风险，可从自然和环境、政治、法律、经济、合同、技术人员、材料、设备、资金、质量和安全、组织协调等因素考虑，针对不同的风险因素采取相应的防范措施。

4) 总承包管理与协调：分包项目名称和内容，总包与分包单位的主要协调配合措施，总包对各分包单位的主要管理措施及质量、安全、进度、文明施工、环保的要求。主要管理措施包括：与分包单位签订质量、安全、进度、文明施工、环保目标责任协议书，建立定期联检制，加强三检制，加强例会制，充分利用计算机、网络等信息化技术参与管理等。

5) 工程创优计划及保证措施：当有创优目标时，应编制工程创优计划、创优组织机构、创优保证措施。

15.3 单位工程施工组织设计实例评析

下面结合某工程投标的施工组织设计进行简要评析。

15.3.1 某工程投标施工组织设计案例

第1章 总体概况

1.1 编制依据（略）

1.2 工程概况

建筑概况：本工程占地面积 $1052.9m^2$，建筑面积 $5300m^2$。地上 5 层，1~5 层层高为 4.2m，室外地坪标高为 -0.450m，檐口高度 19.8m。±0.00m 以上墙体采用加气混凝土砌块砌筑，±0.00m 以下墙体采用蒸压灰砂砖砌筑。窗为铝合金推拉窗，门为钢质防盗门。外墙保温采用 25mm 聚苯板薄抹灰外墙外保温系统，屋面采用 500mm 膨胀聚苯板保温系统。设计使用年限 50 年。建筑耐火等级 2 级。

结构概况：结构形式为框架结构，基础形式为独立基础，抗震设防烈度6度。混凝土强度等级：基础垫层C15，独立基础C30，标高4.2m以下主体结构梁、板、柱C35，标高4.2m以上主体结构梁、板、柱C30，楼梯C30，构造柱、圈梁、过梁等C20。

1.3 施工总体目标

质量目标：主体结构施工质量达到合格，整体工程施工质量达到合格。

工期目标：施工控制工期310日历天。

安全施工目标：无死亡事故，无重大伤亡事故，无坍塌，无重大机械事故，无火灾，无中毒事故。轻伤安全事故率控制在5‰以内。

文明施工目标：确保文明施工达标，争取创建市级文明工地。

1.4 施工部署

本工程为一个单体五层建筑，根据建筑物本身的特点，将现场布置成一个施工段。

施工流程如图（图略）所示。基础施工完成后，形成了平行工作面，只要在区段内调整流水节拍，合理地控制时差，严格落实计划，就能平衡劳动力，充分利用资源和机械设备。初期以主体结构施工为先导，当主体结构完成到四层时，室内装修开始从下向上单向跟进，交叉流水。主体封顶后，室内外装饰装修工作全面展开，迅速做出样板块、样板间，而后装饰装修工程从上向下循序渐进，实施专业化施工，成为进度的主线。在整个施工过程中，安装工程的预留、预埋、安装、调试工作应始终贯穿于主体、装饰、装修、收尾过程中，在时间和空间上要充分紧凑搭接，循环推进，严格交接班制度，相互保护成品，避免交叉污染。

基础工程分九步进行施工，即土方开挖→垫层施工→基础承台、梁模板支设→基础承台、梁钢筋绑扎→基础混凝土浇筑→基础混凝土养护→拆除模板→基础验收→土方回填。主体结构工程分七步进行施工，即柱钢筋施工→预埋管线→柱、梁、楼面模板施工→梁钢筋、板底钢筋施工→预埋管线→板面钢筋绑扎→柱、梁、板混凝土浇筑。混凝土结构施工完四层后进行砌体施工，装饰施工按分层分段自上而下进行。

第2章 施工现场平面布置

2.1 现场平面布置的原则

平面布置科学合理，施工场地占用面积少；合理组织运输，减少二次搬运；施工区域的划分和场地的临时占用应符合总体施工部署和施工流程的要求，减少相互干扰；充分利用既有建筑物和既有设施为项目施工服务，降低临时设施的建造费用；临时设施应方便生产和生活，办公区、生活区和生产区宜分开设置；符合节能、环保、安全和消防等要求。

2.2 平面布置的具体内容

本工程施工现场平面布置包括场地布置、设备布置、消防设施布置三个方面，如图15-1所示。

场地布置主要包括加工区、生活区、办公区、运输道路、围墙及出入口等布置。临时用地见表15-4。

生活区布置在场地西侧，各临建间距离符合消防要求，并配置足够的消防设施。生活区内实施绿化。生活区主要包括现场生产工人宿舍、值班人员（现场电工、机械工、测量工、保卫、普工）宿舍、食堂、公用厕所、公用浴间等。工人宿舍为2栋2层活动板房，共240m²。仓库采用砖砌墙体、型钢屋架、镀锌瓦楞钢板屋面，内、外墙刷白色涂料，

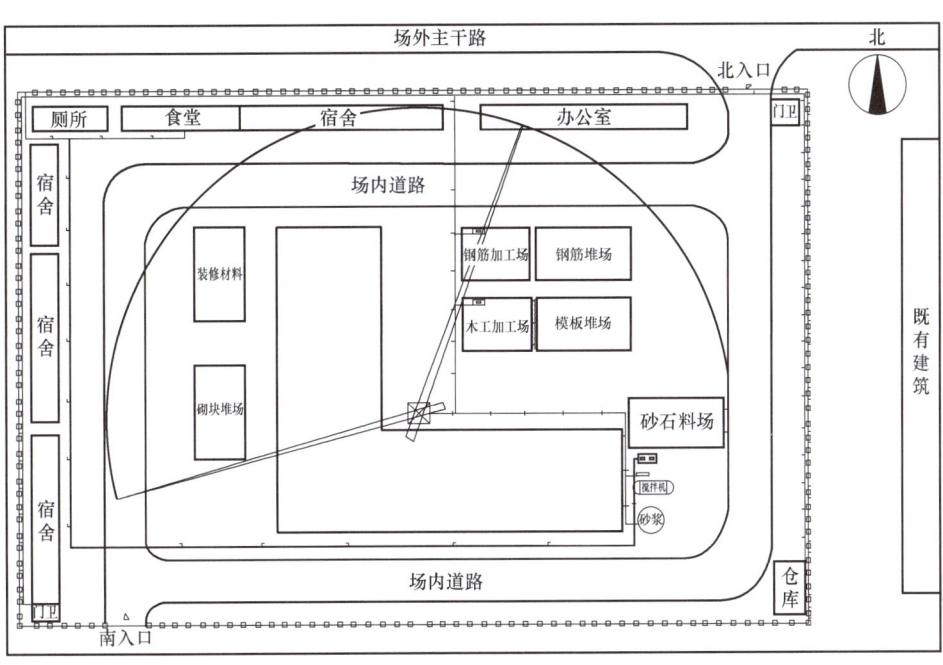

图 15-1 施工现场平面布置图

计 30m²。食堂设在场地西侧，共 80m²，采用砖砌墙体、型钢屋架、镀锌瓦楞钢板屋面，外墙刷白色涂料，内墙贴瓷片，配置防尘、防蝇设施。公用厕所、公用浴间设在食堂与第一栋工人宿舍之间。基本构造同食堂，面积为 30m²，设置化粪池，配套冲水设施。

表 15-4 临时用地

用途	面积/m²	位置
现场办公室	120	现场北侧办公区
管理人员宿舍	30	现场北侧办公区
工人宿舍	240	现场西侧生活区
现场食堂	80	现场北侧办公区
公用厕所、公用浴间	30	现场西侧生活区
仓库	30	现场东南角
钢筋堆放、加工场	150	教学楼东北侧加工区
模板堆放、加工场	120	教学楼东北侧加工区
配电间	15	现场西北侧
装修材料堆放场地	100	教学楼西侧堆放场
砂石、水泥堆放场地	80	教学楼东侧堆放场
门卫	20	南侧、北侧各一处

现场办公室和管理人员宿舍（包括业主和监理工程师的办公用房及宿舍）布置在现场西侧，包括办公室、会议室、医务室、职工娱乐室和管理人员宿舍等，计 150m²。办公室及管理人员宿舍均使用二层活动板房，一层进深 7.44m，二层外飘 1.0m 作为通道。墙体为保

温板墙，楼板为18mm厚胶合板，屋盖为型钢屋架、镀锌瓦楞钢板保温屋面。

在建筑物周边设环形道路，以确保材料堆场、加工区与建筑物之间的人流和材料水平运输。在大门内设汽车冲洗台，所有出施工现场的车辆均要进行冲洗后才能通行。

加工区全部实施场地硬化，采用150mm厚C20混凝土垫层，加工棚用ϕ48mm钢管和镀锌钢板搭设，部分噪声较大的设备加设围护和隔声措施。

现场设2个出入口，每个出入口设置1个门卫室，分别在南侧和北侧。大门采用6000mm×2200mm钢制大门，喷刷公司名称等标志。施工场地四周设置砖砌封闭围墙，围墙外侧采用白色涂料喷刷。

现场配备塔式起重机1台，设置在教学楼北侧中间位置。施工电梯采用1部双笼人货梯，设在塔式起重机附近；砂浆搅拌机、混凝土搅拌机等置于建筑物东侧，供应少量混凝土和砂浆。

在生活区和加工区设置消防水池，配备加压泵沿加工区、施工区、生活区和办公区均设置消防栓，沿楼层设置消防栓；配电房及配电柜、用电设施附近均设置干粉灭火器；办公室及宿舍均按规定设置悬挂式灭火器。

第3章 施工进度计划

3.1 施工进度计划安排

本工程招标总工期310日历天，计划于2015年3月18日开工，2016年1月21日竣工。施工进度计划横道图如图15-2所示。

编号	工作名称	持续时间d	开始时间	结束时间
1	施工准备	5	2015-03-18	2015-03-22
2	场地平整	3	2015-03-23	2015-03-25
3	土方开挖	5	2015-03-26	2015-03-30
4	基础工程施工	28	2015-03-31	2015-04-27
5	土方回填	8	2015-05-10	2015-05-17
6	一层梁板柱施工	15	2015-04-28	2015-05-12
7	二层梁板柱施工	12	2015-05-13	2015-05-24
8	三层梁板柱施工	12	2015-05-25	2015-06-05
9	四层梁板柱施工	12	2015-06-06	2015-06-17
10	五层及屋顶层梁板柱施工	18	2015-06-18	2015-07-05
11	屋面保温防水施工	25	2015-08-01	2015-08-25
12	墙体砌筑	40	2015-07-06	2015-08-14
13	外墙抹灰	20	2015-08-15	2015-09-03
14	外墙真石漆	22	2015-09-10	2015-10-01
15	顶棚抹灰	25	2015-09-04	2015-09-28
16	内墙抹灰	35	2015-09-10	2015-10-14
17	卫生间墙面砖	15	2015-10-10	2015-10-24
18	顶棚及内墙乳胶漆	30	2015-10-18	2015-11-16
19	楼地面工程	50	2015-11-10	2015-12-29
20	零星工程	18	2015-12-30	2016-01-16
21	水电安装工程	272	2015-04-20	2016-01-16
22	竣工验收	5	2016-01-17	2016-01-21

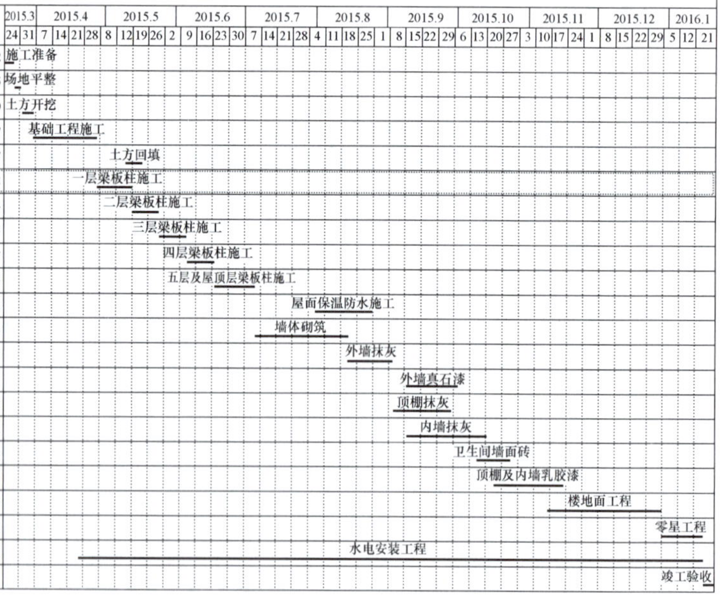

图 15-2 施工进度计划横道图

3.2 施工进度计划保证措施

整个施工期将经历冬期、雨期和高温季节，为如期完成施工任务，必须采取有效措施进行进度控制。

组织管理措施：公司选派强有力的项目管理班子及技术素质优良的施工队伍承担本工程

的管理和施工任务，确保本工程工期目标实现，按期竣工。

技术管理措施：认真进行图样会审，及时发现图样中存在的问题，为施工的顺利开展提供必要的技术保证。施工人员反复认真看图研究工程工序，编制详细的施工组织设计和施工方案，制定各工序和各工种交叉、穿插作业的工艺。

计划管理措施：坚持有计划施工，根据总进度计划，对各分部分项工程编制明细计划；加强动态管理，按照网络控制计划和主要进度控制点，严格遵循日定量、周控制、月平衡的原则，保证计划的实施。

现场管理措施：充分发挥项目经理部职能，加强现场协调管理，保证总工期的实现；加强施工机械的维修保养，保证机械运转良好；合理安排高温及冬期、雨期施工，确保综合进度的实现；加强施工质量管理和成品保护，避免返工；应用先进的施工技术，提高劳动生产效率和施工速度。

第4章　主要施工方案及施工方法

4.1　施工测量

测量人员安排：组成专业测量小组，由项目技术负责人负责组织测量工作的开展，做好各项测量工作和测量资料整理工作。测量仪器（略），仪器必须经检测合格后方可使用。

定位放线：采用极坐标法进行放线，根据建设单位提供的坐标（不少于2个）计算待定点和已知点的距离及角度进行放线。根据场地平面位置控制点，先将建筑物外墙边线交点用经纬仪测量定位于建筑场地地面上，设置角桩。再根据建筑物平面图，把各轴线与外墙边线的轴线交点测放出来，并设置中心桩，作为基础放样和建筑物细部放样的依据。基槽开挖时角桩和中心桩受到干扰可能会引起偏差，为了便于在施工中恢复各轴线的位置，本工程把各轴线延长到基坑以外的墙面和安全地面上，设置轴线控制桩和标记。

±0.00m以上利用业主提供的水准点作为高程控制依据，将绝对高程换算成相对高程，把结构±0.00m标高引测至现场周围的建筑物上，以便高程放样，施工过程中应配合沉降观测对±0.00m标高进行定期复核，以保证其正常使用。±0.00m以上高程的传递采用检查合格的钢尺沿垂直方向通过轴线传递孔直接量至施工层，并上、下各设水准仪测设其准确的标高与水平线。各层抄平时应后视其水平线以作校核。

当楼层模板钢筋定位后，测量人员用水平仪进行抄平，即在每根柱子钢筋上打两个比楼面设计标高高300~500mm的水平标高，在钢筋上用红漆做好标记，供施工人员使用。

沉降观测：在工程的四周转角处及纵向中间设定沉降观测点。观测点间距不大于20m。每施工层观测一次，收尾工作完毕观测一次，竣工交付前复核一次，以后按规定周期观测。

4.2　土方工程

土方开挖：土方开挖遵循分层分段开挖的原则。采用1台反铲挖掘机挖土，辅以人工修整边坡和基底，自卸汽车将土方外运出场。本工程先进行基坑中间段的土方开挖，再依次向长方向两侧开挖。严格控制挖土标高及不同标高交界的尺寸，做好轴线及不同标高交界的边界位置标志，基底200mm厚土用人工开挖，严禁超挖和虚土回填。做好基坑内的降排水工作，保持坑内干燥。垫层施工及时跟上，减少坑底暴露的时间。

土方回填：回填土尽量采用原状土填筑，并控制土含水率在最优含水率范围内。填土前取土样用击实试验确定最优含水率与相应的最大干密度。采用电动打夯机夯实,每层填土铺设厚度在200mm以内。打夯前对填土进行初步平整,打夯机依次夯打,均匀分布,不留间隙。若遇高低不平处,先填夯低处,直至同一水平后,再大面积按顺序分段分层填实,以免局部虚铺厚度较厚。遇有上、下水管道时,先用人工将管道周围填土夯实,当填至管顶以上500mm时再采用电动打夯机夯实,填夯时注意保护管道。填土预留一定的下沉高度。填土压实层的干密度应符合设计要求。

4.3 钢筋工程

钢筋进场检验及堆放:进场的钢筋原材料必须具备出厂合格证或进口商检报告。收料人认真核查产地、批号、规格是否与合格证相符,经确认无误后方可收货。钢筋应按批检查验收,检查包括外观检查和试验检查。每批由同一炉罐号、同一加工方法、同一尺寸、同一交货状态的钢筋组成。每批钢筋取2根,应在外观及尺寸合格的钢筋上切取。并将试样送试验站复检。国产钢筋只做力学性能试验,进口钢材必须做力学试验和化学分析试验,必须严格实施见证送检,检验合格后方可使用。钢筋堆放场地用混凝土浇成200mm×200mm的长条墩,钢筋分规格放在长条墩上,用木牌标明钢筋直径、级别、产地,并设专人管理。

钢筋加工:钢筋加工的形状、尺寸必须符合设计要求。钢筋表面应洁净、无损伤,油渍、漆污和铁锈等应在使用前清除干净,带有粒状和片状锈的钢筋不得使用。钢筋切断和弯曲时,长度应准确控制,允许偏差要符合有关规定。弯曲后,平面上应没有翘曲不平现象,钢筋弯曲点处不得有裂缝。钢筋加工成半成品后,要按类别、直径、使用部位挂牌,并分类堆放整齐。成品钢筋与原材料应分开堆放。

钢筋连接:$\phi 18mm$以上的粗直径钢筋连接方式:柱子中的竖向钢筋采用电渣压力焊连接,梁水平钢筋采用直螺纹连接。$\phi 18mm$以下钢筋采用绑扎连接。为确保钢筋工程顺利施工,施工前要及时、准确地做出钢筋下料表。柱钢筋的绑扎:为便于钢筋的绑扎,纵向受力钢筋每段长度不宜超过6m($d>12mm$),柱箍筋应与受力钢筋垂直,其弯钩叠合处应交错布置在四周纵向钢筋上,钢筋的搭接长度应满足设计强度的要求。梁板钢筋的绑扎:梁纵向受力钢筋采取双层排列时,两排钢筋之间应垫以直径不小于25mm的短钢筋,以保持其设计距离。同层钢筋间距应均匀,不得有2条受力筋并在一起的情况。板的钢筋网绑扎要注意防止上部的负筋被踩下,施工中应用$\phi 10mm$钢筋制成的铁凳子架开,铁凳子呈梅花状布置,间距约1.5m。对于悬臂板,要严格控制负筋的位置,以免拆模后断裂。框架节点处的钢筋穿插十分稠密时,要特别注意梁顶面主筋的净距要有30mm以上的距离,以利于混凝土的浇筑。采用钢筋定位件进行钢筋保护层的控制。

钢筋绑扎结束后,由质量员对钢筋规格、品种、间距、尺寸、接头位置进行复核和验收。在混凝土浇捣过程中,应派专人"看筋",若发现松动、移位、保护层厚度不符等应及时修整。钢筋绑扎时钢筋的交叉点应采用钢丝扎牢。板和梁的钢筋网除靠近外围两行钢筋的相交点全部扎牢外,中间部分交叉点间隔交错扎牢,保证受力钢筋不产生位移,双向受力的钢筋必须全部扎牢。

钢筋绑扎接头应符合下列规定:搭接长度的末端距钢筋弯折处不得小于钢筋直径的10倍,接头不宜位于构件最大弯矩处。钢筋的搭接长度应满足设计要求,钢筋搭接处应在中心和两端用钢丝扎牢。基础梁面上部钢筋在支座位置进行搭接,下部钢筋在梁跨中位置搭接。

各受力钢筋之间的绑扎接头位置应相互错开。从任一绑扎接头中心至搭接长度 L_1 的 1.3 倍区段范围内,有绑扎接头的受力钢筋截面面积占受力钢筋总截面面积百分率应符合下列规定:受拉区不得超过 25%;受压区不得超过 50%。绑扎接头中钢筋的横向净距 S 不应小于直径 d 且不应小于 25mm。

4.4 模板工程

框架柱、梁、板模板均采用 18mm 厚胶合木模板。板底横楞采用 50mm×100mm 松木木枋,模板排架采用直径为 48mm、壁厚为 3.0mm 的钢管支撑。模板重复使用前必须进行清理、修整,模板安装前必须刷脱模剂。

梁板模板钢管排架的立脚间距为 1100mm,并自楼面 0.2m 设扫地杆一道,向上每 1.8m 设大横杆一道,并按规范设置剪刀撑,增加支撑系统的稳定性。

柱断面小于 600mm 框架柱采用短钢管柱箍。自楼地面起 1.5m 范围内钢管箍距为 500mm,1.5m 以上为 600mm。柱断面大于 600mm 的框架柱采用短钢管柱箍,自楼地面起钢管箍距为 500mm,并设置对拉螺栓,间隔也为 500mm。

框架梁模板钢管排架搭设:梁高小于等于 600mm 的框架梁,梁底下排架钢管立脚间距为 1000mm,排架横杆从楼地面起每隔 1.8m 设置一道,梁底处设置一道。离楼地面 200mm 处设一道扫地杆,模板竖楞间距为 600mm,排架脚手架设单侧剪刀撑一道。梁高大于 600mm,小于等于 900mm 的框架梁梁底下排架钢管立脚间距为 1100mm,排架横杆从楼地面起每隔 1.8m 设置一道,梁底处设置一道。离楼地面 200mm 处设一道扫地杆。模板竖楞间距为 500mm,排架脚手架设单侧剪刀撑一道。梁板跨度大于或等于 4m 时,其底模必须按施工规范要求进行起拱,跨中点起拱高度按 $L/400$(L 为梁板跨度)控制。

模板安装程序:

柱模板:定位放线→调整钢筋→立侧模→封边模→加斜撑,接柱头定型模→加柱箍搭设支撑排架→清理并冲水湿润。

梁板模:定位放线→柱头处模板安装→支撑架搭设→梁支撑垫木及其底板安装→板模板及其垫木安装→梁侧模及板模安装→检查调整→冲水清理。

楼梯模板:定位放线→平台梁及基础模板安装→梁及板底模板安装→踢面模板安装及固定→楼梯帮侧模安装→步面面板安装及固定→反扶梯基压紧。

模板的拆除:拆模顺序应先支的后拆,后支的先拆。先拆非承重部分,后拆承重部分。梁底模支柱的拆除,应从中心开始,间隔两端拆除。一般构件底模须待混凝土强度达设计强度 75% 以上方可拆模。悬挑构件及跨度大于 8m 的梁须待混凝土强度达设计强度 100% 时方可拆除模板。

4.5 混凝土工程

本工程混凝土采用商品混凝土,对于个别零星构件采用现场搅拌混凝土。混凝土浇筑主要采用混凝土运输车泵送入模的浇筑方法。

商品混凝土进场后及时制作试块,并检测坍落度。混凝土供应商对本工程的混凝土必须进行试配,合格后方能供应本工程。浇捣前搭设好通道及架设泵送管道,并应检查模板的断面标高和钢筋的形式、规格、数量、间距,对各种埋件、管线位置核对无误进行隐蔽验收后方可进行混凝土浇筑。浇筑混凝土前在柱钢筋或模板的适当地方标出混凝土浇筑高度,施工过程中以此作为控制标志。本工程每层主体混凝土均采取柱、梁、板一次性浇捣。混凝土浇筑前确定合理的浇筑方向，以避免混凝土浇筑时产生施工冷接缝。柱水平施工缝留设在楼板面位置，在上层柱继续浇筑时，先清凿已浇筑的混凝土表面，用水清洗湿润后，再用50mm厚同比例水泥砂浆予以接浆。

混凝土振捣采用机械振捣。框架柱、梁混凝土浇筑采用插入式振动器振捣，板混凝土浇筑采用平板振动器振捣。混凝土的浇筑及振捣由下向上，分层进行，每层厚度不大于400mm。每层的间歇时间不得大于2h。混凝土振捣棒要快插慢拔，避免漏振、欠振和超振，对于局部钢筋过密部位辅以人工扦插来保证混凝土的密实。为防止出现干缩裂纹，除按操作规程浇筑密实外，混凝土浇筑时先用振动器振实，初凝前压实出浆，并进行两次压实。混凝土浇筑后及时覆盖草袋或塑料薄膜，并浇水养护。对于楼板混凝土，在楼板混凝土终凝前用竹扫把扫抹一次，防止表面龟裂，并利于以后与抹灰层的结合。

梁、板、柱节点处混凝土强度等级不同时，在混凝土浇筑前采用快易收口钢板网隔开。泵送混凝土配合比设计应符合国家现行标准《普通混凝土配合比设计规程》(JGJ 55—2011)等的有关规定。并应根据混凝土原材料、混凝土运输距离、混凝土泵与混凝土输送管径、泵送距离、气温等具体施工条件试配。泵送混凝土供应应根据施工进度需要，编制泵送混凝土供应计划，加强通信联络、调度，确保连续均匀供应。混凝土输送管的固定不得直接支承在钢筋、模板及预埋件上。混凝土浇筑前必须将模板内的杂物和钢筋上的油污清理干净，模板的缝隙和孔洞应堵严，并浇水湿润，但又不得有积水。检查模板及其支撑、埋件、埋管、钢筋、留洞是否正确。混凝土浇筑过程中派人进行观察，防止模板变形及钢筋、埋件、留洞偏位等现象。梁、板混凝土浇筑前做好标高控制，确保混凝土浇筑后标高准确、表面平整。

混凝土输送管道应用铁凳子架高，避免压坏板筋。浇捣时应防止混凝土离析，自由倾落高度不超过2m，超过2m以上的，采用串筒或滑槽。

4.6 砌体工程

墙体砌筑前应根据施工图轴线位置在混凝土柱侧面弹出皮数杆控制线和轴线垂直控制边线。砌筑材料到场后，及时对材料进行取样，并送检测单位进行检测试验，合格后方可用于本工程。砌块不得使用不足28d龄期的砌块。一般不宜浇水，但在气候特别干燥炎热的情况下，可在砌筑前稍加喷水湿润。砌块组砌方法应正确，不得有通缝。砌体的临时间断处应砌成斜槎，斜槎的长度不应小于高度的2/3。灰缝横平竖直、砂浆饱满。全部灰缝均应满铺砂浆。拉结钢筋或网片必须放置在砂浆层中。

填充墙砌到梁底时框架梁下留出20cm的部位不砌。在下部砌体完成5~7d后采用九五砖斜砌塞紧，侧砖与墙体的夹角以60°~80°为宜，顶死后用砂浆将缝隙填实，砂浆必须填满嵌实，以防墙体与框架梁间产生收缩裂缝。

加气混凝土砌块墙的转角处和交接处应同时砌起，若不能同时砌起则应留斜槎，斜槎的长度应等于或大于斜槎高度。加气混凝土砌块每天砌筑高度宜控制在1.5m以内。施工中需要在砌体中设置的临时施工洞口其侧边离交接处的墙面不应小于600mm，并在顶部设过梁。填砌施工洞口的砌筑砂浆强度等级应提高一级。墙体与混凝土结构交界处每隔500mm高配置2根φ6mm墙体拉结筋，拉结筋入墙长度不小于1000mm。

加气混凝土砌块的品种、规格、性能和技术要求必须符合设计要求，由生产厂家提供产品质量合格证，进场材料外观完整。砌块堆放高度不宜超过1.6m高。砌块的生产龄期不应少于28d。加气混凝土砌块的砂浆应随拌随用，搅拌时间不得少于90s，砂浆稠度以50~

70mm为宜。施工过程中应按要求留取试块送检。混合砂浆必须在拌成后2h内使用完毕，夏季气温较高时使用时间应相应缩短。

砌体使用砂浆的配合比应经试验确定，现场施工过程中应严格按配合比要求下料，所采用材料应按要求送检且符合要求。砌块排列时，必须根据设计图和砌块尺寸、灰缝厚度等计算砌块的皮数和排数，以保证砌体的尺寸。排列时，应尽可能采用主规格砌块，少用或不用异形规格砌块，排列由外墙转角或纵横墙交接处开始，该部分砌体应分皮咬槎、交错搭砌。上下皮砌块应互相错缝搭砌，搭接长度不宜小于砌块长度的1/3。小于时，水平缝中应设置钢筋或网片加强。砌体垂直灰缝的宽度不得大于20mm，水平灰缝的厚度不得大于15mm，但均不得小于10mm。

砌筑前，应将楼地面标高找平，然后按设计图放出墙体轴线及外边线，立好皮数杆，基层垃圾等杂物清理干净。砌块运输时应小心轻放，严禁倾倒、抛掷，砌块表面的碎屑杂物应清理干净。砌筑灰缝应横平竖直，砂浆饱满。砌块之间应有良好的黏结力。砂浆应随铺随用，水平缝采用铺浆法，铺灰长度控制在1.5m以内，竖直缝采用加浆法，使其砂浆饱满，严禁用水冲浆灌缝，不得出瞎缝、透明缝。

砌体墙中的门窗洞洞顶均需根据设计要求设钢筋混凝土过梁。砌体施工过程中应严格控制好砌体轴线位置、墙面垂直度、平整度、灰缝厚度、门窗洞口尺寸、标高、位置，施工过程中应跟踪检查控制，使其不超过规范规定要求。

4.7 屋面工程

本工程屋面保温采用35mm厚聚苯乙烯保温板，防水采用1.5mm厚三元乙丙防水卷材。

基层处理：检查基层的干燥程度，有无空鼓、起砂现象，并对存在的上述问题进行认真处理、修整。将基层表面的凸出物、砂浆疙瘩等异物清除干净，不得有浮灰、杂物、油污等。女儿墙拐角等根部应抹成圆角，出屋面的排气管做好防护工作。

找平层施工：找平层为15mm厚1∶3水泥砂浆。抹平收水后应二次压光，充分养护不得有疏松、起砂、起皮现象。

隔气层施工：隔气层采用橡塑排气孔板，铺设在聚苯乙烯泡沫保温板下，采取点粘的方法铺在找平层上，要铺贴平整、顺直，与排气管根部连接处灌注密封胶。

保温绝热层施工：聚苯乙烯泡沫保温板外形要完整，板缝应错开，接缝形式可采用平头、搭接和企口方式。施工时要注意防雨、防潮、防火。

防水卷材施工：基层平整、坚实、清洁、无凹凸形、尖锐颗粒。基层处理剂涂刷厚薄均匀，不允许露底见白，干燥时间4~12h。大面积卷材铺贴前，先在阴阳角、水落口、天沟、女儿墙墙根等易渗漏的薄弱环节处涂刷黏结剂，铺贴一层附加层，铺贴采取推滚法，用于紧压卷材向前推压滚动，也可以前后来回滚动，使黏结剂压均匀，排除基层与卷材间的空气，避免出现皱折。在基层上弹线，排出铺贴顺序，然后在基层上及卷材的底面均匀涂布基层胶粘剂，要求厚薄均匀，不允许有露底和凝胶堆积现象。待基层胶粘剂摸上去手感基本干燥时即可铺贴卷材。为减少接头，卷材应顺长方向配置，转角处尽量减少接缝。铺时用厚纸筒重新卷起卷材，中心插一根φ30mm、长1.5m钢管，两人分别执钢管两端，将卷材一端固定在起始位置，然后按弹线铺展卷材，铺贴卷材不得皱折，也不得用力拉伸卷材，每隔1m对准线粘贴一下，用滚刷用力滚压一遍以排除空气，最后再用压辊（大铁辊外包橡胶）滚压粘贴牢固。

铺贴卷材采用搭接法，相邻两幅卷材的搭接缝应错开，平行于屋脊的搭接缝应顺流水方向搭接。垂直于屋脊的搭接缝应顺年最大频率风向搭接。卷材铺贴压粘后，将搭接部位接合面清除干净，并采用配套的接缝剂胶粘剂在搭接缝粘合面上涂刷，做到均匀、不露底、不堆积，并从一端开始，用手一边压合，一边排除空气，最后再用手持铁棍顺序滚压一遍，使粘结牢固。卷材末端收头处或重叠处须用嵌缝膏密封，在密封膏尚未固化时，再用108胶水泥砂浆压缝封闭。

做防水层前要提供防水材料质保书、产品合格证和所有材料的复试报告。防水卷材所用材料应根据工程所需的计划数一次运到施工现场，并同时做随机抽样试验。防水卷材规格、质量及技术性能应符合设计要求及有关现行国家标准的规定。雨天及五级风以上时不得施工，施工中途下雨应做好卷材周边的防护工作。

4.8 抹灰工程

基层表面清理干净，脚手架眼、门窗框与墙体间的缝隙用防水砂浆堵好。外墙的门窗洞口，凸出边角要在底层灰及门窗框安装之前检查并修正，使其达到竖向垂直，水平标高一致。

用大线锤沿全高找垂直和平整，做灰饼，冲标筋。阴阳角处要双面检查，灰饼的黏结层不小于10mm，间距不大于1.5m，并要根据皮数杆在底子灰上从上到下弹若干水平线。在阴阳角、窗口处弹上垂直线，作为喷涂时的控制标志。

基层抹灰：砌体墙面浇水湿润后，根据标筋进行分层施工抹灰，混凝土墙面或梁、板、柱构件处刷108胶水泥砂浆或聚合物水泥砂浆后再抹底灰，用木抹子搓平，压实。底层灰的施工质量对面层抹灰质量影响很大。对平整度、垂直度必须按高级抹灰严格要求，误差严格控制在2mm内。

4.9 涂料工程

施工前应将基层表面的灰浆、浮灰、附着物等清除干净。对油污、铁锈等必须用洗涤剂洗净，并用水冲洗干净。对于空鼓必须剔除，连同蜂窝、孔洞等提前2~3d用聚合物水泥腻子修补完整。

喷涂施工时，空气压缩机压力需保持在0.4~0.7MPa，排气量0.63m³/s以上，以将涂料喷成雾状为准，喷口直径2~3mm。喷枪口要垂直墙面，不可上下倾斜，以免出现虚喷、发花现象，不能漏喷、挂流。漏喷时应及时补上，挂流要及时除掉。涂层厚度以盖底后最薄为佳，不宜太厚。横向喷涂自左到右，从下向上喷。纵向喷涂要从操作者近身一边起从下向上"走枪"，依次向前，始终让雾化涂料向前飞去。要注意两枪搭接边应占前枪喷涂面宽度的1/3或1/4。不能随意在一处重复多次喷涂，共喷涂二度。抹灰面养护时间一般3d以上，方可进行喷涂作业。

涂料应一次备足，以避免产生色差，使用前应将涂料搅拌均匀，以获得一致的色彩。涂料所含水分应按比例调整，使用中不宜加水稀释。外墙涂料施工后4~8h内避免雨淋，预测有雨时要停止施工。喷涂施工前应将窗户用塑料布遮挡。

4.10 楼地面工程

将结构层上面的松散杂物清除干净，凸出基层的砂浆等用凿子凿去，扫净，用水冲洗干净。冲筋或贴灰饼：根据设计要求拉线贴灰饼，并进行冲筋。冲筋的间距为1.5m左右，冲筋后即可抹找平层。

在混凝土构件表面上洒水湿润，均匀扫素水泥浆一遍，随扫随铺水泥砂浆。用木杠沿两边冲筋标高刮平，木抹子搓揉、压实。砂浆铺抹稍干后，用铁抹子压实三遍成活。砂浆找平层抹平压实后，常温时在24h后盖草袋（垫）浇水养护，养护时间一般不少于7d。

在铺砖前对砖的规格尺寸、外观质量、色泽等进行预选，将选配好的砖清洗干净后放入清水中浸泡2~3h取出晾干备用。结合层做完后按顺序铺砖。宜采用干硬性水泥砂浆，面砖应紧密坚实，砂浆饱满，并严格控制标高。

铺完地面砖24h内将缝口清理干净，洒水湿润。用1∶1水泥砂浆勾缝，缝的深度宜为砖厚度的1/3。勾缝应密实、平整、光滑。水泥浆凝结前彻底清除砖面灰浆。

4.11 门窗工程

门窗由厂家制作，现场安装。门窗规格、等级、品种、型号、质量必须符合设计要求，并具有出厂合格证等质量保证资料。门窗进场后，应堆放在室内，以免受到雨淋而污染表面，堆放时应直立堆放在距地面不小于10cm的木方上。严禁与酸、碱等腐蚀性的物品放在一起，不可弄坏其保护膜。

门窗框必须安装牢固，与墙体间空隙填塞饱满、均匀。门扇安装裁口顺直，规格平整光滑，开启灵活、稳定，无回弹和倒翘。门套与门框结合紧密，尺寸一致，平直光滑。在门窗安装过程中，要采取相应的专项措施做好成品保护，防止门窗框受到损坏。

根据要求做气密性、水密性、隔声性及开闭性能试验。门锁、执手、铰链及锁扣等五金配件应安装牢固，位置正确，开关灵活。门窗户关闭严密，平开门窗开关力≤80N，推拉门窗开关力≤100N。

4.12 脚手架工程

本工程采用落地脚手架。

基础采用200mm厚碎石夯实，上面浇筑厚为100mm宽度为2m的C20混凝土面层，外侧设排水沟。立杆底座采用150mm×150mm×8mm钢板。钢板中心竖向焊Φ50mm的焊接钢管，钢管长度为150mm，便于立杆支设。

立杆接头除在顶层可采用搭接外，其余各接头必须采取对接扣件。立杆顶端应高出建筑物屋顶1.5m。大横杆设于小横杆之下，在立杆内侧。采用直角扣件与立杆扣紧。大横杆长度不宜小于3跨，并不小于6m。

小横杆两端应采用直角扣件固定在立杆上。操作层上非主节点处的横向水平杆宜根据支承脚手板的需要等间距设置，最大间距不应大于立杆间距的1/2。在脚手架两端开始连续设置剪刀撑，由底至顶连续设置，把脚手架连成整体，增加脚手架的整体稳定性。连墙杆拉结点预埋在框架梁内，采用两步三跨布置。采用竹笆脚手板，每个作业层脚手板满铺。在外立杆内侧采用密目式安全网对建筑物封闭。防护栏杆两道，分别距各层楼板0.2m、1.2m。

脚手架每隔50m设脚手避雷接地装置，上部由导线接到地埋镀锌钢板上，过渡电阻不超过10Ω。

4.13 水电工程

根据设备安装工程的特点，由里向外，由下而上，先暗后明，先管道后设备，先基础后主管再支管的原则，分段分层有序地进行流水施工。

水电安装在土建施工时，必须密切配合土建，了解土建进度，及时做好预留、预埋工作。土建封顶给排水开始基础埋管。内粉刷完毕，立管支管同时配合土建进行安装。土建封顶前,电气配电箱、管道到位。内粉刷、油漆完毕,电气管线开始配线,配电箱机芯面板到位。全面进行给排水、电气设备调试及卫生工作。

(1) 给排水工程 给排水基础穿墙管道及楼层卫生间混凝土现浇时,各卫生器具排水管道均需按图逐个预留孔洞。给水管和排水管穿过砖砌基础处,预留孔洞的洞顶应与管道顶上部净空不小于 0.10m 和 0.15m。在管道安装时,需注意管道的坡度、变径、返身等作法,防止出现倒坡、气阻或水阻(PVC 管坡度 $i=0.026$)。

管道基底素土均需夯实。排水管(PVC 管)采用砂垫层固定,垫层宽度不小于管外径的 2.5 倍。给水 PP-R 管基础埋管结束后,应及时进行水压试验。管道系统压力升至接近试验压力时,停泵稳定几分钟,再慢慢升至试验压力停泵,关闭试压泵出口阀,稳压 1h,压降不大于 0.06MPa 为强度试验合格。

被隐蔽的排水管道做灌水试验时,用充气球塞堵管口,打气使球塞在管口或立管内,然后由地面(或楼面)地漏灌水至地漏面平,满水 15min 后,液面不下降为合格。

(2) 电气工程 灯具安装应牢固、洁净、美观,同一室内成排灯具应成一线,其中心偏差不大于 5mm。开关插座安装必须横平竖直,其面板必须安装牢固,紧贴墙面。开关、插座在安装前应清扫开关盒。

竣工验收前,同时做好电器和灯具通电试验记录。接地装置采用人工接地体和接地母线。在施工过程中,各焊接处应双面焊接且焊接长度需不小于 2b,焊接处不应有夹渣、咬边、气孔及虚焊现象。等电位联结用的螺栓、垫圈、螺母等应进行热镀锌处理,联结线应有黄绿相间的色标,在联结端子板上应刷黄色底漆,并标以黑色记号。

电管的切割严禁采用电、气焊切割。管子切割后应用圆挫打磨光滑后才可使用。线槽、桥架安装应横平竖直,排列整齐,连接紧密,支架均匀。竖向敷设的线槽要求每间隔 1m 左右设置固定横档。

第 5 章 安全文明施工及环境保护措施

5.1 安全施工保证措施

建立以项目经理为首,由专职安全员、技术负责人及班组长等各方面的管理人员组成的安全保证体系。坚持管生产必须管安全的原则,努力提高全体管理人员的安全意识,落实全员安全管理,落实安全生产责任制。

严格执行奖罚制度,强化安全管理,实行全员、全方位、全过程、全天候动态管理,把各项标准、制度、规范全面付诸实施,形成标准化管理。当生产进度与安全相矛盾时,进度必须让位于安全。实行安全教育制度。抓好入场教育、特殊工种教育,使工人充分了解本工地的安全管理制度,熟悉安全操作规程,提高工人安全意识,努力做到"三不伤害"。实行安全检查制度。由安全员拟订日常安全巡视、定期安全检查、专项安全检查方案,制止违章指挥和作业,尽力发现并消除安全隐患。一旦发现重大安全隐患,以书面形式下发整改通知单限期整改。对于有即发事故危险的重大隐患,应立即停止作业。

认真执行安全技术交底制度,每一单项工程均进行书面安全技术交底,由班组长向工人讲解。作业过程中根据出现的问题做补充交底。制定特种作业人员管理制度,加强特种作业人员管理,保证持证上岗率 100%。经常对特种作业人员进行安全教育,提高其安全意识,杜绝侥幸心理。制定高处作业安全管理制度,规范行为,加强检查,有效控制高处落物。

严格按照规定做好"三宝、四口、五临边"防护和各项安全防护设施,防护规范化、标准化。现场显眼位置挂安全警示牌。所有人员进入施工现场必须佩戴安全帽，高空作业人员必须牢系安全带。用电线路和设备安装、防护、使用和维修必须符合标准要求。每台机械都设置专用开关，开关箱中装设触电保护器。用电设备按规定接地（零），熔丝搭配应符合要求，施工机具外露传动部位必须装有防护罩盖，有良好的接地或接零保护。

井架吊笼停靠后与通道桥之间的间隙不大于 10cm，通道桥两侧须设防护栏杆和脚手竹笆，必须装有良好的接地装置，底部排水通畅。吊笼门上要挂设质量限额说明牌，使用过程中经常进行保养，经常检查各种紧固件是否松动，钢绳及滑轨定期上油，以免磨损严重而发生意外。

现场消火栓应有明显标志，不准压、不准挡，要保持消防道路畅通。施工现场必须实行动火申报制度。动火必须具有"二证一器一监护"才能进行。在建筑物楼层内、脚手架上、临时设施四周，应按规定设置足够的灭火器材，并由安全员检查落实到位。

脚手架应编制专项施工方案并经审批。严格按方案搭设，架体宽度、立杆间距、立杆垂直度、附墙数量和做法等技术参数符合规范及方案要求，并挂验收合格牌。

施工人员禁止在新砌墙体上行走。砌筑墙体时注意防止落砖伤人，砌好的新墙体要有相关防护措施。模板安装过程中不准上人行走。模板拆除后应及时拔出模板上的钢钉，以防施工人员脚踏上造成伤害。模板应在指定部位进行堆放，利于下次使用。竖向钢筋焊接时禁止人员站在箍筋上。在电流通过的地方提醒注意安全，焊线有破损的部位及时更换。混凝土采用商品混凝土，保证运输道路的足够宽敞。振捣人员在进行振捣工作时要穿胶鞋进行施工。

进行外墙装饰施工时要确保外墙脚手架的稳定，同时应在脚手架外围设置安全网。室内装饰时需注意小型龙门架的稳定性，确保施工人员的安全。当需要进行油漆的喷涂时，施工人员佩戴面具，减少吸入有害气体的危险。

5.2 文明施工措施

成立安全文明施工领导小组。安全文明施工领导小组负责组织制定文明施工措施，建立文明施工管理岗位责任制，明确划分责任范围和责任区域。项目经理为文明施工第一责任人。安全员为项目文明施工直接管理者，负责组织文明施工日常的工作，并落实文明施工措施。

按现场各部位使用功能划分区域，建立文明施工责任制，明确管理负责人，实行挂牌制，所辖区域有关人员须健全岗位责任制。工人操作地点和周围必须清洁、整齐，做到活完脚下清，工完场地清。丢洒在楼梯、楼板上的砂浆、混凝土应及时清除，落地灰应回收过筛使用。

施工机械拆装人员及操作人员要经专业培训，并取得地方政府主管部门颁发的许可证后方可上岗。施工机械设备的运输、安装、调试和拆除要制订施工方案。做好准备工作保证施工场所和过程的安全文明状况。加强机械设备的保养和维修，遵守机械安全操作规程，做好安全防护措施，保证机械正常运转。保证各种机械设备的标志明显，编号统一。现场机械管理实行挂牌制，标牌内容应包括设备名称及基本参数、验收合格标记、管理责任人及安全管理规定和操作规程。

施工所需的各种材料和工具应根据施工进度及现场条件有计划地安排加工和进场，做到既不耽误施工又不造成过于积压，充分发挥材料存放场地的周转使用效率。各种材料的装卸、运输要做到文明施工，根据材料的品种特性选择合适的机械设施和装卸方法，保证材料、成品、半成品的完好，严禁乱扔乱砸。材料的存放位置必须便于施工和符合总平面布置要求，按照功能分区挂牌标识，注明材料品种、规格、数量、检验状态和管理责任人。

施工场地作硬化处理，保证施工道路畅通，施工现场不存在积水现象。天气干燥时，要控制场内扬尘，扬尘严重地区安排专门人员进行洒水处理。土方运输车要确保安全且不存在土方外漏的现象，所有土方车辆运输土方过程都需要上部进行覆盖。施工现场要做到雨污分流，设置相应管道流入不同的市政管网。

生活区、办公区要与施工现场分隔开。生活区内有专门人员负责生活区内的卫生。工地设工人食堂。生活区内禁止使用各种大功率电器，确保生活区内用电的安全。积极开展卫生防病宣传教育，施工现场放置相关保健药箱和急救器材，以防发生紧急事故。民工食堂等部位卫生要符合要求。

食堂采用电、煤气两用炉灶，减少大气污染。如果使用煤气灶时要确保煤气罐的存放部位用阻燃材料分隔开。施工现场民工食堂设置隔油池，对油烟的排放要严格进行控制。平时加强对食堂管理，定期对厨师进行安全教育，杜绝工地食物中毒现象的发生。由专门人员对隔油池进行定期清污处理。

5.3 环境保护措施

本工程将积极依据ISO14000环境管理标准制定环境方针、环境目标和环境指标，施工现场达到环境管理标准的要求，把施工对环境的影响控制到最小，并最大限度地达到施工环境的美化，保障施工现场人员与附近居民的身体健康。

建筑施工垃圾要及时清运，清运时适量洒水减少扬尘。外运建筑、生活垃圾应用雨布罩盖，做到每道工序工完场清。搅拌机前台及运输车辆清洗处设置沉淀池，排放的废水要排入沉淀池内，经二次沉淀后方可排入城市市政污水管线，或用于洒水降尘。现场产生的污水禁止随地排放。作业时控制污水流向，在合理位置设置沉淀池，沉淀后方可排入市政污水管网。最大限度减少施工噪声污染，现场对噪声机械的使用采用有效的隔声措施，施工现场的强噪声机械设置封闭的机械棚，以减少强噪声的扩散。根据现场实际情况选用低噪声的施工工艺和机械设备等。

第6章 项目管理班子人员配备

6.1 组织管理机构

本工程由一级注册建造师、高级工程师任项目经理，配备技术过硬、敬业精神强的管理人员组成施工项目部。公司从各面给予全力支持，确保实现质量、工期、安全文明施工目标。

项目经理部设土建及安装施工技术组、质量管理组、安全管理组、材料设备组和预算成本组六个职能部门，形成项目经理部门领导下的强有力的组织管理层，图略。

6.2 项目管理机构组成及职责分工

在项目经理的领导下，项目部成员各司其职，认真细致地开展各项工作。各项目部成员的主要职责见表（略）。

第7章 劳动力、机械设备和材料投入计划

7.1 劳动力配置

科学合理地配备劳动力是保证工程能在计划工期内完工的重要因素之一。根据本工程总工期目标及工程具体情况，拟安排本工程劳动力计划见表15-5。

表 15-5 劳动力需用计划表

工种	2015年										2016年
	3月	4月	5月	6月	7月	8月	9月	10月	11月	12月	1月
钢筋工	5	15	20	20	20	5					
木工	5	25	30	30	30	15	5	5	5	5	
混凝土工		18	28	28	28						
架子工	2	10	15	15	15	5	5	2			
瓦工			5	15	15		5	5	3	3	3
抹灰工						25	25	25	10	5	
普工	20	20	20	20	20	20	20	20	20	20	20
油漆工							25	25	25		
防水工					10				8	8	
水电工	2	5	5	10	15	15	20	20	20	20	20
电焊工	8	10	15	15	15	10	8	8	8	5	2
合计	42	103	133	143	158	120	113	110	99	66	45

7.2 机械设备配置

根据本工程具体情况拟配备机械设备计划见表15-6。

表 15-6 机械设备配备计划

序号	机械名称	型号规格	数量	额定功率/kW	生产能力
1	塔式起重机	QTZ63	1	67.5	最大幅度起重3.6t
2	施工电梯	SCD200/200A	2	22	2000kg/15人
3	混凝土输送泵	HBT40C	2	55	50m³/h
4	钢筋对焊机	UN1-100	1	100	20~30次/h
5	钢筋切断机	GQ40	2	2.2	切断32次/min
6	钢筋弯曲机	GW40	2	3.0	
7	钢筋调直机	LTZ-40	1	5.5	
8	交流电焊机	HJ431等多种	8	20	
9	电渣压力焊机	JSD-600	5	45	
10	砂浆搅拌机	DJ-250	1	8	10m³/台班
11	混凝土搅拌机		1	20	0.5m³
12	振动棒	HZ-50A	8	1.1	
13	平板振动器	PZ-50	4	0.5	
14	木工压刨机	MB1043	1	7.5	
15	木工圆盘锯	MJ106	2	4	
16	电动打夯机	HZD250	3	4	
17	套丝机	TQ-3A	1	1	
18	柴油发电机	120GF	1	120	
19	反铲挖掘机	PC200	1		
20	自卸汽车		5		

7.3 需用材料配置

为保证工期顺利实现,施工所需材料的供应需及时,主要材料计划见表(略)。

第 8 章 季节性施工措施

本工程的施工工期跨度比较大,施工过程主要经历雨期、冬期和高温期。工程的施工方法要针对气候特点确定,采取有效措施保证季节性施工质量。为确保工期和质量的圆满完成,特制定如下措施。

8.1 雨期施工措施

雨期施工主要以预防为主,采取防雨措施及加强排水手段,做好雨期施工的信息反馈工作,确保雨期时生产的正常进行,不受季节性气候的影响。对现场应根据地形对场地内积水进行引流,以保证现场内没有积水,流水畅通,并要防止四周地面水倒灌入场地内。

主要运输道路两旁做好排水沟,保证雨后车辆通行时不沉陷。对有防雨、防潮要求的建筑材料应堆放在较高的地方,并做好四周围挡、屋盖防雨、防潮及排水工作。养护用的草帘存放要有防雨、防潮措施,通风良好。

混凝土浇筑时要提前了解天气情况。尽量避免雨天施工,当不能避开时,新浇筑的混凝土应用塑料薄膜覆盖。

8.2 冬期施工措施

入冬前组织专业人员对临时设施、机械设备、物资到位情况等进行全面检查,对所查问题及时进行整改处理,作好对冬期施工的全面部署。科学安排生产,在保证质量、安全的前提下安排好施工进度。在安排工种进度时,把握气象动态,正确决策。在遇到突然低温袭击时要有可靠的防范措施,安排生产时主要以抢"晴暖天气",辅以抗冻防寒措施。

管道、阀门等采用石灰草绳包裹防冻,道路、操作场所建立清扫冰雪和排除积水制度,保证道路畅通和操作安全。冬期施工所有的砂、石、砖除满足一般的质量要求外,严禁混有冻块、冰屑,应做好材料的保温防冻,利用常温提前做好筛砂、洗石,配制现场搅拌混凝土或砂浆采用普通硅酸盐水泥。

确定冬期混凝土施工配合比,并按要求掺加抗冻剂,以提高混凝土的抗冻性。

控制混凝土拌合物的出机温度,保证混凝土的入模温度不低于5℃,防止混凝土在输送过程中受冻或温度过快降低。混凝土在浇筑前,应清除模板和钢筋上的冰雪。尽量利用白天气温较高时浇筑混凝土,以提高混凝土浇筑温度。混凝土浇筑后加强保温养护工作。当日平均气温低于5℃时,不得进行浇水养护,采用覆盖一层塑料薄膜和双层草帘作保湿、保温养护,并适当延长养护时间,混凝土达到足够强度后再拆除模板。

8.3 高温季节施工措施

向高温作业者发放足够的符合卫生要求的防暑降温药品、茶水及饮料。采用合理的劳动休息制度。在气温较高的条件下,适当调整作息时间,上午提前上班,下午推迟下班,延长中午的休息时间(抓两头,放中间)。

改善工作环境,确保防暑降温物品及设备落到实处。根据工地情况,在高温天尽可能采取勤换班的方法,缩短一次连续作业时间。

8.4 已有管线的加固措施

土方施工前向业主及有关部门索要有关资料,尽可能多地了解地下设施管线分布情况,以便做好相关准备。在敷设有管线、电缆的地段进行施工时，应事先取得有关管理部门的书面同意，施工时应采取相应的保护措施。

对地上架空线路等设施，采取设置警戒标志或搭设防护棚防护。

第9章　新技术、新产品、新工艺、新材料应用

为了优质高效地完成本工程，全面实现项目的综合目标，我们将在该工程上采用如下新材料、新技术：

1）泵送混凝土应用技术。本工程采用商品混凝土泵送入模的浇筑方法，以加快工程进度，减小劳动强度。

2）新型模板应用技术。本工程拟采用18mm厚木胶合板模板。木胶合板模板表面平整光滑，容易脱模，可多次周转使用，能够加快施工进度。

3）清水混凝土施工技术。可减少装修施工中的抹灰量，同时可节约装饰施工中基层抹灰成本。

4）钢筋电渣压力焊连接技术。柱钢筋采用电渣压力焊技术连接。其特点是工效高，成本低，节省钢筋，综合效益好。

5）高分子防水卷材技术。本工程屋面防水采用高分子防水卷材，此种材料具有施工方便，工效快，耐老化，弹性高的特点。

6）钢筋混凝土保护层定位件使用技术。"定位件"强度高，刚度好，具有以下几方面优势：可以解决承台钢筋数量多、规格大、质量重、砂浆垫块易被压碎等各方面的问题；可以解决框架梁与框架柱交汇处双层钢筋（加强筋）之间距离有限的问题，确保主筋的混凝土握裹力；能控制钢筋混凝土保护层厚度，克服砂浆垫块厚薄不均匀、偏差大等影响质量的不利因素。

15.3.2　施工组织设计评析

1. 总体评述

施工组织设计到底应编写哪些内容，编制者存在分歧。有些认为应概而全，有些则简单扼要，将与施工相关的要素系统地归纳总结，针对不同特点的工程项目规定编制相关的内容。

投标施工组织设计要依据招标文件编制，首先要满足投标的需要，为施工布局做出总体安排。

投标施工组织设计应简化并避免形式化。有的投标单位为了中标，担心在评审时被扣分，编制的施工组织设计篇幅很大，面面俱到，不漏掉一点内容。实际上比施工手册还全面，但并没有体现出施工组织设计的针对性和指导性，这样的施工组织设计是没有意义的。下面针对本案例做总体的评述。

2. 各章节评析

第1章　总体概况

工程概况缺少当地气象、水文地质的介绍，拟建工程周边环境情况，这些会对工程的土方工程施工和工期安排有较大的影响。

基本描述了工程的建筑结构概况，工程目标较明确，施工部署基本清晰。

因为是招投标阶段的施工组织设计，建设单位、监理单位等信息不必描述。

第2章　施工现场平面布置

临时用地以列表的形式表述，直观，工人宿舍应符合施工临时建设用地的定额指标（编制施工组织设计所需各项数据均可查《建筑施工手册》）。生活区和办公区体现了文明施工和环境保护的要求，材料堆放场地等根据现场情况布置。

平面布置图中缺少施工电梯，布置图设计中缺少临时用水、用电设计，施工阶段的平面布置应体现水电的现场布置。

第3章　施工进度计划

进度计划横道图体现了流水施工，施工进度计划中主体结构工期安排12~15d。通常施工中地上一层施工工期略长，一是工程地下部分完工后施工环境变化较大，要处理问题较多，另外一方面是工人还没有完全熟练作业。通常主体工期一层7~10d较为常见，工期较短的可达3~5d，应综合考虑总工期、周转材料投入及劳动力投入情况，以及平面流水施工段的划分等。工期编排根据施工经验或工期定额，从经验上来安排工期，体现劳动力作业水平、现场施工条件和施工时间，可能比根据工期定额更为准确。

保证措施实际上只包括组织措施和技术措施，计划管理可归为组织管理。

第4章　主要施工方案及施工方法

根据工程主要内容来编制主要施工方案，施工过程中还需编制较详细的施工方案。

从各个施工方案内容来看，均说明了正常施工应有的内容，较为详细，总体上看内容都"正确"，实际上却有一些问题。

施工组织设计应体现出工程实际情况和特点，切忌从施工手册及规范上照抄照搬施工工艺和方法。要有针对性和指导性，简单的一个判断标准看本部分内容是否放在别的工程上也"适用"，如果是，则说明本方案没有针对性，是无价值的。

本章的各节内容普遍存在此类问题，这也是当前施工组织设计编制存在的通病。

第5章　安全文明施工及环境保护措施

本章内容一般均需要建立组织机构，然后根据工程情况制定各项措施，现场要杜绝大的事故，并重视文明施工。各项措施应齐全有针对性。要注意的是当前各地对施工现场的粉尘和噪声要求越来越严格，有的地区有特殊要求，要重点制定预防措施，并要求推进绿色施工。

第6章　项目管理班子人员配备

招标阶段的施工组织设计项目部成员配备要考虑招标人的要求、类似工程经验。

第7章　劳动力、机械设备和材料投入计划

劳动力、材料计划计算依据是工程量和定额，其中劳动力安排需要结合工期要求、劳动力水平、每天工作班数进行调整。劳动力曲线可以结合施工进度横道图，利用项目管理软件在横道图下方画出。

机械设备以清单形式列出，内容包括数量、功率和生产能力。此表也是施工临时用电计算的依据，与用电量有关的机械设备应详细。

第8章　季节性施工措施

主要考虑高温季节、冬期施工、台风季节对施工的影响并制定预防措施。冬期施工对北方地区施工的工程影响较大，台风对沿海地区施工影响较大，一方面会增加施工成本，另一方面要避免安全质量事故的发生。

本章内容通常包括对已有地下、地上管线的防护，避免施工过程发生大的安全事故。

第9章 新技术、新产品、新工艺、新材料应用

这部分内容结合住建部或地方推广的"四新"内容来写。工程中应用较多的新技术有：粗直径钢筋连接技术，高强高性能混凝土技术，计算机信息管理技术，新型模板、脚手架应用，新型防水卷材等。

施工组织设计是计划经济时代产物，有其局限性，现在已经成为一个指导项目投标、进行施工准备和组织施工的全面的技术经济管理文件。编制和实施施工组织设计，是我国建设领域一项重要的技术管理制度。工程项目开工前，必须编制施工组织设计，用以指导施工全过程。

15.4 危大工程专项施工方案编制

建设工程中安全管理是重中之重，为保证安全生产，避免工程事故的发生，住建部针对危险性较大的分部分项工程制定了管理办法。

危险性较大的分部分项工程（危大工程），是指房屋建筑和市政基础设施工程在施工过程中，容易导致人员群死群伤或者造成重大经济损失的分部分项工程。

常见的超过一定规模的危大工程范围：

1）深基坑工程（开挖深度5m及以上）。

2）高大模板、特殊模板及支撑体系。

3）起重吊装及起重机械安装拆卸工程。

4）搭设高度50m及以上的落地式钢管脚手架工程、提升高度在150m及以上的附着式升降脚手架工程或附着式升降操作平台工程、分段架体搭设高度20m及以上的悬挑式脚手架工程。

5）拆除工程、暗挖工程。

6）其他专业性较强，特种作业，采用新技术、新工艺、新材料、新设备可能影响工程施工安全，尚无国家、行业及地方技术标准的分部分项工程。

在危大工程施工前组织工程技术人员编制专项施工方案。危大工程专项施工方案的主要内容应当包括：

1）工程概况：危大工程概况和特点、施工平面布置、施工要求和技术保证条件。

2）编制依据：相关法律、法规、规范性文件、标准、规范及施工图设计文件、施工组织设计等。

3）施工计划：包括施工进度计划、材料与设备计划。

4）施工工艺技术：技术参数、工艺流程、施工方法、操作要求、检查要求等。

5）施工安全保证措施：组织保障措施、技术措施、监测监控措施等。

6）施工管理及作业人员配备和分工：施工管理人员、专职安全生产管理人员、特种作业人员、其他作业人员等。

7）验收要求：验收标准、验收程序、验收内容、验收人员等。

8）应急处置措施。

9）计算书及相关施工图。

危险性较大的分部分项工程，需要进行专家论证，主要内容包括：专项方案内容是否完

整、可行，具有可实施性；专项方案计算书和验算依据是否符合有关标准规范；安全施工的基本条件是否满足现场实际情况。

复习思考题

1. 什么是单位工程？和单项工程有何区别？
2. 施工组织设计应具备哪些要求？
3. 施工组织设计的主要内容包括哪些？
4. 超过一定规模的危大工程的范围有哪些？
5. 简述专项施工方案的主要内容。

应用训练

施工组织设计是依据法律法规，从施工的全局出发，根据拟建工程的特点，拟定工程施工方案，安排施工进度，进行现场布置；把设计和施工、技术和经济，施工中各单位、各部门、各工种、各阶段以及各项目之间的关系等更好地协调起来，使施工建立在科学、合理的基础之上，优质、安全、低耗、高效地完成工程施工任务。

在技术质量管理中，ISO9000 标准中有一个重要文件是质量计划。质量计划是对特定的项目、产品或合同规定由谁及何时应使用哪些程序和相关资源的文件。质量计划提供了一种途径将某一产品、项目或合同的特定要求与现行的通用质量体系程序联系起来。

查阅资料，分析质量计划与施工组织设计的各自特点和优缺点。

第 16 章
施工BIM应用

问题引入：在工程建设中应用 BIM 技术有哪些优点？

16.1 建筑信息模型（BIM）概述

1. BIM 含义

BIM（建筑信息模型）是通过数字信息仿真，模拟建筑物所具有的真实信息，具有可视化、可协调、可模拟、可优化和可输出的特点。

BIM 是包括 Building Information Modeling、Building Information Model、Building Information Management 三个相互独立又彼此关联的概念的英文缩写。美国国家标准技术研究院对 BIM 的定义是：以三维数字技术为基础，集成了建筑工程项目各种相关信息的工程数据模型，BIM 是对工程项目设施实体与功能特性的数字化表达。我国规范给出的 BIM 定义应包含两层含义：一是建设工程及其设施物理和功能特性的数字化表达，在全生命期内提供共享的信息资源，并为各种决策提供基础信息；二是 BIM 的创建、使用和管理过程（即模型的应用）。

BIM 技术广泛应用于建筑工程、铁路工程、公路工程、港口工程、水利水电工程等工程建设领域。建筑信息模型技术支持不同软件之间进行数据交换，实现协同工作、信息共享，并为工程各参与方提供各种决策基础数据。对某一具体的工程项目而言，又可以在其全生命期内的各阶段应用。

基于工程项目的要求，借助于 BIM 技术，在设计图校核、辅助施工管理、市场运营推广等环节，达到预先发现问题、降低项目风险、提高效率、保证安全、保证质量和保证进度的目的。BIM 技术的应用有助于实现我国工程建设信息化。2014 年 7 月住房和城乡建设部颁布了《关于推进建筑业发展和改革的若干意见》，提出"推进建筑信息模型等信息技术在工程设计、施工和运行维护全过程的应用，提高综合效益"。住房和城乡建设部颁布的《2011—2015 年建筑业信息化发展纲要》及《2016—2020 年建筑业信息化发展纲要》中将 BIM 技术列为重点研究和应用的技术，并于 2015 年 6 月 16 日印发了《关于推进建筑信息模型应用的指导意见》，包含 BIM 技术应用的重要意义、指导思想与基本原则、发展目标、工作重点、保障措施五个方面。尤其是两个规范的颁布，《建筑信息模型应用统一标准》（GB/T 51212—2016），《建筑信息模型施工应用标准》（GB/T 51235—2017），标志着我国 BIM 技术应用进入了一个全新的历史阶段。

2. 建筑信息模型应用概述

建筑信息模型（BIM）简称为模型。建筑信息模型中可独立支持特定任务或应用功能的模型子集称为子模型。将建筑信息模型的创建、使用和管理统称为建筑信息模型应用。一个完整的模型由类型、实体、函数、规则、属性集以及数量集组成，建筑信息模型的基本要求有以下几点：

1）模型中需要共享的数据应能在建设工程全生命期各个阶段、各项任务和各相关方之间交换和应用。

2）通过不同途径获取的同一模型数据应具有唯一性，采用不同方式表达的模型数据应具有一致性，用于共享的模型元素应能在建设工程全生命期内被唯一识别。

3）模型结构应具有开放性和可扩展性。

模型结构由资源数据、共享元素、专业元素组成，可按照不同应用需求形成子模型。子模型应根据不同专业或任务需求创建和统一管理，并确保相关子模型之间信息共享。模型扩展可根据专业或任务需要，增加模型元素种类及模型元素数据。模型结构的开放性和可扩展性是支持模型在建设工程全生命期内应用的必要条件。互用数据的内容应根据专业或任务要求确定，并应包含任务承担方接收的模型数据、任务承担方交付的模型数据。模型数据应根据模型创建、使用和管理的需要进行分类和编码。

模型与子模型都应根据相关法律法规、标准规范、管理流程等，为完成本任务及后续相关工作提供充足的信息。模型创建和使用前，应根据项目需求以及 BIM 应用环境和条件，选择合适的 BIM 应用方式。

模型创建前，应根据工程项目、阶段、专业、任务的需要，按照所选择 BIM 应用方式及其 BIM 应用环境和条件，对模型以及子模型的种类和数量进行总体规划。各相关方应共同制定模型创建规程或信息互用协议，建立统一的模型创建流程、坐标系及度量单位、信息分类、编码和命名等模型创建和协调规则。在模型创建过程中，各相关方应严格遵循统一的规程和协议，并定期进行模型会审，及时协调并解决潜在的模型和专业冲突，确保各相关方采用不同方式、不同软件创建的模型，符合专业协调和模型数据一致性要求，同时避免建模失败、成本增加及工期延误。

模型的创建和使用与完成相关专业工作或任务同步进行。模型使用过程中，模型数据交换和更新可采用下列方式：

1）按任务的需求，建立相应的工作流程。

2）完成一项任务的过程中，模型数据交换一次或多次完成。

3）从已形成的模型中提取满足任务需求的相关数据形成子模型，并根据需要进行补充完善。

4）利用子模型完成任务，必要时使用完成任务生成的数据更新模型。

建筑信息模型应用前应制定实施策略，需根据建设工程的特点和要求制定。实施策略包含下列内容：

1）工程概况、工作范围和进度，模型应用的深度和范围，模型应用交付成果及交付格式。

2）为所有子模型数据定义统一的通用坐标系，采用的数据标准、数据互用性问题的解决方案，模型数据交换方式及交换的频率和形式。

3）各模型数据的责任人、模型应用的负责人和核心协作团队及各方职责。

4）工程建设标准的检查，图样和模型数据的一致性审核、确认流程。

5）建设工程各相关方共同进行模型会审的日期。

对不同类型或内容的模型数据进行统一管理和维护。模型创建和使用过程中，应确定相关方各参与人员的管理权限，并应针对更新进行版本控制。

模型创建和使用通常是随着工程进展和需要分阶段、按任务由不同的参与方完成。各参与方应充分利用前一阶段或前置任务子模型，通过对其模型数据进行提取、扩展和集成，形成本阶段或任务子模型，并在模型应用过程中不断补充、完善模型数据。即模型创建和使用与相关任务同步进行，实现模型对完成相关任务的支持。对不同类型或内容的模型数据，目前常用的存储方式有数据库、文件，均进行统一管理和维护。

模型创建、使用、管理的过程涉及所有参与方和利益相关方，时间跨度大、牵涉人员广，权限和版本控制是其中最基本和重要的保障措施，可保证信息的更新和可追溯。

3. BIM 相关软件

对建筑信息模型进行创建、使用、管理的软件称为建筑信息模型软件，简称 BIM 软件。BIM 软件应具有相应的专业功能和数据互用功能。每个项目的 BIM 应用目标和范围不一样，没有一个或一套 BIM 软件适合所有项目的需求。因此，需为项目选择合适的 BIM 软件。

目前市场上创建 BIM 的软件较多，比较有代表性的有 AutodeskRevit 系列、GehryTechnologies、基于 DassaultCatia 的 DigitalProject、BentleyArchitecture 系列等。在国内，鲁班、广联达以及清华斯维尔在施工 BIM 的研发上走在前列。相对传统的 CAD 软件而言，BIM 软件使用模型元素，CAD 软件使用图形元素，BIM 软件可以比 CAD 软件处理更丰富的信息，如技术指标、时间、成本、生产厂商等；BIM 软件具有结构化程度更高的信息组织、管理和交换能力。因此，专业技术能力、信息管理能力和信息互用能力作为判断是否 BIM 软件以及 BIM 软件能力的基本指标。

BIM 软件可以采用开放的模型结构，也可采用自定义的模型结构。BIM 软件创建的模型，其数据应能被完整提取和使用。BIM 软件符合相关工程建设标准及其强制性条文的规定，既是对软件的基本要求，也是保证软件产生结果准确性的前提条件。BIM 软件要加强查验模型及其应用是否符合相关工程建设标准及其强制性条文的研制，以保证技术应用时的工程质量、安全和性能。

BIM 应用水平与 BIM 软件的专业技术水平、数据管理能力和数据互用能力密切相关。对此进行评估，既可对软件的专业技术水平、实现协同工作和信息共享的能力进行认定，也可为提升 BIM 应用水平以及合理认定 BIM 技术的实际应用水平积累数据、奠定基础。BIM 软件具有查验模型及其应用符合我国相关工程建设标准的功能。

随着 BIM 技术的发展和应用，针对模型数据互用需要解决三个关键问题：

1）对所需要交换信息的格式规范。

2）对信息交换过程的描述。

3）对所交换信息的准确定义。

BIM 软件的专业功能是指其满足专业工作和任务要求的能力，数据互用功能是指其与其他相关软件进行数据交换的能力。BIM 软件支持专业功能定制开发，可提升软件的专业功能，提高使用的效率和效益。

4. 模型元素

建筑信息模型的基本组成单元称为模型元素。模型元素组织及几何信息、非几何信息的详细程度称为模型细度。建筑信息模型元素包括工程项目的实际构件、部件（如梁、柱、门、窗、墙、设备、管线、管件等）的几何信息（构件大小、形状和空间位置）、非几何信息（如结构类型、材料属性、荷载属性）以及过程、资源等组成模型的各种内容。专业模型元素包括建筑、结构、给水排水、暖通、电气、消防、建筑控制、施工管理等专业特有的模型元素和专业信息，以及所引用的相关共享模型元素。专业模型元素可以是专业特有的元素类型，也可以是共享模型元素的扩展和深化。

随着工程项目各项任务的进展，如设计阶段的方案设计、初步设计、施工图设计，施工阶段的施工准备、施工过程、竣工交付等，需要对模型不断丰富、细化。在任务进展过程中，模型详细程度随模型创建和应用不断调整、细化。首先，不同的项目、任务需求，会有不同的模型详细程度需求，例如包括哪些模型元素。其次，每个模型元素的详细程度在不同项目、任务时也会不同，例如其几何形状、专业信息的详细程度。

16.2 施工 BIM 应用策划

施工阶段应用的建筑信息模型简称施工 BIM。施工阶段的 BIM 具有不同于其他阶段的特点，主要体现在模型的创建方法、模型细度、模型应用和管理方式等。同样，BIM 也随施工阶段不同环节或任务有所不同。因为设计和施工 BIM 需要实现共享，施工 BIM 应用应覆盖工程项目深化设计、施工实施、竣工验收等的施工全过程，也可根据工程项目实际需要应用于某些环节或任务。

施工 BIM 应用前先制订施工 BIM 应用策划，并根据策划实现 BIM 应用的过程管理。施工模型在施工图设计模型基础上创建，也可根据施工图等已有工程项目文件进行创建。工程项目相关方在施工 BIM 应用中应采取协议约定等措施确定施工模型数据共享和协同工作的方式。

BIM 软件应具备下列基本功能：模型输入、输出、浏览或漫游、信息处理；相应的专业应用；应用成果处理和输出，支持开放的数据交换标准。

施工 BIM 应用策划需明确下列内容：

1) BIM 应用目标、应用范围、应用流程、内容、进度计划和应用成果要求。
2) 人员组织架构和相应职责、信息交换、软硬件基础条件。
3) 模型创建、质量控制、信息安全、使用和管理要求。

制订施工 BIM 应用策划可按下列步骤进行：确定应用范围和内容——制定应用流程图——信息交换要求——确定应用的基础条件。

工程项目相关方应明确施工 BIM 应用的工作内容、技术要求、工作进度、岗位职责、人员及设备配置等。工程项目相关方应建立 BIM 应用协同机制，制订模型质量控制计划，实施 BIM 应用过程管理。

模型质量控制措施应包括下列内容：模型与工程项目的符合性检查，不同模型元素之间的相互关系检查，模型与相应标准规定的符合性检查，模型信息的准确性和完整性检查。

16.3 施工模型创建

1. 施工模型分类

施工模型包括深化设计模型、施工过程模型和竣工验收模型。

深化设计模型一般包括现浇混凝土结构深化设计模型、装配式混凝土结构深化设计模型、钢结构深化设计模型、机电深化设计模型等。

施工过程模型包括：施工模拟模型、预制加工模型、进度管理模型、预算与成本管理模型、质量与安全管理模型、监理模型等。其中，预制加工模型包括：混凝土预制构件生产模型、钢结构构件加工模型、机电产品加工模型等。

2. 模型创建

施工模型应根据 BIM 应用相关专业和任务的需要创建，其模型细度应满足深化设计、施工过程和竣工验收等任务的要求。施工模型按统一的规则和要求创建，当按专业或任务分别创建时，各模型应协调一致，并能够集成应用。

模型创建采用统一的坐标系、原点和度量单位，当采用自定义坐标系时，应通过坐标转换实现模型集成。模型元素信息包括的内容：尺寸、定位、空间拓扑关系等几何信息；名称、规格型号、材料和材质、生产厂商、功能与性能技术参数，以及系统类型、施工段、施工方式、工程逻辑关系等非几何信息。

深化设计模型在施工图设计模型基础上，通过增加或细化模型元素等方式进行创建。施工过程模型在施工图设计模型或深化设计模型基础上创建。根据工作分解结构（WBS）和施工方法对模型元素进行必要的拆分或合并处理，并按要求在施工过程中对模型及模型元素附加或关联施工信息。竣工验收模型在施工过程模型的基础上，根据工程项目竣工验收要求，通过修改、增加或删除相关信息创建。当工程发生变更时，应更新施工模型、模型元素及相关信息，并记录工程及模型的变更。模型或模型元素的增加、细化、拆分、合并、集成等操作后应进行模型的正确性和完整性检查。

3. 模型元素信息

模型元素除尽可能包含足够的信息外，一般还应满足如下要求：

1）模型元素几何形体应按照 1:1 比例建模，形体采用公制单位，模型元素几何形体没有表达出的信息，采用非几何信息表达的方式。

2）模型元素定义符合其用途的插入点，支持参数化几何形体建模，并能锁定、对齐到合适的参考元素上，如平面、线、楼层和点等。

3）模型元素包含约束到参照平面上的标注尺寸和标签，包含二维或三维的空间约束数据，如最小操作空间、使用空间、放置和运输空间、安装空间、检测空间，以及对该工程项目外部边界定义的空间几何表现等。

4）模型元素可包含颜色、填充图案或比例适当的纹理图像文件，可在相关视图中表现工程项目的材质和外观，相关视图包括：平面图、剖面图、立面图、节点详图等。模型元素能以某种表达方式反映与其他模型元素的关联关系，通过模型元素库软件对模型元素进行统一的管理和应用。

16.4 深化设计

建筑施工中的现浇混凝土结构深化设计、装配式混凝土结构深化设计、钢结构深化设计、机电深化设计等应用 BIM 来实现。深化设计 BIM 软件应具备空间协调、工程量统计、深化设计图和报表生成等功能。深化设计图应包括二维图和必要的三维模型视图。

1. 现浇混凝土结构深化设计

对于复杂节点设计,例如梁柱节点钢筋排布、型钢混凝土构件节点设计等,采用 BIM 技术能有效解决传统二维设计无法准确表达设计信息的问题。

在现浇混凝土结构深化设计 BIM 应用中,可基于施工图设计模型或施工图创建深化设计模型,输出深化设计图、工程量清单等。现浇混凝土结构深化设计模型除应包括施工图设计模型元素外,还应包括二次结构、预埋件和预留孔洞、节点等类型的模型元素,其内容参照表 16-1 的规定,深化设计流程如图 16-1 所示。

表 16-1 现浇混凝土结构深化设计模型元素及信息

模型元素类型	模型元素及信息
上游模型	现浇混凝土结构施工图设计模型元素及信息
二次结构	构造柱、过梁、止水反梁、女儿墙、压顶、填充墙、隔墙等 几何信息:位置和几何尺寸 非几何信息:类型、材料信息等
预埋件、预留孔洞	预埋件、预埋管、预埋螺栓等,以及预留孔洞 几何信息:位置和几何尺寸 非几何信息:类型、材料等信息
节点	节点的钢筋、混凝土,以及型钢、预埋件等 几何信息:位置、几何尺寸及排布 非几何信息:节点编号、节点区材料信息、钢筋信息(等级、规格等)、型钢信息、节点区预埋信息等

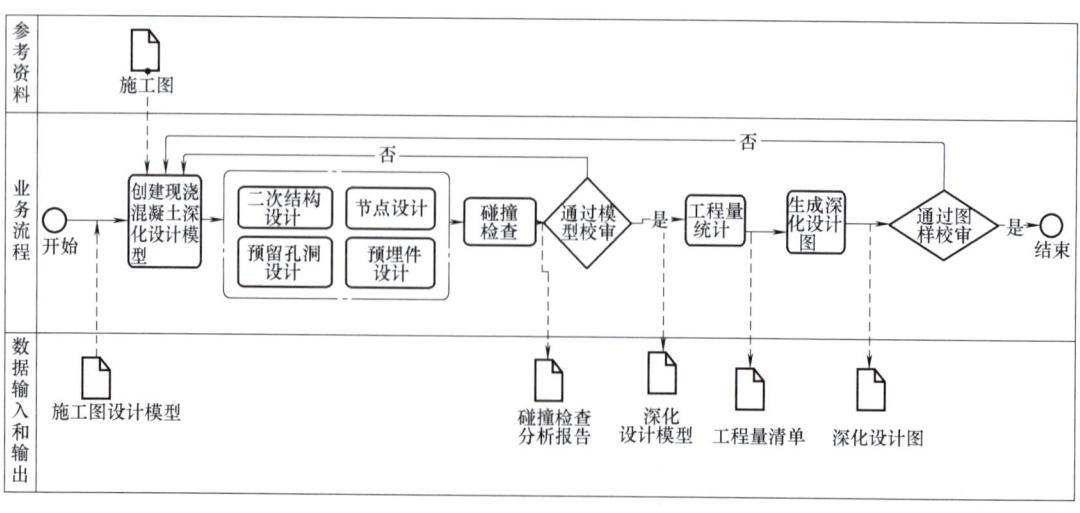

图 16-1 现浇混凝土结构深化设计 BIM 应用典型流程

现浇混凝土结构深化设计 BIM 应用交付成果包括深化设计模型、深化设计图、碰撞检查分析报告、工程量清单等。其中，碰撞检查分析报告应包括碰撞点的位置、类型、修改建议等内容。因为机电深化会调整管道位置，现浇混凝土深化设计最好在机电深化完成后进行。

2. 预制装配式混凝土结构深化设计

创建预制装配式混凝土结构深化设计模型是对施工图设计模型的细化、复核和调整。例如连接节点深化设计建模，需要按照施工图设计中节点部位的构件尺寸、钢筋直径和位置等数据，对生产和施工过程进行模拟，通过碰撞检查复核和对钢筋的直径、数量和位置进行调整，最终确定构件连接方式和节点连接方式，完成构件承载力计算、构件深化图生成和节点深化图生成等工作。

装配式混凝土结构深化设计模型，在施工图设计模型必需的模型元素和细度之外，各元素细度还需要满足成本估算、生产和安装施工协调以及可视化的要求，包括构件组成与拆分、钢筋放样、预埋件、复杂节点模型、构件上的安装预留孔洞等方面的定位位置、外形几何尺寸以及非几何信息，在模型中需要得到全面体现。

确定施工图设计中构件拆分的位置、尺寸等信息，需要综合考虑工程施工现场布置的起重机的臂长和起重量限值、地方运输规定对构件尺寸的限制、定型模具尺寸以及使用率等带来的技术和经济性方面的制约和影响，在深化设计模型中予以校核和调整。

预制构件拆分时，依据施工吊装工况、吊装设备、运输设备和道路条件、预制厂家生产条件以及标准模数等因素确定其位置和尺寸等信息。应用深化设计模型进行安装节点、专业管线与预留预埋、施工工艺等的碰撞检查以及安装可行性验证。预制装配式混凝土结构深化设计模型除施工图设计模型元素外，还应包括预埋件和预留孔洞、节点和临时安装措施等类型的模型元素，其内容参照表 16-2 的规定。

表 16-2 预制装配式混凝土结构深化设计模型元素及信息

模型元素类型	模型元素及信息
上游模型	预制装配式混凝土结构施工图设计模型元素及信息
预埋件、预留孔洞	预埋件、预埋管、预埋螺栓、预留孔洞 几何信息：位置和几何尺寸 非几何信息：类型、材料等
节点	节点的材料、连接方式、施工工艺等 几何信息：位置、几何尺寸及排布 非几何信息：节点编号、节点区材料信息、钢筋信息（等级、规格等）、型钢信息、节点区预埋信息等
临时安装措施	预制混凝土构件安装设备及相关辅助设施 非几何信息：设备设施的性能参数等信息

在预制装配式混凝土结构深化设计 BIM 应用中，可基于施工图设计模型或施工图，以及预制方案、施工工艺方案等创建深化设计模型，输出平立面布置图、构件深化设计图、节点深化设计图、工程量清单等。

3. 钢结构深化设计

钢结构工程的节点设计分两个阶段：第一阶段是施工图设计阶段的节点设计，通常由设计单位的结构工程师完成；第二阶段是深化设计阶段的节点深化设计，通常由承建单位的深化设计工程师完成。施工图设计阶段的节点设计一般包括柱脚节点、支座节点、梁柱连接、梁梁连接、支撑与柱或梁的连接、管结构连接节点等。而节点设计深化主要内容是根据施工图的设计原则,对图样中未指定的节点进行焊缝强度验算、螺栓群验算、现场拼接节点连接计算、节点设计的施工可行性复核和复杂节点空间放样等。

钢结构节点设计 BIM 应用应完成结构施工图中所有钢结构节点的深化设计图、焊缝和螺栓等连接验算,以及与其他专业协调等内容。钢结构深化设计模型除应包括施工图设计模型元素外,还应包括预埋件、预留孔洞、节点等模型元素,其内容参照表 16-3 的规定。

表 16-3 钢结构深化设计模型元素及信息

模型元素类型	模型元素及信息
上游模型	钢结构施工图设计模型元素及信息
预埋件、预留孔洞	预埋件、预埋管、预埋螺栓、预留孔洞 几何信息:位置和几何尺寸 非几何信息:类型、材料
节点	几何信息:钢结构连接节点位置,连接板及加劲板的位置和尺寸、现场分段连接节点位置、螺栓和焊缝位置 非几何信息:钢构件及零件的材料属性、钢结构表面处理方法、钢构件的编号信息、螺栓规格

在钢结构深化设计 BIM 应用中,可基于施工图设计模型或施工图和相关设计文件、施工工艺文件创建钢结构深化设计模型,输出平立面布置图、节点深化设计图、工程量清单等。

16.5 施工模拟

针对复杂项目的施工组织设计、专项方案、施工工艺,应用 BIM 技术进行模拟分析、技术核算和优化设计,可识别危险源和质量控制难点,提高方案设计的准确性和科学性,并进行可视化技术交底。

1. 施工组织模拟

施工组织模拟是对施工成本、进度、质量安全等的综合模拟。资源配置包括人力、资金、材料和施工机械等。在项目投标阶段上游模型可为施工图设计模型;在施工阶段上游模型优先选择深化设计模型,若没有深化设计模型可选择施工图设计模型。在施工组织模拟前应梳理确定各组织环节之间的时间逻辑关系,其中包括各项工作的起始时间节点、结束时间节点、持续时间、紧前工作、紧后工作等。

施工组织模拟可以结合项目全过程或某施工阶段的进度计划对工序安排、资源配置和平面布置等进行综合模拟或部分模拟。施工工序安排是对施工全过程的科学合理的规划,是工程质量和施工安全的重要保证,施工工序安排的基本要求是:上道工序的完成要为下道工序创造施工条件,下道工序的施工要能保证上道工序的成品完整不受损坏,以减少不必要的返工浪费,确保工程质量。在资源配置模拟中,人力配置模拟通过结合施工进度计划综合分析优化项目施工各阶段的人力需求,优化人力配置计划、资金配置模拟可结合施工进度计划以及相关合同信息,明确资金收支节点,协调优化资金配置计划;材料机械配置模拟可优化确定各施工阶段对模板、脚手架、施工机械等的需求,优化资源配置计划。通过平面布置模拟避免塔式起重机碰撞等问题。

2. 施工工艺模拟

在施工工艺模拟 BIM 应用中，可基于施工组织模型和施工图创建施工工艺模型，并将施工工艺信息与模型关联，输出资源配置计划、施工进度计划等，指导模型创建、视频制作、文档编制和方案交底。在施工工艺模拟前应完成相关施工方案的编制，确认工艺流程及相关技术要求。

施工工艺模拟内容可根据工程项目施工实际需求确定，尤其是新工艺以及施工难度较大的工艺进行施工工艺模拟可以预先发现施工中的难点。在施工工艺模拟前应梳理清楚与工艺相关的所有逻辑关系以及供求关系，避免模拟过程中漏缺项。下面为土木工程施工常见工艺模拟需考虑的因素：

1）土方工程施工工艺模拟应根据开挖量、开挖顺序、开挖机械数量安排、土方运输车辆运输能力、基坑支护类型及支撑等因素，优化土方工程施工工艺。土方开挖工艺模拟还应考虑项目所在地对土方外运的限制，例如土方外运时间和路线。

2）模板工程施工工艺模拟应优化模板数量、类型，支撑系统数量、类型和间距，支设流程和定位，结构预埋件定位等。临时支撑施工工艺模拟应优化临时支撑位置、数量、类型、尺寸，并结合支撑布置顺序、换撑顺序、拆撑顺序。

3）垂直运输施工工艺模拟应综合分析运输需求、垂直运输器械的运输能力等因素，结合施工进度优化垂直运输组织计划。

4）大型设备及构件安装工艺模拟应综合分析柱梁板墙、障碍物等因素，优化大型设备及构件进场时间点、吊装运输路径和预留孔洞等。

5）复杂节点施工工艺模拟应优化节点各构件尺寸、各构件之间的连接方式和空间要求，以及节点施工顺序。

6）脚手架施工工艺模拟应综合分析脚手架组合形式、搭设顺序、安全网架设、连墙杆搭设、场地障碍物、卸料平台与脚手架关系等因素，优化脚手架方案。

7）预制构件拼装施工工艺模拟应综合分析连接件定位、拼装部件之间的连接方式、拼装工作空间要求以及拼装顺序等因素，检验预制构件加工精度。

在施工工艺模拟过程中及时记录出现的工序交接、施工定位等存在的问题，形成施工模拟分析报告等方案优化指导文件。根据施工工艺模拟成果进行协调优化，将涉及的时间、人力、施工机械及其工作面要求等信息与模型关联。

施工工艺模拟模型可从已完成的施工组织模型中提取，并根据需要进行补充完善，也可在施工图、设计模型或深化设计模型基础上创建。施工工艺模拟前应明确模型范围，根据模拟任务调整模型，并满足下列要求：

1）模拟过程涉及空间碰撞的，应确保足够的模型细度及工作面。

2）模拟过程涉及与其他施工工序交叉时，应保证各工序的时间逻辑关系合理。

施工工艺模拟 BIM 应用交付成果包括施工工艺模型、施工模拟分析报告、可视化资料、必要的力学分析计算书或分析报告等。基于 BIM 应用交付成果进行可视化展示或施工交底。

3. 混凝土预制构件加工

混凝土预制构件生产 BIM 应用时，可基于深化设计模型和生产确认、变更确认、设计文件等创建混凝土预制构件生产模型，进一步形成资源配置计划和加工图，并在构件生产和质量验收阶段形成构件生产的进度、质量和成本追溯等信息。基于深化设计模型，增加模具、生产工艺、养护和成品堆放信息。根据设计图和混凝土预制构件生产模型，对钢筋进行翻样，生成钢筋下料文件及清单，相关信息附加或关联到模型中。

直接从混凝土预制加工模型中提取材料信息，为采购计划的编制提供依据，同时应符合相关技术、工艺文件的要求。通过加工过程中信息的不断采集，不断丰富预制加工模型的内容，并通过预制加工模型整合加工中的各种信息（包括人员、设备、方法、材料、环境等），实现施工过程的质量追溯管理。

预制加工模型应以深化设计模型为基础。预制加工模型中的结构定位信息、材料属性信息、图样信息等均应与深化设计模型保持一致。在预制加工过程中信息得到进一步补充（包括材料信息、生产批次信息、构件属性、零构件图、工序工艺、工期成本信息、质检信息、生产责任主体等信息）。

一般预制加工产品物流运输、安装 BIM 应用模式如下：预制加工产品运输到达施工现场后，读取其物联网标示信息编码，获取物料清单及装配图。现场安装人员根据物料清单检查装配图，确定安装位置。安装结束后经过核实检查，安装完成状态信息实时附加或关联到 BIM 模型，有利于预制加工产品的全生命期管理。

混凝土预制构件生产的相关信息指钢筋品牌、型号、数量、下料尺寸及使用部位等信息。构件生产相关文件包括模具图、出厂合格证、实验检测报告、物流清单及使用说明等文件。混凝土预制构件生产 BIM 软件应用一般要涵盖预制构件设计、生产、物流及管理等方面。

构件编码体系应与构件生产模型数据一致，应包括构件类型码、识别码、材料属性编码、几何信息编码等。生产管理编码体系应包括合同编码、工位编码、设备机站编码、人员编码等。混凝土预制构件生产模型应附加或关联生产信息、构件属性、构件加工图、工序工艺、质检、运输控制、生产责任主体等信息。

4. 钢结构构件加工

在钢结构构件加工 BIM 应用中，基于深化设计模型和加工确认、变更确认、设计文件创建钢结构构件加工模型，基于专项加工方案和技术标准完成模型细部处理，基于材料采购计划提取模型工程量，基于工厂设备加工能力、生产计划及工期和资源计划完成预制加工模型的批次划分，基于工艺指导书等资料编制工艺文件，并在构件生产和质量验收阶段形成构件生产的进度信息、成本信息和质量追溯信息。

根据设计图、设计变更、加工图等文件要求，从预制加工模型中提取相关信息进行排版套料，形成材料采购计划。同时将材料代用、设计变更、构件加工过程相关信息附加或关联到加工模型，实现加工过程的追溯管理。钢结构加工模型元素可以附加或关联材料、生产批次、构件属性、零构件图、工序工艺、工期成本、质量管理等信息。交付成果包括钢结构构件加工模型、加工图，以及钢结构构件相关技术参数和安装要求等信息。

模型中实现对材料信息进行共享，通过直接从预制加工模型中提取加工信息，并使用专业的计算机辅助软件生成相关数控工艺文件，借助已有的数控设备（或外部辅助手段）对加工信息进行提取，通过预制加工模型记录施工过程信息，实现施工过程的追溯管理。通过对深化设计模型信息的不断丰富，逐步丰富预制加工模型信息，为钢结构构件加工服务。

5. 机电产品加工

在机电产品加工 BIM 应用中，可基于深化设计模型和加工确认函、设计变更单、施工核定单、设计文件创建机电产品加工模型，基于专项加工方案和技术标准完成模型细部处理，基于材料采购计划提取模型工程量，基于工厂设备加工能力、生产计划及工期和资源计划完成预制加工模型的批次划分，基于工艺指导书等资料编制工艺文件，在构件生产和质量验收阶段形成构件生产的进度信息、成本信息和质量追溯信息。

机电产品按其功能差异划分为不同层次的模块，并建立模块数据库。不同级别、不同功能的建筑机电产品模块划分可以使建筑机电产品的设计思路和产品结构更加清晰。建筑机电产品的模块划分主要应用于两个方面：一是在模块设计过程中，用于验证设计结果，以及模块之间的互换性和相容性；二是在建筑机电产品的组合过程中，根据具体模块的功能要求选择模块来组成满足一定功能的产品。

对机电产品模块应进行编码，其编码应具有唯一性。机电产品模块编码方案包括空间、部位、部件三级，支持拆卸、回收设计，实现建筑机电产品验收和产品认证，便于模块产品数字化识别和管理。表中部件模块的模块相对较多，为方便查询和区分，编码的第一位可以由字母代替，来表示模块的类别。

基于模型采用拼装工艺模拟方式检验机电产品模块的加工精度。基于 3D 实时扫描等技术，通过虚拟拼装、仿真模拟等方式，在预装配环节判断预制加工的误差，调整相关精度，实现预制加工产品的无缝对接。机电产品加工模型元素在深化设计模型元素基础上，附加或关联生产属性、加工图、工序工艺、产品管理等信息。

机电产品加工各环节利用 BIM 技术，最主要的作用之一是可以进行空间冲突检查、时间冲突检查和净空检查。

16.6 进度管理

项目进度管理包括两大部分的内容，即项目进度计划编制和项目进度控制。进度计划编制是在既定施工方案的基础上，根据合同工期和各种资源条件，按照施工过程的先后顺序，从施工准备开始到工程交工验收为止，确定全部施工过程在时间上的安排及相互配合关系。

1. 进度计划编制

传统进度计划编制一般是技术人员依靠施工经验，根据项目各节点要求和施工资源，编写的满足施工任务的计划，并且在实际施工过程中将对此进度计划进行审查和调整。进度计划编制 BIM 应用应根据项目特点和进度控制需求进行。在进度控制 BIM 应用过程中，应对实际进度的原始数据进行收集、整理、统计和分析，并将实际进度信息附加或关联到进度管理模型。

基于 BIM 技术的进度计划编制是应用 BIM 技术进行分解结构（WBS）创建，根据 BIM 深化设计模型自动生成工程量，将具体工作任务的节点与模型元素的信息挂接得到进度管理模型，结合工程定额进行工程量和资源分析、进行进度计划优化，通过对优化后的进度计划进行审查，看其是否满足工期要求、关键节点要求。若不满足则调整，直至优化方案满足要求。应用 BIM 技术可进行进度模拟和可视化交底，实现对工期的监控。

工作分解结构应根据项目的整体工程、单位工程、分部工程、分项工程、施工段、工序依次分解，并应满足下列要求：工作分解结构中的施工段应与模型、模型元素或信息相关联。工作分解结构达到支持制订进度计划的详细程度，并包括任务间关联关系。在工作分解结构基础上创建的施工模型应与工程施工的区域划分、施工流程对应。保持模型和划分区域、施工流程具有对应性，使得模型与施工任务节点能一一关联。例如在某高层的施工中，按任务分解成地下室、裙楼、标准层，地下室分为Ⅰ、Ⅱ、Ⅲ三个区域，其中建模过程中应把模型与施工划分区域Ⅰ、Ⅱ、Ⅲ相对应。

施工任务及节点应根据验收的先后顺序划分，按施工部署要求确定工作分解结构中每个任务的开工时间、竣工时间及关联关系。并确定下列信息：里程碑节点及其开工、竣工时间；结合任务间的关联关系、任务资源、任务持续时间以及里程碑节点的时间要求，编制进度计划，明确各个节点的开工时间、竣工时间以及关键线路。

基于进度管理模型估算各任务节点的工程量，在模型中附加工程量信息，并关联定额信息。基于工程量以及人工、材料、机械等因素对施工进度计划进行优化，并将优化后的进度计划信息附加或关联到模型中。在进度计划编制 BIM 应用中，进度管理模型在深化设计模型或预制加工模型基础上，附加或关联工作分解结构、进度计划、资源和进度管理流程等信息。附加或关联信息到进度管理模型时，应符合下列要求：工作分解结构的每个节点均附加进度信息；人工、材料、机械等定额资源信息基于模型与进度计划关联，进度管理流程中需要存档的表单、文档以及施工模拟动画等成果附加或关联到模型中。

附加进度信息指工作任务关联进度计划里对应的施工时间。人力定额信息包括钢筋工、模板工、混凝土工等各工种的定额，材料定额信息包括钢筋、模板、混凝土等材料的定额，设备定额信息包括塔式起重机、施工电梯、工地用电瓶车等定额。将上述信息录入到模型中，并基于模型与进度计划关联，使模型中构件既包括尺寸、材质、与相邻构件搭接等信息，又包括进度和人力、材料、设备等定额资源信息。

进度计划编制 BIM 软件应与常用 BIM 软件和进度计划软件相兼容，具备能识别常用建模软件导出的模型和信息，具备导入进度计划等基础功能。工程定额数据库既包括通用的定额库，又包括自定义的定额库。

2. 进度控制

进度控制是对工程项目在施工阶段的作业流程和作业时间进行规划、实施、检查、分析、调整等一系列活动的总称。实际工程在具体实施过程中进度计划往往不能得到准确地执行，BIM 技术的应用使工程人员在对图样的理解、工程量的计算、计划及控制方案的表达上更为直观明确，对项目进度管理具有很好的借鉴作用。

进度控制 BIM 应用是以进度管理模型为基础，将现场实际进度信息添加或连接到进度管理模型，通过 BIM 软件的可视化数据（表格、图片、动画等形式）进行比对分析，并应基于偏差分析结果更新进度管理模型。

在使用 BIM 技术进行进度控制应用之前需要制定进度预警规则，并在规则中规定预警的提前量和预警的时间节点等信息（确定进度预警的阈值），作为进度预警的依据。根据计划进度和实际进度的对比分析信息来确定是否需要进行预警，一旦发生预警警报，通过可视化和图片等形式反映出预警的工程段和工程量，作为现场进行调整的依据。

进行进度对比分析时，应基于附加或关联到进度管理模型的实际进度信息、项目进度计划和与之关联的资源及成本信息，对比项目实际进度与计划进度，输出项目的进度时差。进行进度预警时，应制定预警规则，明确预警提前量和预警节点，并根据进度时差，对应预警规则生成项目进度预警信息。项目后续进度计划应根据项目进度对比分析结果和预警信息进行调整，进度管理模型应作相应更新。在进度控制 BIM 应用中，在进度计划编制中进度管理模型基础上，增加实际进度和进度控制等信息。

在进度计划优化时，首先，根据企业定额和经验数据，并结合同类工程中管理经验，确定工作持续时间；其次，根据工程量、用工数量及持续时间等信息，检查进度计划需满足的约束条件；再次，若修改后的进度计划与原进度计划的总工期、节点工期冲突，应与各专业共同协商，并应根据施工逻辑关系，施工工序所需的人工、材料、机械、以及当地自然条件等因素，重新优化进度计划，将优化后的进度计划信息附加或关联到模型中；最后，根据优化后的进度计划，完善人工计划、材料计划和机械设备计划。

16.7 质量、安全管理及竣工验收

在 BIM 应用过程中，应根据项目特点、质量与安全管理需求，编制不同范围、不同时间段的质量管理与安全管理计划。质量管理与安全管理 BIM 应用过程中，应根据施工现场的实际情况和工作计划，对质量控制点和危险源进行动态管理。

1. 质量管理

在质量管理 BIM 应用中，基于深化设计模型或预制加工模型创建质量管理模型，基于质量验收标准和施工资料标准确定质量验收计划，进行质量验收、质量问题处理、质量问题分析工作。

创建质量管理模型时，对导入的深化设计模型或预制加工模型进行检查和调整。确定质量验收计划时，利用模型针对整个工程项目确定质量验收计划，并将验收检查点附加或关联到相关模型元素上。质量验收时，将质量验收信息附加或关联到相关模型元素上。质量问题处理时，将质量问题处理信息附加或关联到相关模型元素上。质量问题分析时，利用模型按部位、时间、施工人员等对质量信息和问题进行汇总和展示。质量管理模型元素在深化设计模型元素或预制加工模型元素基础上，附加或关联质量管理信息，其内容参照表 16-4 的规定。

表 16-4 质量管理模型元素及信息

模型元素类型	模型元素及信息
上游模型	深化设计模型或预制加工模型元素及信息
分部分项工程质量管理	分部工程、分项工程的划分符合现行国家标准《建筑工程施工质量验收统一标准》（GB 50300—2013）的规定 非几何信息包括 质量控制资料：原材料合格证及进场检验试验报告、材料设备试验报告、隐蔽工程验收记录、施工记录以及试验记录 功能检验资料：各分项工程试验记录资料等 观感质量检查记录：各分项工程观感质量检查记录 质量验收记录：检验批质量验收记录、分项工程质量验收记录、分部（子分部）工程质量验收记录等

2. 安全管理

基于 BIM 技术，对施工现场重要生产要素的状态进行绘制和控制，有助于实现危险源的辨识和动态管理，有助于加强安全策划工作。使施工过程中的不安全行为或不安全状态得到减少和消除。在不同施工阶段，基于模型对风险源动态识别并及时更新风险源清单。所汇

总和展示的安全信息和问题，可为安全管理持续改进提供参考和依据。

在安全管理 BIM 应用中，基于深化设计或预制加工等模型创建安全管理模型，基于安全管理标准确定安全技术措施计划，采取安全技术措施，处理安全隐患和事故，分析安全问题。确定安全技术措施计划时，使用安全管理模型辅助相关人员识别风险源。实施安全技术措施计划时，使用安全管理模型向有关人员进行安全技术交底，并将安全交底记录附加或关联到相关模型元素中。处理安全隐患和事故时，使用安全管理模型制定相应的整改措施，并将安全隐患整改信息附加或关联到相关模型元素中；当安全事故发生时，将事故调查报告及处理决定附加或关联到相关模型元素中。分析安全问题时，利用安全管理模型，按部位、时间等对安全信息和问题进行汇总和展示。

安全管理模型元素在深化设计模型元素或预制加工模型元素基础上，附加或关联安全生产或防护设施、安全检查、风险源、事故信息，其内容参照表 16-5 的规定。

表 16-5　安全管理模型元素及信息

模型元素类型	模型元素及信息
上游模型	深化设计模型或预制加工模型元素及信息
安全生产或防护设施	脚手架、垂直运输设备、临边防护设施、洞口防护、临时用电、深基坑等 几何信息：位置、几何尺寸等 非几何信息：设备型号、生产能力、功率等
安全检查	安全生产责任制、安全教育、专项施工方案、危险性较大的专项方案论证情况、机械设备维护保养、分部分项工程安全技术交底等
风险源	风险隐患信息、风险评价信息、风险对策信息等
事故信息	事故调查报告及处理决定等

3. 竣工验收

竣工验收模型应在施工过程模型上附加或关联竣工验收相关信息和资料，其内容应符合现行国家标准《建筑工程施工质量验收统一标准》（GB 50300—2013）和行业标准《建筑工程资料管理规程》（JGJ/T 185—2009）等的规定。在竣工验收 BIM 应用中，应将预验收与竣工验收合格后形成的验收信息和资料附加或关联到模型中，形成竣工验收模型。

竣工验收模型应由分部工程质量验收模型组成，分部工程质量验收模型应由该分部工程的施工单位完成，并确保接收方获得准确、完整的信息。

复习思考题

1. 简述 BIM 的含义。
2. 建筑信息模型实施策略包括哪些内容？
3. 简述施工 BIM 应用策划的步骤。
4. 简述施工模型的分类。
5. 建筑施工中 BIM 应用可以实现哪些内容的深化设计？
6. 施工模拟有哪些优点？
7. 简述质量管理模型元素及信息。
8. 简述安全管理模型元素及信息。

应用训练

除本文给出的施工工艺模拟需考虑的因素以外，尝试给出两种工艺模拟应考虑的内容。

第17章 绿色施工

17.1 绿色施工基本规定

绿色施工是指为保护环境、节约资源，改善施工作业条件，推进建筑业新技术发展和应用而采取的一系列组织和技术措施。绿色施工成为推进建筑业发展的重要举措。

绿色施工应满足以下基本规定：

1) 建立绿色施工管理体系和管理制度，实施目标管理，绿色施工目标明确，建立绿色施工培训制度，能够持续改进。

2) 根据绿色施工要求进行图样会审和深化设计，施工组织设计、施工方案、技术交底应有专门的绿色施工章节、内容，采用符合绿色施工要求的新材料、新技术、新工艺、新设备进行施工，内容应涵盖"四节（节材、节水、节能、节地）一环保"要求。

3) 绿色施工运行、评价过程中，各种见证资料和自检评价记录等绿色施工资料齐全。

以上项目措施到位，须全部满足要求。发生下列事故之一，不得评为绿色施工合格项目：

1) 发生安全生产死亡事故，或发生重大质量事故并造成严重影响。

2) 发生群体传染病、食物中毒等责任事故。

3) 施工中因"四节一环保"问题被政府管理部门处罚，或违反国家有关"四节一环保"的法律法规，造成严重社会影响。

4) 施工扰民造成严重社会影响。

为满足"四节一环保"的要求，以上技术根据工程实际情况进行应用。

17.2 主要绿色施工技术

根据我国《建筑业10项新技术（2017版）》，绿色施工技术主要有以下11项内容：

1. 封闭降水及水收集综合利用技术

（1）基坑封闭降水技术　基坑封闭降水技术是指在坑底和基坑侧壁采用截水措施，在基坑周边形成止水帷幕，阻截基坑侧壁及基坑底面的地下水流入基坑，在基坑降水过程中对基坑以外地下水位不产生影响的降水方法，基坑施工时应按需降水或隔离水源。

止水帷幕必须在有安全的基坑支护措施下配合使用，或者帷幕本身经计算能同时满足基坑支护的要求（如地下连续墙）。

封闭深度：采用悬挂式竖向截水和水平封底相结合，在没有水平封底措施的情况下要求

侧壁帷幕（连续墙、搅拌桩、旋喷桩等）插入基坑下卧不透水土层一定深度。深度情况应满足下式计算

$$L = 0.2h_w - 0.5b \tag{17-1}$$

式中　L——帷幕插入不透水层的深度；

　　　h_w——作用水头；

　　　b——帷幕厚度。

止水帷幕厚度：满足抗渗要求，渗透系数宜小于 1.0×10^{-6} cm/s。基坑内井深度：可采用降水井和疏干井，若采用降水井，井深度不宜超过止水帷幕深度；若采用疏干井，井深应插入下层强透水层。

（2）施工现场水收集综合利用技术　施工现场水收集综合利用技术包括基坑施工降水回收利用技术、雨水回收利用技术、现场生产和生活废水回收利用。

基坑施工降水回收利用包含两种：一是利用自渗效果将上层滞水引渗至下层潜水层中，可使部分水资源重新回灌至地下的回收利用；二是将所抽水集中存放施工时再利用。利用自渗效果将上层滞水引渗至下层潜水层中，有回灌量、集中存放量和使用量记录。基坑降水回收利用率为

$$R = K_6 \frac{Q_1 + q_1 + q_2 + q_3}{Q_0} \times 100\% \tag{17-2}$$

式中　Q_0——基坑涌水量（m³/d），按照最不利条件下的计算最大流量；

　　　Q_1——回灌至地下的水量（m³/d），根据地质情况及试验确定；

　　　q_1——现场生活用水量（m³/d）；

　　　q_2——现场控制扬尘用水量（m³/d）；

　　　q_3——施工砌筑抹灰等用水量（m³/d）；

　　　K_6——损失系数；取 0.85~0.95。

雨水回收利用技术是指在施工现场中将雨水收集后，经过雨水渗蓄、沉淀等处理，集中存放再利用。现场生产和生活废水也应经过过滤、沉淀或净化等处理达标后再利用。

回收水可直接用于冲刷厕所、施工现场洗车及现场洒水控制扬尘，水质达到要求的水体可用于绿化、结构养护用水以及混凝土试块养护用水等。施工现场用水至少应有20%来源于雨水和生产废水回收利用等，污水排放应符合要求。

2. 建筑垃圾减量化与资源化利用技术

建筑垃圾是指在工程建设或拆除建筑物、构筑物过程中产生的施工废弃物。

建筑垃圾减量化是指在施工过程中采用新技术或通过管理措施，减少建筑垃圾排放。建筑垃圾资源化利用是指建筑垃圾就近处置、回收直接利用或加工处理后再利用。

实施建筑垃圾分类收集、分类堆放；碎石类、粉类的建筑垃圾进行合理级配后用作回填材料；将建筑垃圾经过分类、分拣、粉碎、分级，变为可再生骨料。

可回收的建筑垃圾主要有散落的砂浆和混凝土、剔凿产生的砖石和混凝土碎块、打桩截下的钢筋混凝土桩头、砌块碎块、废旧木材、钢筋余料、塑料等。

现场垃圾减量化与资源化的主要措施有：

1）优化钢筋下料，对钢筋余料采用再利用技术，如将钢筋余料用于加工马凳筋、预埋

件与安全围栏等。

2）优化模板、木方拼接，减少裁剪量；对木模板应通过合理的设计和加工制作提高重复使用率。

3）回收利用混凝土余料，用于制作小过梁、混凝土砖等。

4）排块砌块，在加工车间或遮挡条件下进行机械切割，减少砌块的废料。

利用再生骨料和微细粉料作为骨料和填充料，生产混凝土砌块、混凝土砖、透水砖、制备砂等制品。其他废料也可通过机械分拣、分级成为材料的再生骨料。

建筑垃圾产生量应不高于 $350t/万m^2$；可回收的建筑垃圾回收利用率达到 80% 以上。再生骨料应符合相关规范或规程的规定。

3. 施工现场太阳能、空气能利用技术

（1）太阳能光伏发电照明技术　太阳能光伏发电照明技术是利用太阳能电池组件将太阳光能直接转化为电能储存并用于施工现场照明系统的技术。发电系统主要由光伏组件、控制器、蓄电池（组）和逆变器（当照明负载为直流电时，不使用）及照明负载等组成。

施工现场太阳能光伏发电照明技术中的照明灯具负载应为直流负载，灯具选用以工作电压为 12V 的 LED 灯为主。生活区安装太阳能发电电池，保证道路照明使用率达到 90% 以上。

（2）太阳能热水应用技术　太阳能热水技术是利用太阳光将水温加热的装置。太阳能热水器分为真空管式太阳能热水器和平板式太阳能热水器，太阳能光热发电比光伏发电的太阳能转化效率较高。它由集热部件（真空管式为真空集热管，平板式为平板集热器）、保温水箱、支架、连接管道、控制部件等组成。

太阳能热水技术系统由集热器外壳、水箱内胆、水箱外壳、控制器、水泵、内循环系统等组成。根据太阳能热水器安装技术参数，选择合适的型号安装。

（3）空气能热水技术　空气能热水技术是运用热泵工作原理，吸收空气中的低能热量，经过中间介质的热交换，并压缩成高温气体，通过管道循环系统对水加热的技术。

空气能热水器利用空气能，不需要阳光，因此放在室内或室外均可，温度在 0℃ 以上，就可以 24h 全天候承压运行。

工程现场使用空气能热水器时，空气能热泵机组应尽可能布置在室外，进风和排风通畅，避免造成气流短路。机组间的距离应保持在 2m 以上，机组与主体建筑或临建墙体（封闭遮挡类墙面或构件）间的距离应保持在 3m 以上；另外为避免排风短路，在机组上部不应设置挡雨棚之类的遮挡物；如果机组必须布置在室内，应采取提高风机静压的办法，接风管将排风排至室外。

空气能热水技术适用于施工现场办公区、生活区临时热水供应。

4. 施工扬尘控制技术

施工扬尘控制技术包括施工现场道路、塔式起重机、脚手架等部位自动喷淋降尘和雾炮降尘技术、施工现场车辆自动冲洗技术。

1）自动喷淋降尘系统主要由蓄水系统、自动控制系统、语音报警系统、变频水泵、主管、三通阀、支管、微雾喷头连接而成，主要安装在临时施工道路、脚手架上。

塔式起重机自动喷淋降尘系统是指在塔式起重机安装完成后通过塔式起重机旋转臂安装的喷水设施，用于塔臂覆盖范围内的降尘、混凝土养护等。喷淋系统由加压泵、塔式起重机、喷淋主管、万向旋转接头、喷淋头、卡扣、扬尘监测设备、视频监控设备等组成。

2）雾炮降尘系统主要有电机、高压风机、水平旋转装置、仰角控制装置、导流筒、雾化喷嘴、高压泵、储水箱等装置，其特点为风力强劲、射程高（远）、穿透性好，可以实现精量喷雾，雾粒细小，能快速将尘埃抑制降沉，工作效率高、速度快，覆盖面积大。

3）施工现场车辆自动冲洗系统由供水系统、循环用水处理系统、冲洗系统、承重系统、自动控制系统组成，采用红外、位置传感器启动自动清洗及运行指示的智能化控制技术。水池采用四级沉淀、分离，处理水质，确保水循环使用；清洗系统由冲洗槽、两侧挡板、高压喷嘴装置、控制装置和沉淀循环水池组成；喷嘴沿多个方向布置，无死角。

5. 施工噪声控制技术

施工噪声控制技术是指通过选用低噪声设备、先进施工工艺或采用隔声屏、隔声罩等措施有效降低施工现场及施工过程噪声的控制技术。

1）隔声屏：通过遮挡和吸声减少噪声的排放。隔声屏主要由基础、立柱和隔声屏板几部分组成。隔声屏可模块化生产，装配式施工，选择多种色彩和造型进行组合、搭配与周围环境协调。

2）隔声罩：把噪声较大的机械设备（搅拌机、混凝土输送泵、电锯等）封闭起来，有效地阻隔噪声的外传。隔声罩外壳由一层不透气的具有一定质量和刚性的金属材料制成，也可以用木板或塑料板制作，轻型隔声结构可用铝板制作。要求高的隔声罩可做成双层壳，内层较外层薄一些；两层的间距一般是 6~10mm，填以多孔吸声材料。罩的内侧附加吸声材料，以吸收声音并减弱空腔内的噪声，应采取适当的通风散热措施。

3）封闭的工房以有效降低电锯加工时噪声对施工现场的影响。

4）低噪声机械设备优先选用能够减少或避免噪声的先进施工工艺。

施工现场噪声应符合《建筑施工场界环境噪声排放标准》（GB 12523—2011）的规定，昼间≤70dB（A），夜间≤55dB（A）。

6. 绿色施工在线监测及量化评价技术

绿色施工在线监测及量化评价技术是根据绿色施工评价标准，通过在施工现场安装智能仪表并借助 GPRS 通信和计算机软件技术，随时随地以数字化的方式对施工现场能耗、水耗、施工噪声、施工扬尘、大型施工设备安全运行状况等各项绿色施工指标数据进行实时监测、记录、统计、分析、评价和预警的监测系统和评价体系。绿色施工涉及管理、技术、材料、工艺、装备等多个方面，绿色施工监测内容应尽可能全面。

监测及量化评价系统构成以传感器为监测基础，以无线数据传输技术为通信手段，包括现场监测子系统、数据中心和数据分析处理子系统。现场监测子系统由分布在各个监测点的智能传感器和 HCC 可编程通信处理器组成监测节点，利用无线通信方式进行数据的转发和传输，达到实时监测施工用电、用水、施工产生的噪声和粉尘、风速风向等数据。数据中心负责接收数据和初步的处理、存储，数据分析处理子系统则将初步处理的数据进行量化评价和预警，并依据授权发布处理数据。

1）绿色施工在线监测及量化评价内容包括数据记录、分析及量化评价和预警。

2）受风力影响较大的施工工序场地、机械设备（如塔式起重机）处风向、风速监测仪安装率宜达到 100%。

3）现场施工照明、办公区需安装高效节能灯具（如 LED）、声光智能开关，安装覆盖率宜达到 100%。

4）对于危险性较大的施工工序，远程监控安装率宜达到100%。

5）材料进场时间、用量、验收情况实时录入监测系统，保证远程实时接收监测结果。

7. 工具式定型化临时设施技术

工具式定型化临时设施包括标准化箱式房、定型化临边洞口防护、加工棚，构件化PVC绿色围墙、预制装配式马道、可重复使用临时道路板等。

1）标准化箱式施工现场用房包括办公室、会议室、接待室、资料室、活动室、阅读室、卫生间。标准化箱式附属用房包括食堂、门卫房、设备房、试验用房。按照标准尺寸和符合要求的材质制作和使用。

2）定型化、可周转的基坑、楼层临边防护、水平洞口防护，可选用网片式、格栅式或组装式。楼梯扶手栏杆采用工具式短钢管接头，立杆采用膨胀螺栓与结构固定，内插钢管栏杆，使用结束后可拆卸周转重复使用。现场可采用混凝土基础，型钢立柱、桁架主梁，螺栓连接的可周转定型化加工棚。

3）构件化PVC绿色围墙基础采用现浇混凝土，支架采用轻型薄壁钢型材，墙体采用工厂化生产的PVC扣板，现场采用装配式施工方法。

4）预制装配式马道采用混凝土基础，立杆为钢管，采用法兰连接。马道楼梯梯段侧向主龙骨采用热轧槽钢，每主体结构层高度内两跑楼梯，并保证楼板所在平面的休息平台高于楼板200mm。踏步、休息平台、安全通道顶棚覆盖采用3mm花纹钢板，楼梯扶手立杆采用方钢管，梯段与休息平台固定采用螺栓连接，梯段与休息平台随主体结构完成逐步拆除。

5）可重复使用临时道路板可采用预制混凝土道路板、装配式钢板、新型材料等，具有施工操作简单，占用场地少，便于拆装、移位，可重复利用，能降低施工成本，减少能源消耗和废弃物排放等优点。应根据临时道路的承载力和使用面积等因素确定尺寸。

8. 垃圾管道垂直运输技术

垃圾管道垂直运输技术是指在建筑物内部或外墙外部设置封闭的大直径管道，将楼层内的建筑垃圾沿着管道靠重力自由下落，通过减速门对垃圾进行减速，最后落入专用垃圾箱内进行处理。

垃圾运输管道主要由楼层垃圾入口、主管道、减速门、垃圾出口、专用垃圾箱、管道与结构连接件等主要构件组成，可以将该管道直接固定到施工建筑的梁、柱、墙体等主要构件上，安装灵活，可多次周转使用。

垃圾管道出口处设置专用集装箱式垃圾箱进行垃圾回收，并设置防尘隔离棚。垃圾运输管道楼层垃圾入口、垃圾出口及专用垃圾箱设置自动喷洒降尘系统。建筑碎料（凿除、抹灰等产生的旧混凝土、砂浆等矿物材料及施工垃圾）单件粒径尺寸不宜超过100mm，质量不宜超过2kg；木材、纸质、金属和其他塑料包装废料严禁通过垃圾垂直运输通道运输。高层、超高层使用时每隔50~60m设置一套独立的垃圾运输管道，设置专用垃圾箱。

9. 透水混凝土与植生混凝土应用技术

（1）透水混凝土　透水混凝土是由一系列相连通的孔隙和混凝土实体部分骨架构成的具有透气和透水性的多孔混凝土，透水混凝土主要由胶结材料和粗骨料构成，有时会加入少量的细骨料。从内部结构来看，主要靠包裹在粗骨料表面的胶结材料浆体将骨料颗粒胶结在一起，形成骨料颗粒之间为点接触的多孔结构。

透水混凝土的强度、孔隙率、耐久性及材料用量应进行试配或根据经验确定。

透水混凝土技术适用于严寒以外的地区，城市广场、住宅小区、公园休闲广场和园路、景观道路以及停车场等，在"海绵城市"建设工程中，可与人工湿地、下凹式绿地、雨水收集等组成"渗、滞、蓄、净、用、排"的雨水生态管理系统。

（2）植生混凝土　植生混凝土是以水泥为胶结材料，大粒径的石子为骨料制备的能使植物根系生长于其孔隙的大孔混凝土，它与透水混凝土有相同的制备原理，但由于骨料的粒径更大，胶结材料用量较少，所以形成孔隙率和孔径更大，便于灌入植物种子和肥料以及植物根系的生长。

普通植生混凝土用的骨料、水泥用量、掺合料等经过试配或经验确定。旧砖瓦和再生混凝土骨料均可作为植生混凝土骨料，称为再生骨料植生混凝土。轻质植生混凝土利用陶粒作为骨料，可以用于植生屋面。植生混凝土的制备工艺与透水混凝土基本相同，但注意的是浆体黏度要合适，保证将骨料均匀包裹，不发生流浆离析或因干硬不能充分粘结的问题。植生地坪的植生混凝土可以在现场直接铺设浇筑施工，也可以预制成多孔砌块后到现场用铺砌方法施工。

普通植生混凝土和再生骨料植生混凝土多用于河堤、河坝护坡、水渠护坡、道路护坡和停车场等；轻质植生混凝土多用于植生屋面、景观花卉等。

10. 混凝土楼地面一次成型技术

混凝土楼地面一次成型工艺是在混凝土浇筑完成后，用ϕ150mm钢管压滚压平提浆，刮杠调整平整度，或采用激光自动整平、机械提浆方法，在混凝土地面初凝前铺撒耐磨混合料（精钢砂、钢纤维等），利用磨光机磨平，最后进行修饰工序。混凝土楼地面一次成型施工工艺与传统施工工艺相比具有避免地面空鼓、起砂、开裂等质量通病，增加了楼层净空尺寸，提高地面的耐磨性和缩短工期等优势，同时省却了传统地面施工中的找平层，对节省建材、降低成本效果显著。

（1）冲筋　根据墙面弹线标高和混凝土面层厚度用L40mm×63mm×4mm的角钢冲筋，并用作混凝土地面的侧模，角钢用膨胀螺栓（@1000mm）固定在结构板上，用激光水准仪进行二次抄平。

（2）铺撒耐磨混合料　混合料撒布的时机随气候、温度和混凝土配合比等因素而变化。

（3）表面修饰　磨光机作业后面层仍存在磨纹较凌乱，为消除磨纹最后采用薄钢抹子对面层进行有序方向的人工压光，完成修饰工序。

（4）养护及模板拆除　地面面层施工完成24h后进行洒水养护，在常温条件下连续养护不得少于7d；养护期间严禁上人；施工完成24h后进行角钢侧模拆除，应注意不得损伤地面边缘。

（5）切割分隔缝　为避免结构柱周围地面开裂，必须在结构柱等应力集中处设置分格缝，缝宽5mm，分隔缝在地面混凝土强度达到70%后（完工后5d左右），用砂轮切割机切割。柱距大于6m的地面须在轴线中切割一条分隔缝，切割深度应至少为地面厚度的1/5。填缝材料采用弹性树脂等材料。

11. 建筑物墙体免抹灰技术

建筑物墙体免抹灰技术是指通过采用新型模板体系、新型墙体材料或采用预制墙体，使墙体表面允许偏差、观感质量达到免抹灰或直接装修的质量水平。现浇混凝土墙体、砌筑墙体及装配式墙体通过现浇、新型砌筑、整体装配等方式使外观质量及平整度达到准清水混凝土墙、新型砌筑免抹灰墙、装饰墙的效果。

现浇混凝土墙体是通过材料配制、细部设计、模板选择及安拆，混凝土拌制、浇筑、养护、成品保护等诸多技术措施，使现浇混凝土墙达到准清水免抹灰效果。

对非承重的围护墙体和内隔墙可采用免抹灰的新型砌筑技术，采用黏结砂浆砌筑，砌块尺寸偏差控制为 1.5~2mm，砌筑灰缝为 2~3mm。对内隔墙也可采用高质量预制板材，现场装配式施工，刮腻子找平。

复习思考题

1. 什么是绿色施工？简述绿色施工的基本规定。
2. 绿色施工的主要技术包括哪些？
3. 现场垃圾减量化与资源化的主要措施有哪些？
4. 施工现场扬尘控制的主要措施有哪些？

应用训练

试分析绿色施工与 BIM 应用的关系。

附录

建筑业10项新技术清单（2017版）

从1994年开始，我国建筑业推广应用10项新技术，到2017年《建筑业10项新技术》经历过4次修订。适时总结提炼最具代表性、推广价值的共性技术和关键技术，使技术内涵不断更新、提升、发展。2017年最新版体现了绿色化、工业化、信息化等，突出了装配式建筑、抗震、节能、信息化等热点领域和前沿技术，新增"装配式混凝土结构技术"章节，"绿色施工技术"中新增施工噪声控制技术、建筑垃圾减量化与资源化利用、绿色施工在线监测及量化评价等8项新技术。

建筑业10项新技术引导建筑企业采用先进适用、成熟可靠的新技术，可以提高工程科技含量，保证工程质量和安全生产，促进建筑业结构升级和可持续发展。

1. 地基基础和地下空间工程技术

地基基础和地下空间工程技术共计13项：灌注桩后注浆技术，长螺旋钻孔压灌桩技术，水泥土复合桩技术，混凝土桩复合地基技术，真空预压法组合加固软基技术，装配式支护结构施工技术，型钢水泥土复合搅拌桩支护结构技术，地下连续墙施工技术，逆作法施工技术，超浅埋暗挖施工技术，复杂盾构法施工技术，非开挖埋管施工技术，综合管廊施工技术。

2. 钢筋与混凝土技术

钢筋与混凝土技术共计12项：高耐久性混凝土技术，高强高性能混凝土技术，自密实混凝土技术，再生骨料混凝土技术，混凝土裂缝控制技术，超高泵送混凝土技术，高强钢筋应用技术，高强钢筋直螺纹连接技术，钢筋焊接网应用技术，预应力技术，建筑用成型钢筋制品加工与配送技术，钢筋机械锚固技术。

3. 模板脚手架技术

模板脚手架技术共计11项：销键型脚手架及支撑架，集成附着式升降脚手架技术，电动桥式脚手架技术，液压爬升模板技术，整体爬升钢平台技术，组合铝合金模板施工技术，组合式带肋塑料模板技术，清水混凝土模板技术，预制节段箱梁模板技术，管廊模板技术，3D打印装饰造型模板技术。

4. 装配式混凝土结构技术

装配式混凝土结构技术共计10项：装配式混凝土剪力墙结构技术，装配式混凝土框架结构技术，混凝土叠合楼板技术，预制混凝土外墙挂板技术，夹芯保温墙板技术，叠合剪力墙结构技术，预制预应力混凝土构件技术，钢筋套筒灌浆连接技术，装配式混凝土结构建筑信息模型应用技术，预制构件工厂化生产加工技术。

5. 钢结构技术

钢结构技术共计10项：高性能钢材应用技术，钢结构深化设计与物联网应用技术，钢结构智能测量技术，结构虚拟预拼装技术，钢结构高效焊接技术，钢结构滑移、顶（提）升施工技术，钢结构防腐防火技术，钢与混凝土组合结构应用技术，索结构应用技术，钢结构住宅应用技术。

6. 机电安装工程技术

机电安装工程技术共计11项：基于BIM的管线综合技术，导线连接器应用技术，可弯曲金属导管安装技术，工业化成品支吊架技术，机电管线及设备工厂化预制技术，薄壁金属管道新型连接安装施工技术，内保温金属风管施工技术，金属风管预制安装施工技术，超高层垂直高压电缆敷设技术，机电消声减振综合施工技术，建筑机电系统全过程调试技术。

7. 绿色施工技术

绿色施工技术共计11项：封闭降水及水收集综合利用技术，建筑垃圾减量化与资源化利用技术，施工现场太阳能、空气能利用技术，施工扬尘控制技术，施工噪声控制技术，绿色施工在线监测及量化评价技术，工具式定型化临时设施技术，垃圾管道垂直运输技术，透水混凝土与植生混凝土应用技术，混凝土楼地面一次成型技术，建筑物墙体免抹灰技术。

8. 防水技术与围护结构节能

防水技术与围护结构节能共计10项：防水卷材机械固定施工技术，地下工程预铺反粘防水技术，预备注浆系统施工技术，丙烯酸盐灌浆液防渗施工技术，种植屋面防水施工技术，装配式建筑密封防水应用技术，高性能外墙保温技术，高效外墙自保温技术，高性能门窗技术，一体化遮阳窗。

9. 抗震、加固与监测技术

抗震、加固与监测技术共计10项：消能减震技术，建筑隔震技术，结构构件加固技术，建筑移位技术，结构无损性拆除技术，深基坑施工监测技术，大型复杂结构施工安全性监测技术，爆破工程监测技术，受周边施工影响的建（构）筑物检测、监测技术，隧道安全监测技术。

10. 信息化技术

信息化技术共计9项：基于BIM的现场施工管理信息技术，基于大数据的项目成本分析与控制信息技术，基于云计算的电子商务采购技术，基于互联网的项目多方协同管理技术，基于移动互联网的项目动态管理信息技术，基于物联网的工程总承包项目物资全过程监管技术，基于物联网的劳务管理信息技术，基于GIS和物联网的建筑垃圾监管技术，基于智能化的装配式建筑产品生产与施工管理信息技术。

参 考 文 献

[1] 郭正兴. 土木工程施工［M］. 3 版. 南京：东南大学出版社，2020.
[2] 重庆大学，同济大学，哈尔滨工业大学. 土木工程施工［M］. 4 版. 北京：中国建筑工业出版社，2023.
[3] 叶良，刘薇，孙平平. 建筑工程施工［M］. 北京：北京大学出版社，2014.
[4] 张厚先，王志清. 建筑施工技术［M］. 2 版. 北京：机械工业出版社，2008.
[5] 穆静波，侯敬峰. 土木工程施工［M］. 3 版. 北京：中国建筑工业出版社，2020.
[6] 刘俊岩，应惠清，刘燕. 土木工程施工［M］. 北京：机械工业出版社，2022.
[7] 中华人民共和国住房和城乡建设部. 建筑与市政工程防水通用规范：GB 55030—2022［S］. 北京：中国建筑工业出版社，2023.
[8] 穆静波. 土木工程施工习题集［M］. 2 版. 北京：中国建筑工业出版社，2014.
[9] 中华人民共和国住房和城乡建设部. 地下工程防水技术规范：GB 50108—2008［S］. 北京：中国计划出版社，2009.
[10] 中华人民共和国住房和城乡建设部. 混凝土结构工程施工质量验收规范：GB 50204—2015［S］. 北京：中国建筑工业出版社，2015.
[11] 中华人民共和国住房和城乡建设部. 建筑工程施工质量验收统一标准：GB 50300—2013［S］. 北京：中国建筑工业出版社，2014.
[12] 中华人民共和国住房和城乡建设部. 屋面工程技术规范：GB 50345—2012［S］. 北京：中国建筑工业出版社，2012.
[13] 中华人民共和国住房和城乡建设部. 混凝土结构工程施工规范：GB 50666—2011［S］. 北京：中国建筑工业出版社，2012.
[14] 中华人民共和国住房和城乡建设部. 混凝土强度检验评定标准：GB/T 50107—2010［S］. 北京：中国建筑工业出版社，2010.
[15] 中华人民共和国住房和城乡建设部. 建筑施工组织设计规范：GB/T 50502—2009［S］. 北京：中国建筑工业出版社，2009.
[16] 中华人民共和国住房和城乡建设部. 混凝土结构现场检测技术标准：GB/T 50784—2013［S］. 北京：中国建筑工业出版社，2013.
[17] 中华人民共和国住房和城乡建设部. 钢筋焊接及验收规程：JGJ 18—2012［S］. 北京：中国建筑工业出版社，2012.
[18] 中华人民共和国住房和城乡建设部. 普通混凝土配合比设计规程：JGJ 55—2011［S］. 北京：中国建筑工业出版社，2011.
[19] 中华人民共和国建设部. 建筑桩基技术规范：JGJ 94—2008［S］. 北京：中国建筑工业出版社，2008.
[20] 中华人民共和国住房和城乡建设部. 建筑基桩检测技术规范：JGJ 106—2014［S］. 北京：中国建筑工业出版社，2014.
[21] 中华人民共和国住房和城乡建设部. 钢筋机械连接技术规程：JGJ 107—2016［S］. 北京：中国建筑工业出版社，2016.
[22] 中华人民共和国住房和城乡建设部. 建筑基坑支护技术规程：JGJ 120—2012［S］. 北京：中国建筑工业出版社，2012.
[23] 中华人民共和国住房和城乡建设部. 建筑施工扣件式钢管脚手架安全技术规范：JGJ 130—2011

[S]. 北京：中国建筑工业出版社，2011.

[24] 中华人民共和国住房和城乡建设部. 建筑施工碗扣式钢管脚手架安全技术规范：JGJ 166—2016[S]. 北京：中国建筑工业出版社，2017.

[25] 住房和城乡建设部标准定额研究所. 混凝土泵送施工技术规程：JGJ/T 10—2011[S]. 北京：中国建筑工业出版社，2012.

[26] 中华人民共和国住房和城乡建设部. 混凝土小型空心砌块建筑技术规程：JGJ/T 14—2011[S]. 北京：中国建筑工业出版社，2012.

[27] 中华人民共和国住房和城乡建设部. 预拌砂浆应用技术规程：JGJ/T 223—2010[S]. 北京：中国建筑工业出版社，2011.

[28] 中华人民共和国住房和城乡建设部. 建筑地基基础工程施工质量验收标准：GB 50202—2018[S]. 北京：中国计划出版社，2018.

[29] 中华人民共和国住房和城乡建设部. 砌体结构工程施工质量验收规范：GB 50203—2011[S]. 北京：中国建筑工业出版社，2012.

[30] 中华人民共和国住房和城乡建设部. 屋面工程质量验收规范：GB 50207—2012[S]. 北京：中国建筑工业出版社，2012.

[31] 中华人民共和国住房和城乡建设部. 外墙内保温工程技术规程：JGJ/T 261—2011[S]. 北京：中国建筑工业出版社，2012.

[32] 中华人民共和国住房和城乡建设部. 建筑装饰装修工程质量验收标准：GB 50210—2018[S]. 北京：中国建筑工业出版社，2018.

[33] 中华人民共和国住房和城乡建设部. 建筑地面工程施工质量验收规范：GB 50209—2010[S]. 北京：中国计划出版社，2010.

[34] 中华人民共和国住房和城乡建设部. 建筑涂饰工程施工及验收规程：JGJ/T 29—2015[S]. 北京：中国建筑工业出版社，2015.

[35] 中华人民共和国住房和城乡建设部. 建筑施工脚手架安全技术统一标准：GB 51210—2016[S]. 北京：中国建筑工业出版社，2017.

[36] 住房和城乡建设部标准定额研究所. 建筑施工安全检查标准：JGJ 59—2011[S]. 北京：中国建筑工业出版社，2012.

[37] 中华人民共和国建设部. 施工现场临时用电安全技术规范：JGJ 46—2005[S]. 北京：中国建筑工业出版社，2005.

[38] 中华人民共和国住房和城乡建设部. 建筑施工安全技术统一规范：GB 50870—2013[S]. 北京：中国建筑工业出版社，2014.

[39] 中华人民共和国住房和城乡建设部. 钢结构工程施工规范：GB 50755—2012[S]. 北京：中国建筑工业出版社，2012.

[40] 中华人民共和国住房和城乡建设部. 钢结构焊接规范：GB 50661—2011[S]. 北京：中国建筑工业出版社，2012.

[41] 中华人民共和国住房和城乡建设部. 绿色建筑评价标准：GB/T 50378—2019[S]. 北京：中国建筑工业出版社，2019.

[42] 中华人民共和国住房和城乡建设部. 建筑信息模型应用统一标准：GB/T 51212—2016[S]. 北京：中国建筑工业出版社，2017.

[43] 中华人民共和国住房和城乡建设部. 建筑信息模型施工应用标准：GB/T 51235—2017[S]. 北京：中国建筑工业出版社，2018.